失われたアトランティス

Gavin Menzies

THE LOST EMPIRE OF ATLANTIS

HISTORY'S GREATEST MYSTERY REVEALED

ギャヴィン・メンジーズ
松本剛史◎訳

FU SO SHA
扶桑社

THE LOST EMPIRE OF ATLANTIS
by Gavin Menzies

First published by the Orion Publishing Group, London

Published by arrangement with Orion Publishing Group
via The English Agency (Japan) Ltd

本書を執筆するための旅に同行し
人生の旅もともに続けてきた
最愛の妻マーセラに捧げる。

これがミノアの線文字Aで記した彼女の名前だ。

目次

著者のウェブサイト：www.gavinmenzies.net/

謝辞

この本を書く励みとなってくれた人たちへ

『１４２１』や『１４３４』と同じく、本書も大勢の努力の結晶だ。何百人もの人たち、その多くは私のウェブサイトを通じての友人だが、その励ましのおかげでここまで漕ぎつけた。コロンブスより何千年も前、いや、鄭和《ていわ》提督の航海のはるか以前に、大陸間を行き来する航海が行われていたという確信をもたせてくれたのは彼らだった。だからまず最初に、自ら労をとって私に電子メールを送ってくれた人たちへの感謝から始めるべきだと思う。

私が書いてきた本はどれも、自分の潜水艦の航海士あるいは艦長としての経験に大きく拠っている。これは英国海軍が私に投資し、一〇年以上かけた訓練でその職務を果たせるようにしたたまものだ。とくに私を潜水艦の艦長に育てあげ、先入観にとらわれず証拠を検証して問題に対処する「水平思考」を教えてくれた、ジョン・ウッドワード提督（ＧＢＥ、ＫＣＢ）に深く感謝する。

私よりずっと著名で学識豊かな多くの著者がいて、その著書からインスピレーションを与えられてきた。ジョン・Ｌ・ソレンソン名誉教授とマーティン・ライシュは、著書の『コロンブス以前の大洋を越えたアメリカ大陸との接触――文献解題』で、過去八〇〇〇年にわたる大陸間航海について書かれた五〇〇〇超の書籍や論文をまとめている。カール・L・ジョハネセン名誉教授は一連の本や論文で、数千年に及ぶ大陸間航海をめぐる同様の解釈を発表している。ソレンソンとジョハネセンは『一四九二年以前の世界交易と生物学的交流』という共著も出していて、私も本書のなかで自説を裏づける証拠として何度も引用させていただいた。最近になってソレンソン教授は「メソアメリカと古代近東に共通する儀式とイデオロギーの複合体」という論文を発表し、コロンブスより何千年も前に大陸間航海が何千回となく行われていたことを記している。

ジョン・コグラン名誉教授は過去五年にわたって、学者ではない「わが道を往く」人たちを支援する知的な裏づけを提供してきた。そのせいでジョンは激しい批判にさらされたが、私はその揺るぎない支持に心から感謝するものだ。

既存の歴史学者とは異なった歴史観をもつ著者たちがいる――オクターヴ・デュ・テンプル教授、ロイ・ドライア教授、ジェームズ・シャーツ名誉教授、ジェームズ・L・ガスリー教授、デヴィッド・ホフマン教授による、スペリオル湖の古代の銅鉱と、そこからどこへともなく消えたように見える数百万キロの銅についての研究に感謝したい。

本書で私が語っているのは、紀元前一四五〇年にティーラ島で起こった恐ろしい火山噴火でミノア文明が壊滅する以前に、世界の海を渡っていたミノア人の船団にまつわる物語だ。彼らの冒険を最初に私たちに知らせたのはスピリドン・マリナトス教授だった。教授は一九六四年、紀元前二〇〇〇年期にミノア人の主要拠点だったティーラ島(サントリーニ島)のアクロティリの街を発掘しようと決めた。そして幸運と適切な判断のおかげで、紀元前一四五〇年からずっと埋もれていた、だが壁は無傷のままの提督の館を発見した。そのおかげで世界は初めて、当時の世界を軽やかに駆けめぐっていたミノアの優れた船を目にすることになったのだ。

マリナトス教授の作業は、サー・アーサー・エヴァンズがクレタ島で行ったことの再現だった。たったひとりで、数十年もかかった発掘と調査を通じて、紀元前三〇〇〇年の世界に出現したすばらしいミノア文明に光を当てた人物だ。私はそのサー・アーサーの業績に、とくに古典ギリシャがいかにミノア文明を継承したか、ギリシャとヨーロッパがミノアにどれほどのものを負っているかという視点に大きく依拠してきた。サー・アーサーの衣鉢は、私たちの冒険の出発点となる著書をものしたスティリアノス・アレクシウ教授、そして本書の後半でその業績を説明するミナス・ツィクリツィス博士へと受け継がれている。

紀元前三〇〇〇年期から前二〇〇〇年期にかけての大陸間の海洋航海については、多くの著者たちがそれぞれ生涯を費やして記述してきた。わけてもつぎの方たちに感謝したい。アメリカ、エジプト、インド間の交易、とりわけトウモロコシの交易について記したグンナー・トンプソン博士。紀元前二〇〇〇年期から前一〇〇〇年期のアメリカと中国間の交易について研究したシャーロット・リースと劉剛。ヨーロッパとアメリカの間の先史時代の銅輸送、とくに五大湖と大西洋間の航海に関する調査を行ったデヴィッド・ホフマン。そうした航海が現実に可能なことを私たちに示してくれたティム・セヴェリン。大西洋とヨーロッパと地中海東部間の交易に関する知識を授けてくれたJ・レスリー・フィットン。クレタ島、アフリカ、レバント間の交易に関する著作を残したバーナード・ナップ名誉教授。ニューヨークのメトロポリタン美術館ですばらしい「バビロンを越えて」展を開催したジョーン・アルス博士（その展覧会に関連して彼女が編集した美しい本には、何度も言及している）。ナイル・デルタのミノア船団について書いたマンフレート・ビータク名誉教授。青銅器時代インドの港ロータルを発掘したラーオ教授。青銅器時代イエメンの都市をチームとともに発掘したロイヤル・オンタリオ博物館のエドワード・キール教授。紀元前二〇〇〇年期のミノアとバルト海地方と交易について記事を書いたハンス・ペーター・デュアー。青銅器時代スペインへの海上航海を調査しチームとともに発掘を行ったベアトリス・コメンダドール・レイ教授。青銅器時代ブリテンの採鉱と交易に関する情報を教えてくれたトニー・ハモンド。紀元前二〇〇〇年期の五大湖の銅交易について研究したフィリップ・コペンス。

　私の物語の核となるのは、大陸間航海を可能にし、それなしにはアトランティス文明もありえなかっただろうミノア人の造船技術だ。世界中の人たちと同じく私も、ウルブルンの沈没船（前一三一〇年ごろ）を発見したメフメト・チャキル氏、遺物の回収にあたったジェマル・プラク教授には足を向けて寝られない。プラク教授は一一度の夏のあいだすばらしく巧みに潜水作業を指揮し、海底に眠っていた大量の証拠の品々を掘り出すと、そうした驚異の宝物を保存できるよう調節された場所に運び込んだ。アンドレアス・ハウプトマン教授と同僚たちはウルブルン沈没船の銅インゴットの化学組成を分析し、他の多くの専門家は沈没船の航海の証拠となる物品や植物、動物を研究した――とりわけバルト海産の琥珀《こはく》、アフリカ産の象牙、インド洋産の貝殻、そしてインド産のビーズを。私のウェブサイトにはもっと深い感謝の言葉を載せてある。

こうした方々の革新的な研究に頼っていただけではない。私のチームの助けなしにはこの本が書かれることはなかっただろう。以前と同じくイアン・ハドソンは、見事な技量とユーモアでチームをまとめ上げ、デザイン作業とミズ・モイのタイピングの進行を調整した。ＱＥＤセクレタリアル・サービスのミズ・モイは、二九稿に及んだ原稿を迅速かつ正確に、むだなくユーモアを交えてタイプしてくれた。

私の調査を長年さまざまな形で支えてくれたセドリック・ベルに、特別な謝意を表したい。もともとは海洋技師で、生涯をエンジニアリングに費やしてきた。その役割は測量技師、鋳造技師、工場技師、そしてヨーロッパ最大の潤滑油工場の製造部長にまで及んだ。引退後はフルタイムで、ローマ帝国のブリテン占領についての研究を一五年間にわたって続け、中国とローマの技術にある多くの類似点をつきとめた。本書への彼の貢献は多大なものだ。二〇〇三年にセドリックは、ニュージーランドを訪れる直前に『１４２１』を読んだ。それからいくつかの調査を行った。そうした調査は、中国人がニュージーランドで二〇〇〇年にわたって鉄を採掘、製錬していたことを示していた。多くの港や沈没船、入植地、鋳造場などがその証拠だった。この発表は一騒動に発展し、セドリックはニュージーランドの「歴史家」たちから激しい攻撃を浴びた。私は独立した調査チームを派遣し、地中レーダーや音波レーダー、独立した鉄モルタルと木材の炭素年代測定法を使ってセドリックの発見をチェックした。結果は私のウェブサイトにある。セドリックの調査が驚くほど正確だったことを示すものだ。

セドリックはバーミンガムにあるデルタ・メタル社の保全技師を務めたときに、大規模な非鉄金属の鋳造場や成形機、ボールミル、ウィルフレーテーブル、真空抽出浮選槽などを備えた鉱石再生プラントを担当した。当時はデルタが英国の非鉄金属の六五％を生産していた。私が何か問題にぶつかると（これまで何度もあった）、セドリックはいつもすぐに答えを出すか、専門家を紹介してくれた。青銅器時代の採掘と製錬に関する古典的な著作など、たくさんの本も提供してくれた。彼の専門家としての揺るぎないサポートがなければ、この本は完成を見なかったと思う。

過去一〇年間、私の代理人として『１４２１』と『１４３４』を巧みに売り込んできた文芸エージェントのルイジ・ボノミは、インスピレーションの源だった。ルイジは私を説得して、紀元前二〇〇〇年期中国が行ったアメリカ大陸への航海を扱った本の執筆を延期させ、本書を優先させたのだ。ルイジのすばらしい鑑識眼と見識を私はずっと頼りにしてきた。作家のたまごの皆さんは、ぜひ彼の門を叩いてみるべきだと思う！

ルイジは本書の世界著作権をオライオンに売ってくれた。世界最大級の出版社アシェット・グループの一翼を担うオライオンは、すばらしく協力的で熱意にあふれていた。とりわけ私の編集者ローランド・ホワイト、そのアシスタントのニコラ・クロスリー、外国版権担当のスーザン・ハウとそのチーム、そしてヘレン・ユーイングには感謝しなくてはいけない。

ゲイナー・アールトネンはとくに重要な役割を果たした。私の堅苦しい散文を巧みな修正で読みやすい本にする一方で、オライオンが最初に本書を引き受けて以来、洪水のように果てしなく私たちのコンピュータに流れ込んでくる新しい証拠を取り込んでくれた。ゲイナーの仕事なしで本書が形をとることはなかっただろう。いくら感謝してもし足りない。

最後にマーセラだ。その揺るぎない優しさとサポートなくして『失われたアトランティス』は存在しえなかった。私も本書もすべてを彼女に負っている。ミノアの線文字Aで記したマーセラの名前が、猫の顔で始まるのはなんとうれしいことか！

ギャヴィン・メンジーズ
ロンドンにて
二〇一一年、聖ヴァレンタイン・デー

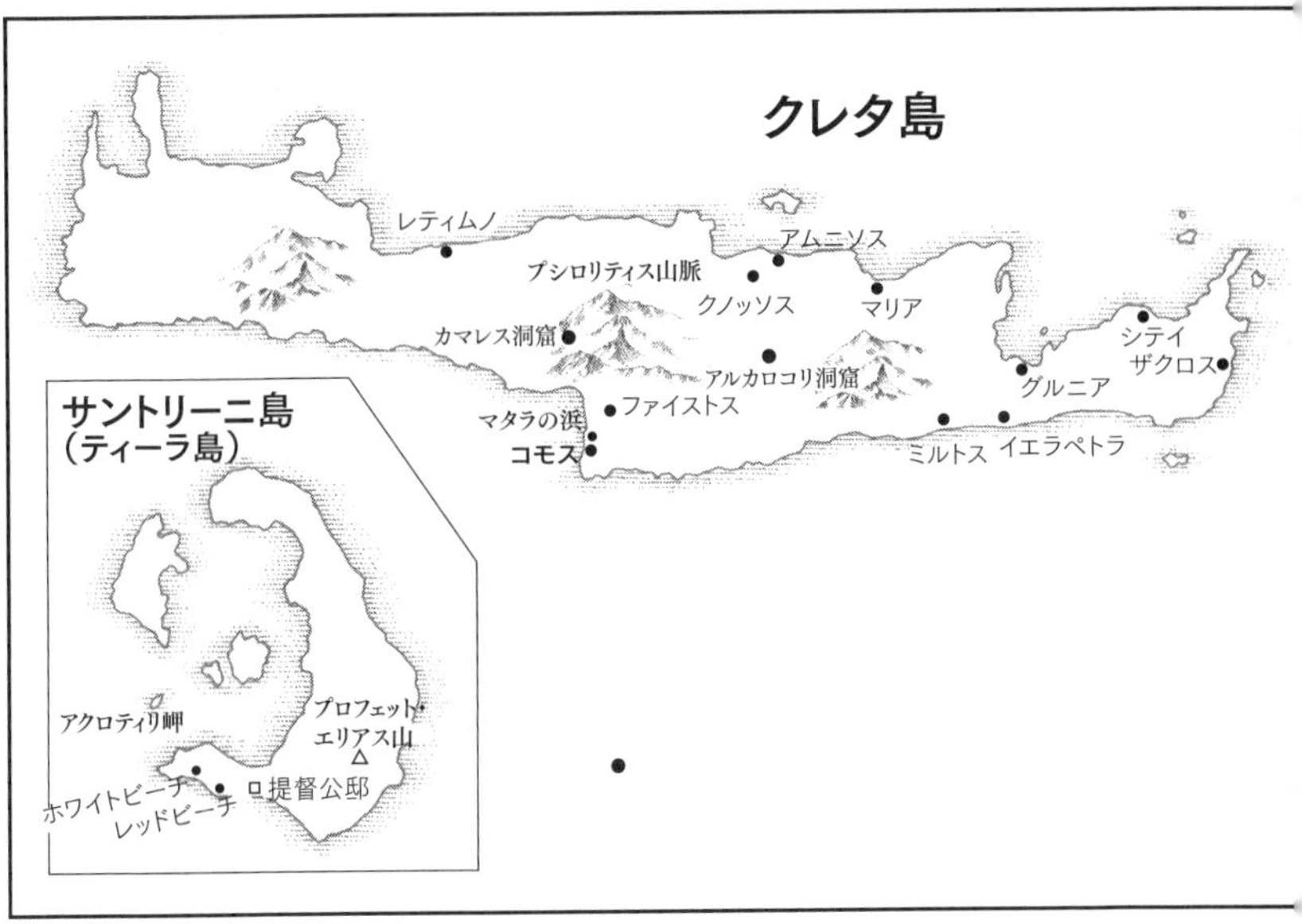

1. ミノア　クレタ島とサントリーニ島

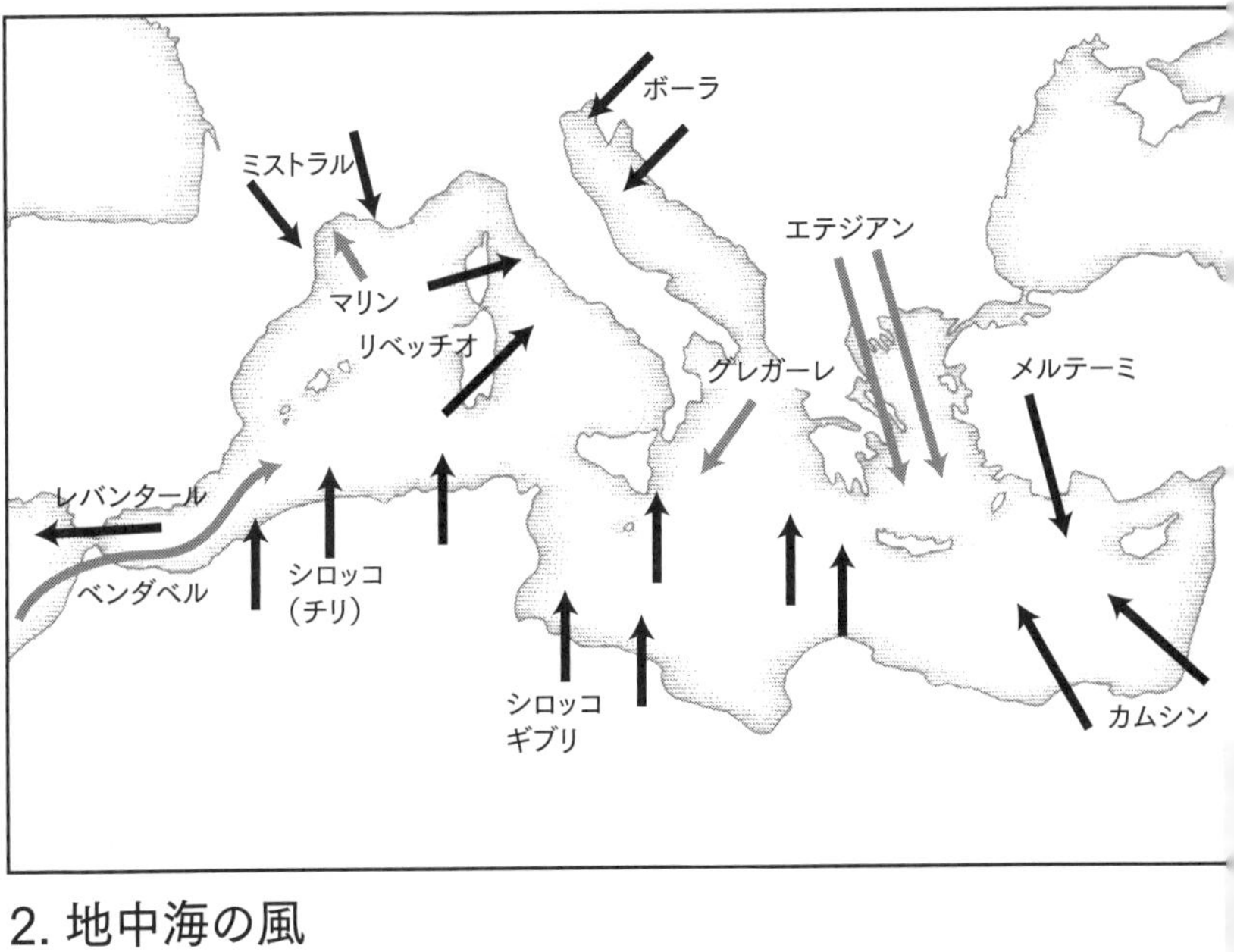

2. 地中海の風

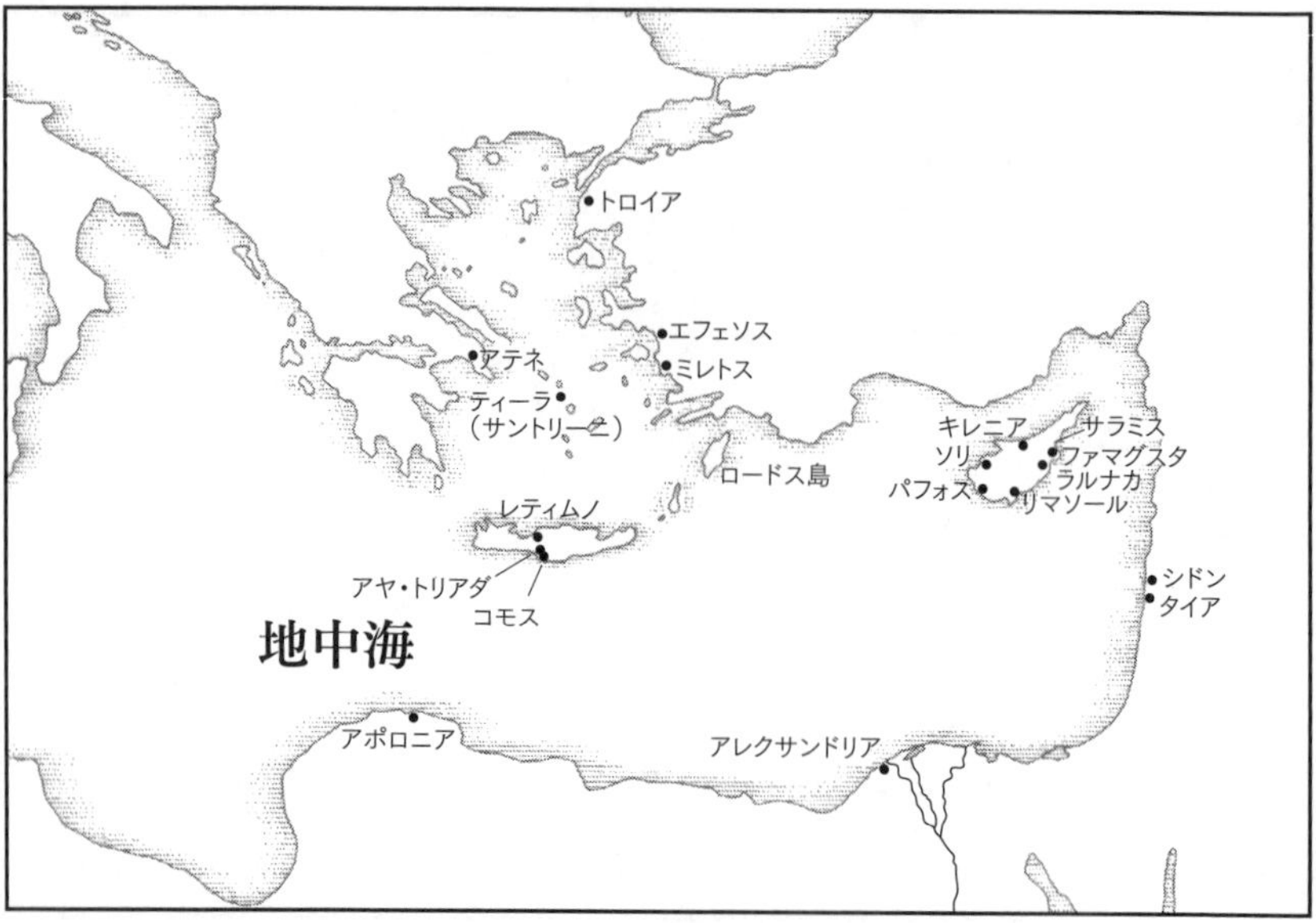
トロイア
エフェソス
ミレトス
アテネ
ティーラ
（サントリーニ）
キレニア
サラミス
ソリ
ファマグスタ
ラルナカ
パフォス
リマソール
ロードス島
レティムノ
アヤ・トリアダ
コモス
シドン
タイア
地中海
アポロニア
アレクサンドリア

3. 地中海におけるミノアの貿易帝国

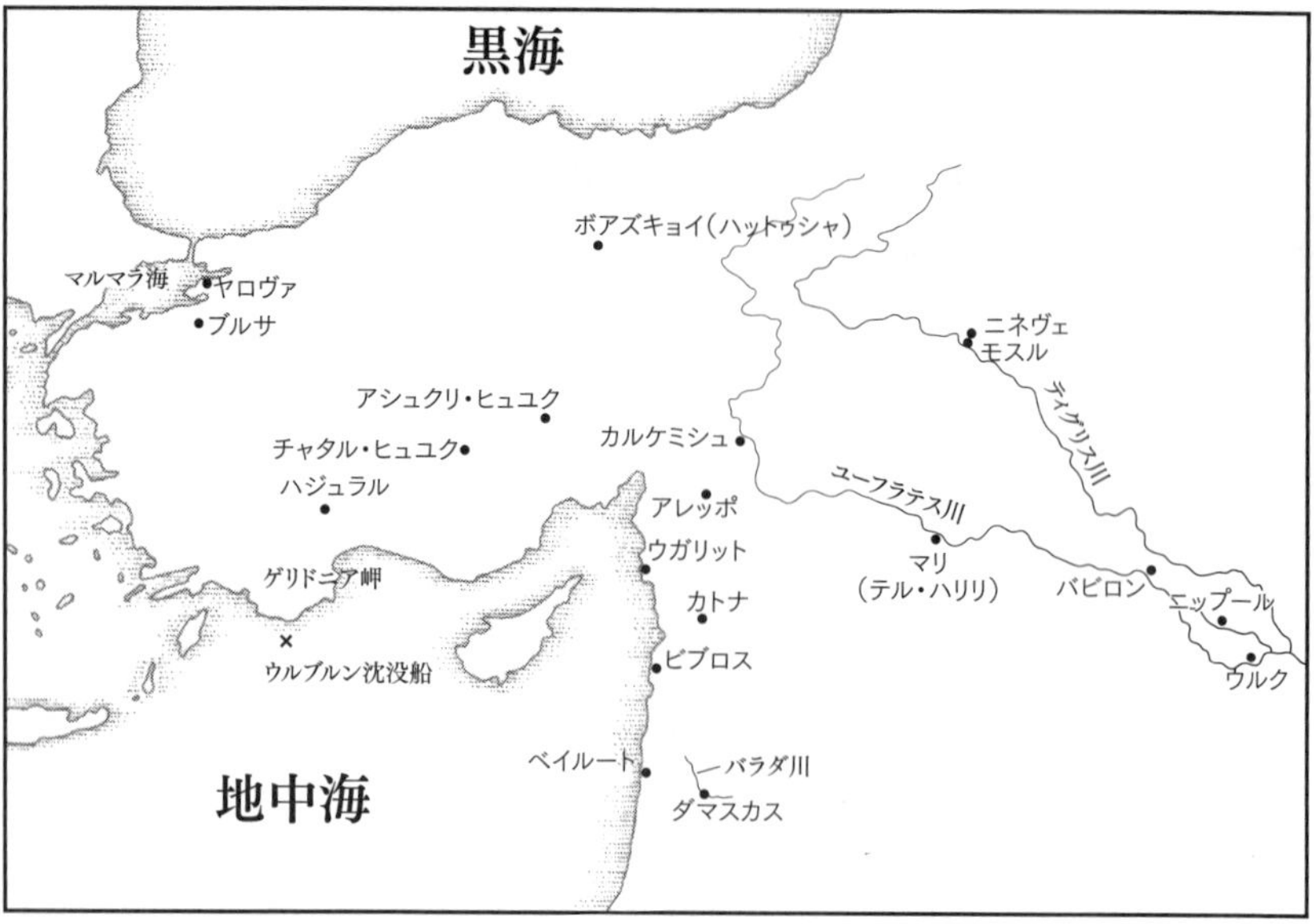
黒海
ボアズキョイ（ハットゥシャ）
マルマラ海
ヤロヴァ
ブルサ
ニネヴェ
モスル
ティグリス川
アシュクリ・ヒュユク
チャタル・ヒュユク
カルケミシュ
ハジュラル
ユーフラテス川
アレッポ
ウガリット
マリ
（テル・ハリリ）
バビロン
ゲリドニア岬
カトナ
ニップール
ウルブルン沈没船
ビブロス
ウルク
ベイルート
バラダ川
ダマスカス
地中海

4. トルコと近東

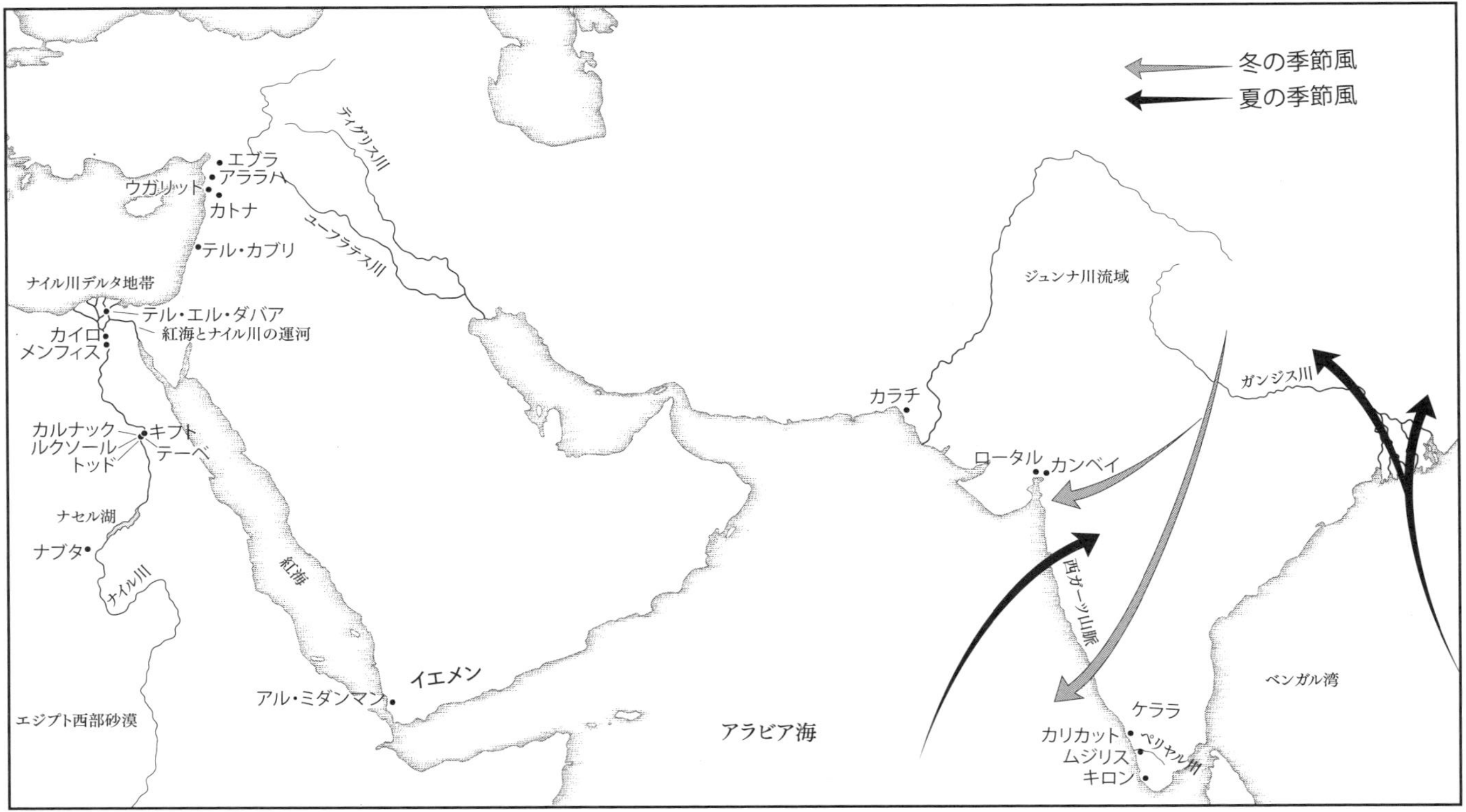

5. エジプトと、インドへのルート

ビスケー湾
フランス
ウーリャ川
レイロ
ミーニョ川
ドウロ川
ポルトガル
スペイン
テージョ川
リスボン
エボラ
グアディアナ川
アルメシドレス
サン・ドミンゴス
リオ・ティント川
エル・タラハル
地中海
ラス・ピラス
グアダルキビル川
サグレス
ドニャーナ
サンルカル・デ・バラメダ
カディス
エル・バランケテ
アフリカ

6. スペインとポルトガル

ガーネス
オークニー
諸島
アダブロック
カラニッシュ
北海
ルイス島
サウス・ウイスト島
デュナゴイル
アイルランド海
グレート・オーム
カーメル・
ヘッド
コルウィン湾
ランディドノー
セント・ジョージ海峡
プレセリ・ヒルズ
シルバリー・ヒル
ストーンヘンジ
アップトン・ラベル
エイムズベリー
ウィルスフォード
ドーバー
ウィンターボーン・ストーク
ウィンボーン・
セント・ジャイルズ
エルメ川
コーンウォール
カーノン川
ビッグベリー湾
ペラナーワーサル
ファル川河口地域

7. ブリテン諸島

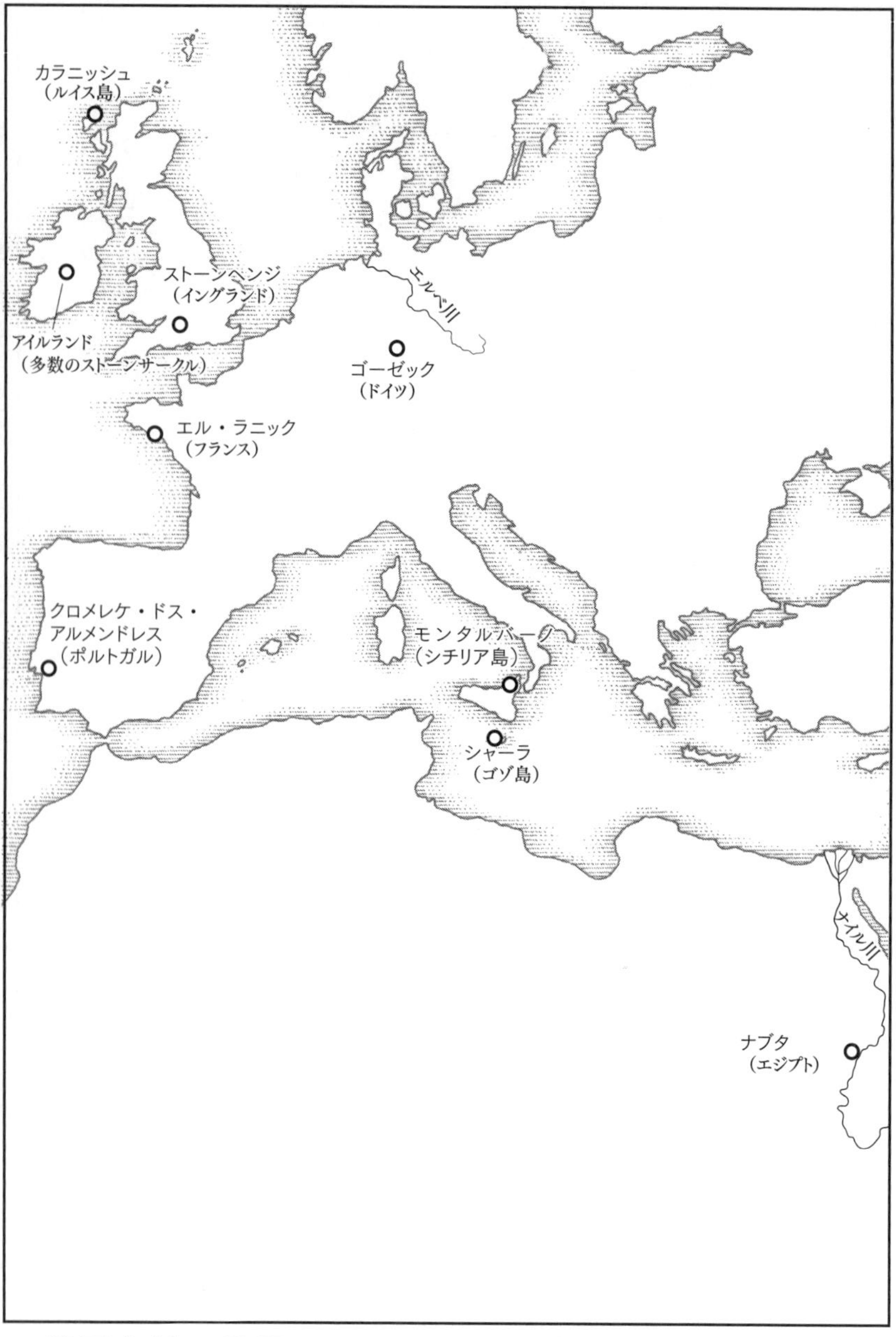

8. 世界各地で発見されたミノア人関連の
ストーンサークル

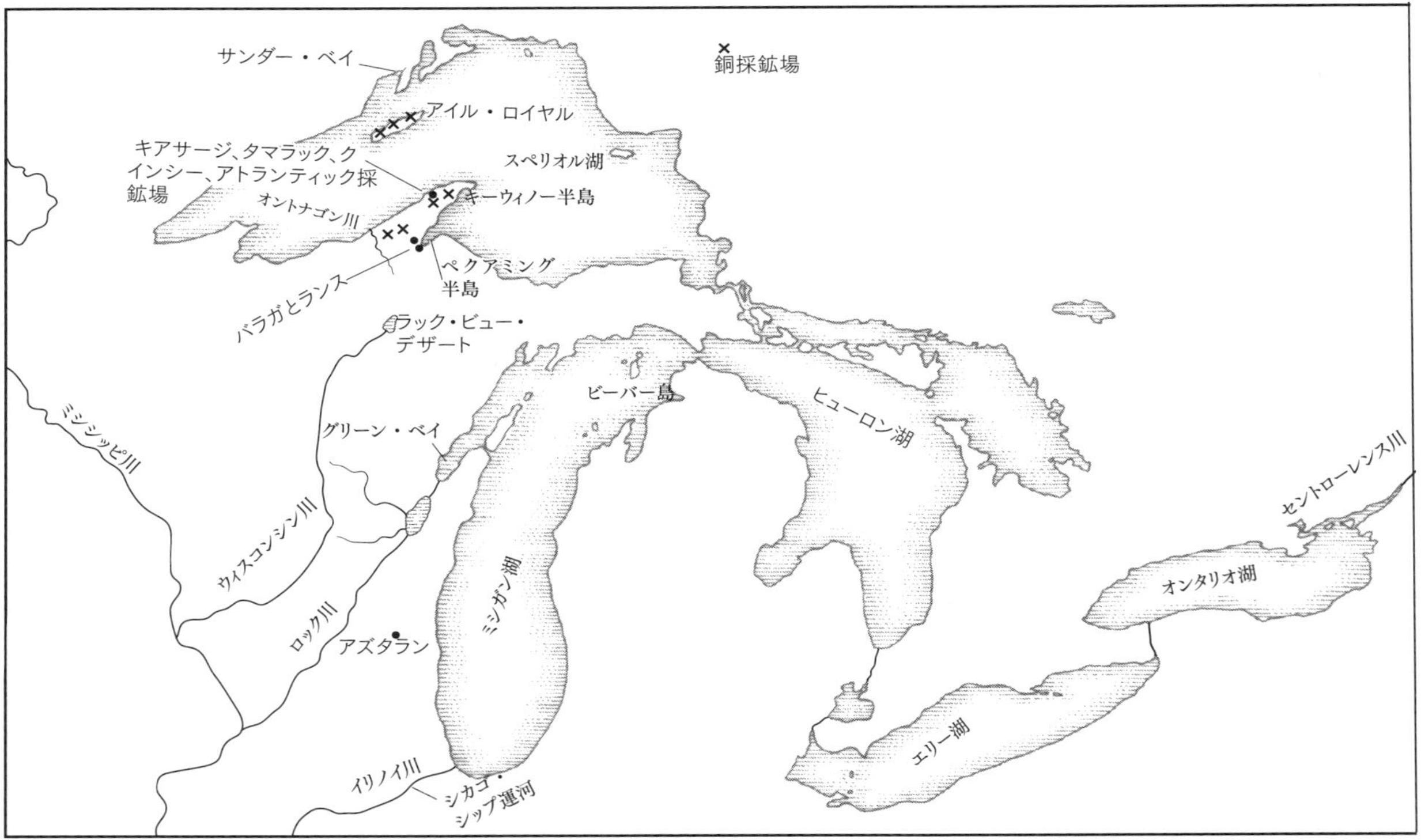
銅採鉱場
サンダー・ベイ
アイル・ロイヤル
キアサージ、タマラック、クインシー、アトランティック採鉱場
スペリオル湖
オントナゴン川
キーウィノー半島
ペクアミング半島
バラガとランス
ラック・ビュー・デザート
ビーバー島
ヒューロン湖
ミシシッピ川
グリーン・ベイ
ウィスコンシン川
ミシガン湖
ロック川
アズタラン
イリノイ川
シカゴ・シップ運河
セントローレンス川
オンタリオ湖
エリー湖

9. 五大湖

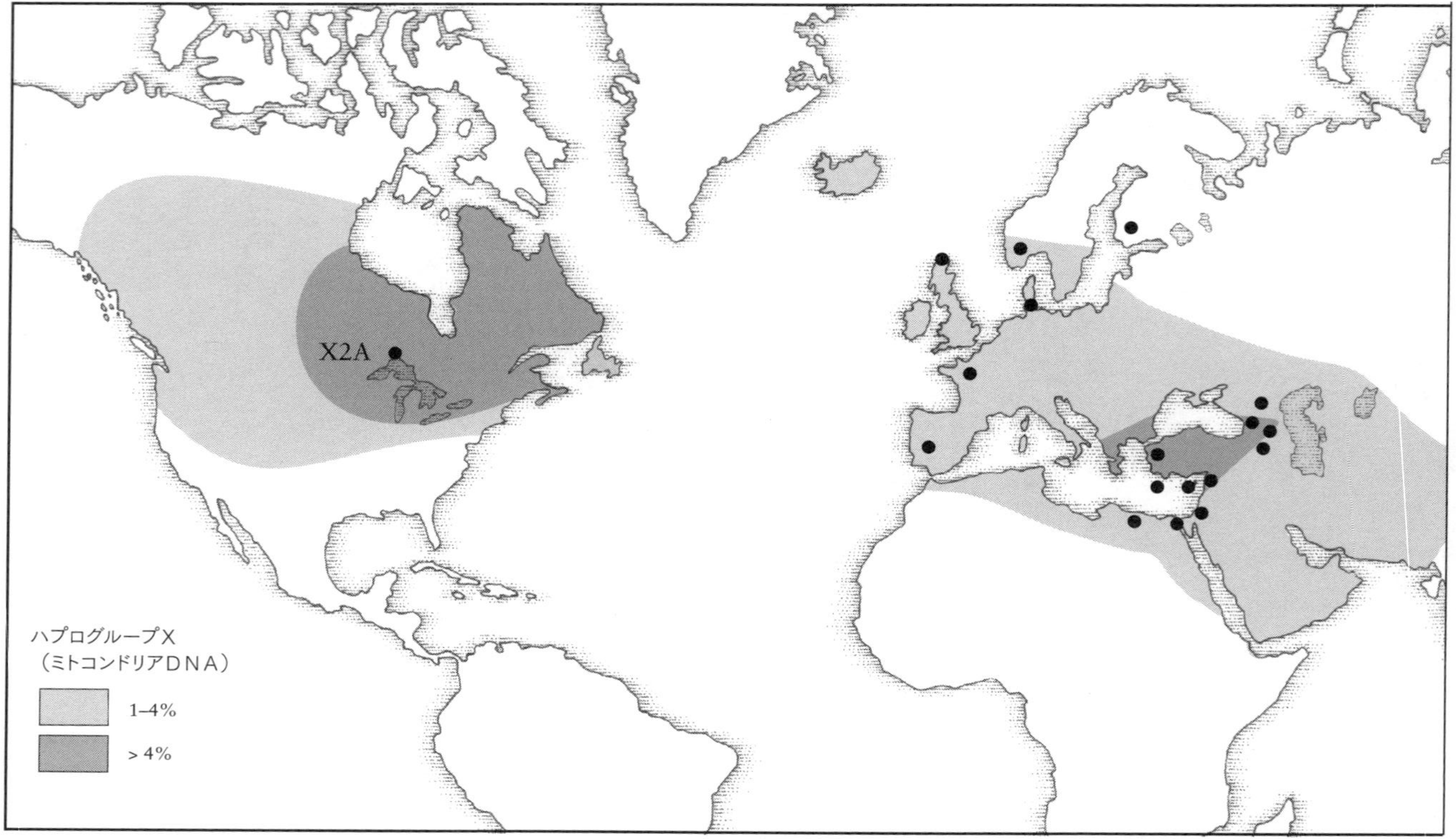

10. ハプログループX２の分布

第一部

発見——ミノア文明

1　クレタ島の冒険

私はホテルのバルコニーから北を眺めていた。足下に街の明かりがうっすら灯っていた。はるか下のエーゲ海は、夜の闇にまぎれて見えない水平線に向かって広がっている。この開けた海のどこか彼方には、古代のティーラ島の廃墟がある。そちらに背を向けて部屋に戻っていくときも、私はまだ知らずにいた。その島の下に隠されている何千年も前の秘密が、やがて私の歴史観を根本的に変えることになるのを。私の歴史観、世界の探検に対する考え方がすべて覆されようとしていた。

妻のマーセラと私は、騒がしい世界とは切り離された、静かで愁いに満ちたクリスマスを心待ちにしていた。新しい本を書くための資料調べで疲れきり、クレタ島で短い休暇をとることにしたのだ。世界中でもとくに大好きな街アテネを経由して、島へ渡る。もう携帯電話もメールもない。かつてのビザンチン帝国の修道院にこもり、ロウソクの灯の下でクリスマスを過ごす。古代の遺跡のなかを思うさまそぞろ歩いたあとは、クレタ島の山のなかで、一週間ほどスパルタ風の簡素な暮らしを楽しもう。だがそんな心地よい夢は、アテネに着くなり破られた。ホテルのちょうど真ん前で小さな暴動が起きていたのだ。すぐ目の前を抗議の群衆がうろつきまわり、叫びながらプラカードを振り、手近な車をひっくり返す。警察が――銃と暴動鎮圧用の装備を帯びて――群衆の前に威嚇するように立ちはだかっていた。

そのせいで私たちは直接クレタ島まで行くことにし、それなりにのどかに過ごせる場所を見つけた。島の北部のレティムノという、古いベネツィア風の港にある小さなホテルだ。到着から最初の二日は、バケツをひっくり返したような土砂降りだった。そしてクリスマスイブの日に雨が上がった。少しだけ差し込んだ日差しがふんわりとやわらかな朝の光に変わり、部屋のバルコニーから見える雪をかぶった山々の向こうまで探検にいかないかと差し招いてくる。その日私たちが見つけたのは、静けさや休息といった当初の思いを吹き飛ばすものだった。その発見がきっかけで、私は世界中をめぐる知の探求に向かうことを思い立ったのだ。

私たちは車に乗って出かけた。狭い道はところどころ、この二日間の雨水があふれ、まるで浅瀬のようになっていた。美しい村々が一面の泥に浸かっているなかを恐る恐る走っていくと、あたりに見えるブドウのつるにはまだ実がなっていた。沿道は一面イエロークローバーに覆われ、イチジクの木はクリスマスだというのに深緑色の葉をつけている。クレタ島は信じられないほど肥沃な島なのだ。ある荒れた集落から出ていくとき、二人の男が豚を一匹引きずって道路を横切り、解体のために二本の梯子のあいだに吊るそうとしているのが見えた。曲がりくねった道を進み、蛇よけのベルをじゃらじゃら鳴らす白黒の山羊の群に何度もじゃまされながら、朝のうちに適当に決めた目的地にたどり着いた――古代のファイストス宮殿に。

神話では、ファイストスの街は伝説の英雄ヘラクレスの息子のひとりが造ったとされる。たしかに荘厳な光景だ。島の南側に向かって伸びる松林の深い緑を背景に、廃墟となった宮殿群が白い大きな皿のように広がっている。古代ギリシャ人からは、ここは偉大なミノス王によって築かれた都市のひとつと信じられていた。ミノス王は神話上の人物で、トロイア戦争の何世代も前にクレタ島に君臨していた。私たちが遺跡のなかを探検しはじめてすぐ、ミノスの王族のシンボルがラブリュスという双斧であることがわかった。満ち欠けする月に似た形をした儀式用の剣呑そうな武器で、二つの刃が背中合わせに付いている。ミノス王の絶大な権力を表すもうひとつのシンボルは、やはり恐ろしげな暴れ雄牛の姿だ。

車から降りて足を踏み入れたとき、呆然として立ちすくんだ。ファイストスの遺跡は広大だった。神聖ローマ皇帝シャルルマーニュのアーヘン王宮を上回り、ロンドンのバッキンガム宮殿の少なくとも三倍はある。その力強くシンプルな建築物は優美な切石を使って完璧に造り上げられ、心地よい調和のとれたプランでレイアウトされていた。幅の広い開放的な階段が劇場から闘牛場、王宮へと続き、さらになめらかな石の基壇まで延びていて、そこから輪のように取り巻く山並みと、はるか遠い海へなだらかに下っていく緑の平原が見晴らせる。全体的には軽やかな、風通しのよい印象がある。陽光がプールや中庭の上でゆらゆら踊り、真っ青な空を映し出すと、敷地全体がまるで天と地のあいだに浮かんだ蜃気楼のようだ。この宮殿の静謐さと壮大さに、私とマーセラはそろって同じものを思い起こしていた——エジプトの記念碑的な建造物を。

もうひとつ、私たちがたちまち魅了された事実があった。北東にある有名なクノッソス宮殿と同じように、ファイストス宮殿もきわめて古いものだ。アテネの壮麗なパルテノン神殿が建てられたのは紀元前四五〇〇年ごろという、古代ギリシャ文明の全盛期だったが、ファイストスの住人たちはそれより一〇〇〇年以上も前からぜいたくで快適な生活をしていた。エジプトのファラオの古王国時代ほどにも古い、ギザの大ピラミッドと同じ時代の宮殿なのだ。この場所には紀元前四〇〇〇年ごろから人が住んでいたということもわかった。

私にはまったく驚きの連続だった。これだけ並外れたものでありながら比較的無名の、インドのタージマハルにも比肩する美しさをもつ宮殿のことを、どうしていままでほとんど何も聞かされていなかったのだろう？　この宮殿を建てた人々、「ミノア人」と呼ばれる人々について、自分は何を知っているのか？　焼けるように暑い宮殿の中庭を歩くうちに、気づいたことがあった。ほとんどのヨーロッパ人がまだ掘っ立て小屋に住んでいたころ、古代ミノア人はすでに舗装路や入浴施設、りっぱな下水道を備えた宮殿を造っていたのだ。この時代としては並ぶ者のないミノア人の高度な工学知識は、他の同時期の「文明」をかすませるほどの洗練されたライフスタイルをもたらした。精緻な水配管システム、漏れない排水管、高度な空気循環システム、さらには耐震壁まであったのだ。

広大な儀式用の階段を上っていくと、雨水が流れ落ちるようにそれぞれの段がかすかに傾いているのに気づく。狭い廊下を抜け、だしぬけに、雪花石膏《アラバスター》に囲まれた場所に出た。ここは光井《こうせい》なのだ。もの言わぬ壁に日光が反射している。こうした部屋は、かつては数階分あって、女王の居室と呼ばれていたと聞かされた。ファイストスの統治者たちはこの宮殿に住まい、美しい大理石の壁面に目を楽しませた。みんな堅固な石造りの家で、健康で洗練された暮らしを送っていたの

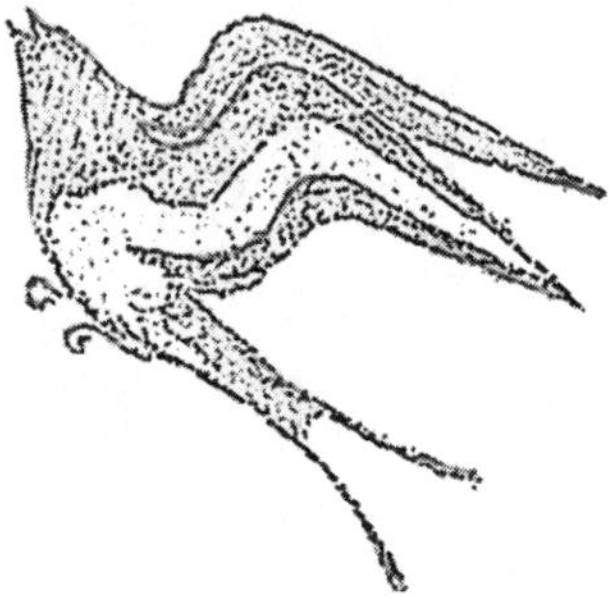

だ。穀物貯蔵庫は小麦や粟をネズミから守り、貯水池は一年じゅう水を確保できた。浴場やシャワーもあり——しかも男女は別——トイレも水洗だった。きれいに切石の敷き詰められた送水路で、宮殿を取り巻く天然の温泉と冷泉から温水と冷水が送り込まれていた。連結部分に組み込まれたテラコッタ製のパイプは、おそらく水力学システムによってたえず水を供給できていた。ひっくるめて見ると、私たちがいま目の当たりにしているのは、古王国時代のエジプト、ヴェーダ時代のインド、殷《いん》時代の中国よりも先進的な生活様式といえた。

　この機会のために私たちは、スティリアノス・アレクシウ教授の著書『ミノア文明』を七ユーロで買った。その内容に目を通してみてわかったのは、クレタ島ははるか昔にもいまと変わらず、人を引きつけてやまない魅力にあふれる、語り部や詩人が畏怖を込めて物語るような島だったということだ。その畏敬の念が、クレタ島とそこに暮らす人々をめぐる有力な伝説を生み出したのだ。

　神々の王であるゼウスはクレタ島で生まれて死に、もうひとりの神ディオニュソスもこの地でワインを発明したとされる。実のところ、私が学校で習った古代ギリシャ神話の多くがクレタ島で生まれたものだった——そうした神話の力はきわめて大きく、物語は何千年にもわたって生きつづけている。紀元前八世紀にギリシャの詩人ホメロスが物語ったような壮大なサーガが、それよりずっと以前から家庭の炉辺で語り継がれてきたのだ。ホメロスは『オデュッセイア』の第一九巻でクノッソスのことに、失われたすばらしい伝説の都市だと敬意をこめて言及している。私もミノア文明についてもう少しくわしく読んでみて、まったくホメロスの言うとおりだとわかった。

この驚異の文明は、クレタ島だけにとどまってはいなかった。いま私たちの頭上を飛びかっているのが見えるあのツバメのように、ミノア人は経験豊富な夏の旅人だった。実際に古王国時代のエジプトのフレスコ画には、ケフティウ――古代エジプト人はクレタの人々をこう呼んだ――の外交使節団が描かれていて、それが第一八王朝トトメス三世の時代の高官たちの墓を飾っているのだ、とガイドが教えてくれた。使節たちは儀式で油を注ぐための壺を手に持って運んでいた。つまり紀元前一四二五年ごろから、エジプトを訪れるミノア人がいたということだ。私はぼんやりと思った。そうした勇敢な古代人たちの存在がギリシャ神話の叙事詩の元になったのではないか。アルゴー船探検隊と海を渡ったイアソンの物語も、オデュッセウスがさまざまな危難をくぐり抜け、一〇年もの航海を経て貞淑な妻ペネロペのもとに帰るまでの物語も。

私が自分なりの探求の旅《オデッセイ》に乗り出したのは二〇年以上も前のことだ。それはほぼ無名のベネツィアの地図をたまたま見つけたことから始まった。一五世紀にツアン・ピッツィガーノが詳細に描いたその地図には、ヨーロッパと、当時はまだ未発見のはずのプエルトリコやグアドループの島々が描かれていた。それ以前から中世史の魅力に夢中になっていた私は、この偶然の発見からやがて、世界史――とくに人類の海洋航海の歴史――は根本的に書き換えられなくてはならないだろうと考えるようになった。ピッツィガーノの地図は一四二一年のものだった――私はそれを一冊目の本のタイトルにした。
　私がつきとめたのは、ポルトガル人はヨーロッパから絶え間ない発見の航海に乗り出し、まだ覆い隠されていた世界のあちこちを暴いてみせたが、その彼らは実のところ、何十年も古い地図に頼っていたのだった。そこからごく当たり前の疑問が出てきた。誰が描いた地図なのだろう？　その証拠の数々をたどっていくうちに行き着いたのは、地球の裏側の、その独創性と英知を長らく賞賛されてきた民族だった。当時にこのような壮大な冒険に乗り出せるだけの物的資源、それに何より大事な船をもっていた国はひとつしかない。中国だ。中国人はマゼランより一世紀も前に地球を一周していた、と私は論じた。彼らはアメリカ大陸を発見した――そして英国のクック船長より三五〇年も早く、オーストラリアまで到達していたのだ。元船長の私にとって、他に類を見ないピッツィガーノの地図は、まるで解読されるのを待つ暗号のように隠されたメッセージを秘めていた。私がこの地図を見つけたのはまったくの幸運からだが、その最初の手がかりがヨーロッパの各地へ、そしてその先のアジアへと、真の発見の旅へ導いてくれたのである。

　そしていままた、今度はこのクレタ島で、これほどまでに深遠で世界にとってきわめて重要だったはずなのに、ほとんど何も理解されていない文明に魅了されてしまった。古代エジプト文明についてはは世界中でずいぶん多くの知識が蓄積されてきたというのに、それと比べてミノアは、まるでこの魅力的な活気あふれる文化の一切を秘密にしておこうという何かの巨大な意図が働いているように思えるほどだった。私もクレタ島で何か注目すべき考古学的発見があったことは、どこかで見てぼんやりと知っていた。けれどもそれを生み出した文化の華々しい輝きについては――とにかく何も知らなかった。実際のところ、この古代人たちは楽しむことが大好きで、イルカといっしょに海に潜ったり、屈強な若者たちは突進する雄牛の背中を飛び越えたりと、豊かな暮らしを送っていた。しかもかつてないほどすばらしい宝飾品を作ってもいた。さらにヨーロッパ・ルネサンス期の最高の絵画にも比肩するようなフレスコ画を描いていたのだ。こんなことはまったく想像もしていなかった。そしてこの私の知識のギャップをさらに際立たせる皮肉な事情があった。私はクレタに来るのが初めてというわけではなかったのだ。

私が海軍に入隊した一九五〇年代は、英国がまだ世界の大国だった時代だ。若いころの私は水兵として、海軍の大艦隊とともに世界中の海軍基地を――南北アメリカからオセアニア、中国まで――移動してきた。一九五八年には当直航海士として、クレタ島の隣にあるキプロス島の周辺を巡視していた。ギリシャ系キプロス人の民族主義集団ＥＯＫＡが英国による統治に抵抗していたため、私たちは容赦なく忙殺された。やっと駆逐艦ＨＭＳダイアモンドが近くのクレタ島で一週間の休暇をとることを許されると、私たちはソウダ湾に停泊し、堂々たる第二次世界大戦記念館へ行って戦没者たちに敬意を表した。

ヨーロッパとアフリカ、アジアの境目に位置するクレタ島は、東西二五〇キロ、南北一一キロから六〇キロに及ぶ長方形の島だ。第二次世界大戦中、のちに私の父が艦長となる巡洋艦ＨＭＳオライオンは、この場所でドイツの戦闘爆撃機の攻撃を受け、数百人の兵士を失った。戦略的に重要なこの島をめぐっては、数千年も昔からたびたび争いが起こっていた。まず最初に、現在のギリシャ本土からやってきたミケーネ人が、ミノア人に取って代わったとされる。その後ギリシャ人はローマ人と戦った。さらにビザンティン人がベネツィア人と戦い、ベネツィア人はオスマン・トルコに敗れた。オスマン・トルコはクレタ人に追いやられた。そしてドイツ軍と連合軍がクレタ島をめぐって必死に戦い、どちらの軍も模範的な勇敢さと野蛮なまでの獰猛さをもって行動した。いまでもソウダ湾にはＮＡＴＯの港と、ギリシャ／アメリカ共同の空軍基地がある。

鉄道の廃線跡を歩いていくと、春とあって一面に見事な野生の花々が咲き乱れていた。キプロスの絶え間ない雨のあとの田園風景は、私たちにあざやかな印象を刻んだ。この島の肥沃な平原は、一年のうち九カ月間は地中海の陽光で温められる。五〇年前のあの夜には、地元の農夫が私たち潜水艦の乗組員に、畑で野営をしてもいいと申し出た。そして羊の肉とクレタ島のワインを提供してくれた。私たちは焚き火をおこし、昔ながらの船乗りたちの歌を歌った。料理人のミフスドはリュートに似た楽器のハーディガーディを弾き、司厨長のヴァサロは詩を朗読して聞かせた。そのあとで、農夫の魅力的な娘マリアが私を散歩に連れ出した。近くに廃墟のような石造りの都市があるというので、見せてもらうことにした。「とても古いものなの。二〇〇〇年以上――時の始まりからさかのぼって」。それはつまり、キリストが生まれる二〇〇〇年前の遺跡ということだった。

とてつもない話だと思えた。小学校か中学校で習ったおぼろげな記憶からすると、古代ギリシャの最盛期ですらそれよりも一五〇〇年ほどあとの、紀元前五〇〇年ごろのことだ。その後長い年月を経てから調べてみると、あのときマリアと私が歩いていったところは、アルカネスという村にちがいなかった。クノッソスで優雅な生活をしていたミノア人の避暑地だったのかもしれない。だがそのあとの二カ月間は、離島に停泊して地元の娘たちといっしょに泳いだり、土地の文化と同じくらいたっぷりとドピオ・クラシという地酒のマリシニ・ワインを手に入るかぎり吸収したりと目まぐるしく過ぎていったので、どこか抽象的に聞こえる古代の日付のことはすぐに忘れてしまった。

そしていま、再びこの場所にいる。樫の樹皮の色をした地元のガイドが、数十年前のマリアと同じように、この小さな島の古い文明は、古代エジプト文明に負けないくらい世界にとって重要なものだと言っていた。もしその言葉が正しかったとしたら？

この国のミノス・カロカイリノスという、ミノス王にあやかった名前の実業家兼アマチュア考古学者が、一八七八年にクレタ島の最初の、そして最も有名な古代宮殿クノッソスを発見した人物だった。まず最初に掘り出したのが広い貯蔵用区域で、ピトイという、オリーブオイルを蓄えるための人の背丈ほどもある巨大な甕《かめ》も見つかった。考古学の黎明期だった時期に、カロカイリノスはつぎつぎと、何世紀も暗い土の下に埋もれていた驚異を発掘していった。ところが不運なことに、土地の地主たちが介入して、彼の調査を止めさせてしまった。その後、トロイアやミケーネを発掘したドイツ人考古学者ハインリヒ・シュリーマンが「ケファラの丘」を購入しようとしたが、値段が法外すぎるという理由で断念した。そして一八九四年、英国考古学の先駆けであるサー・アーサー・エヴァンズがそうした事情を聞きつけると、ライセンスを申請し、家業の製紙工場の利益を投じて発掘の権利を買い取った。そしてエヴァンズがクレタ島の焼けた大地から掘り出したものは、想像を絶するほどに壮大な宮殿の遺跡だった。

つぎの世紀に入っても、他の古代の宮殿や街、港が続々と、クノッソスに続いて発見された。エヴァンズが発掘したのはひとつの古代文明そのものだと思われた。高度で特別な文化をもった魅力的な人々。そして彼らを「ミノア人」と名づけた。なぜその名を選んだのか？　先人たちのようにエヴァンズもまた、ギリシャ神話の力に魅入られていたのだ。

一九〇〇年以前、エヴァンズがこの壮大な宮殿の発掘を始めたばかりのころに、この古代文明について知られていたのは、島を取り巻く神話という不可思議な基層のほかは、古典の詩人たちの畏怖に満ちた表現だけだった。古代クレタ島の伝承では、クノッソスから見て南の地平線を占めるジュクタス山の頂には、さかさまになった全能の神ゼウスの顔の跡があるといわれる。まるでゼウスが埋葬され、その横たわった体が島全体を支えているかのように。ギリシャ神話で有名な統治者ミノス王の住まう地下には、広大な迷宮が広がっていた。圧制者のミノス王は偉大な発明家ダイダロスの後援者であり――さらに恐ろしいことに、伝説が伝えるところでは、アテネ本土から人身御供を差し出させていた暴君でもあった。神話のミノス王は地下の迷宮に、半人半獣の怪物ミノタウロスを幽閉した。そして毎年、アテネから貢物として若者を要求し、迷宮に閉じ込めて獣の餌食にしていた。

エヴァンズがクノッソスで発掘をしていたとき、作業員のひとりが恐怖の悲鳴をあげた。神話が塵の底から浮かび上がっていた。「黒い悪魔」を見つけた、と作業員は叫び、土の下から引っこ抜いた物体から恐れのあまりあとずさった。実際に作業員が掘り出したのは異様な、赤い目の牛の頭がついた胸像だった――頭から巨大な一対の角が突き出した、重々しい、力と脅威に満ちた彫刻。細部まで精巧に作られ、まるで生きているようだった。古い安息の場所から引き出されたとたん、雄牛の獰猛な目がぎょろりと動いたという話もある。さらに深く掘っていったとき、エヴァンズとそのチームは驚嘆した。この美しい丘の上の宮殿はそのふところに本物の迷宮を――地下深く延びるトンネルの迷路を――宿していることがわかったのだ。そしてフレスコ画に描かれた雄牛の絵が、考古学者たちの確信をさらに強めた。あらゆる証拠が示すとおり、この場所の住人たちは雄牛の神を崇拝していた。

その三〇年前、エヴァンズと同じ考古学者のハインリヒ・シュリーマンが世界に衝撃を与えた。「私はアガメムノンの顔を見つけた」とドラマティックに宣言してみせたのだ。シュリーマンはミケーネの城塞で発掘調査を行いつつ、トロイア戦争の伝説的な英雄たちを探し求めていた。このドイツ人考古学者による、伝説上の人物の体を発見したという主張は、ある魅力的な考えに重みをもたらした――ウェルギリウスの『アエネイス』やホメロスの『イーリアス』など、ずっと愛されてきた古代の文章が、たとえ文字どおりの真実ではないにせよ、現実に強い根拠をもっているという考えだ。ロマンティストのアーサー・エヴァンズは、ウェルギリウスやホメロスの叙事詩に光を当てたシュリーマンのように、自分も古代ギリシャ神話に同じことをしたのだと確信をもった。神話のミノス王と邪悪なミノタウロスの真の棲家を見つけたと固く信じていたのだ。

伝説に包まれた島ではあっても、エヴァンズが古代の暗がりから引き出してきたのは、じつに生き生きしたリアルな人たちだった。紀元前二一六〇年から前一五〇〇年ごろにかけて最盛期にあった、すばらしい富と力を手にしていた人々。さらに興味深いのは、その社会の高度な――現代的といってすらいい洗練ぶりだ。男性と女性は対等だったと思われる。しかもミノア人は雄牛に加えて女神も崇拝していた。

さて、私がいまここで手にしている冊子には、ファイストスはエジプト最古のピラミッド並みに古いという驚くべきことが書いてあった。この宮殿は、エジプトの古王国時代（前二六八六〜前二一二五年）と同時代のものだという。クフ王、カフラ王の時代、ギザの大ピラミッドの時代に初めて建てられたのだ。

宮殿

ミノア文明ほど歴史から完全に失われてしまった文明はめずらしい。そうなった理由の一端は、そのすばらしい宮殿が一度ならず二度までも破壊されたことにある。クノッソスの中心となる宮殿は最初、紀元前一七〇〇年ごろの大火で焼失した。そのあとで新たに建てられた宮殿は、ひとつの宮殿というよりも都市型複合施設に近いもので、一部はなんと五階建てになっていた。単に王族の住まいというだけでなく、島の宗教儀礼と政治の中枢だった。剣や陶器といった輸出品の製造拠点でもあった。にぎやかな場所だった。オリーブやワインを搾る工場、穀物の精白工場もあった。どうしても必要な水は、一〇キロほど離れたアルカネスの泉から送水路を通じて送られていた。

豪壮な建物と段々になった庭園が中央の広大な庭の周囲を囲むように配置され、神聖な夜の祭り、雄牛の突進してかわすブル・リーピング、松明の下での瞑想的な踊りなど、島の住人たちが神々を崇める儀式の場として利用された。施設全体は二ヘクタールもの広さがあった。柱間と光井を巧みに用いることで、列柱に囲まれた壮麗な宮殿には涼しい光が斑になって取り入れられる。窓にはガラスの代わりに薄い半透明の雪花石膏の板がはめてあった。建物の柱は糸杉の幹から作られ、赤く塗って台座の上に載せられていた。

ミノス、すなわち王の象徴である双斧が、建物の壁面のあちこちに見られる。斧を指すギリシャ語の labyros は、迷宮（labyrinth）の名の由来となった。一三〇〇の部屋がある宮殿はおそろしく複雑な造りだった――広間や廊下、私室が固まり合った地下には広大な貯蔵区画が広がっている――暗く不気味な伝説上の名高い迷宮とは、実はクノッソスそのものだったのではないかという意見もあるほどだ。そして二度目の破壊が、もともとは地震によるものとされていた出来事が、紀元前一四五〇年ごろに起こった。

当時の暮らしは、ミノアの一般庶民にとっても、そうきびしいものではなかったようだ。イラクリオンの古代博物館には、街にずらりと立ち並ぶ明るく彩られた楽しげな家々を再現した陶製の模型がある。人々は一種のチェッカーに似たボードゲームで遊んだり、屋外の炉で炭火をおこしてバーベキューを楽しんだりしていた。街の外れの田園地帯には、裕福な人々がかまえる夏の別邸もあった。

　現在までにクレタ島で見つかっている宮殿群で主なものは、クノッソス、ファイストス、マリア、カト・ザクロスとなる。ザクロスの規模はクノッソスの五分の一。ほとんどの宮殿は景観を重視した造りのようだ。どの宮殿もおそろしく古いために、年代を特定するのは難しい。ある年代決定法は、宮殿の建築様式の発展に基づいてミノア時代を前宮殿時代、原宮殿時代、新宮殿時代、後宮殿時代の四つに区分するものだ。

　まだ他にもある。アレクシウ教授の本を読んでいくと、エジプトの太陽王アクエンアテンがミノアの陶器を数多く所有し、アマルナの自分の宮殿に置いていたことがわかった。そのことの意味に思い当たったとたん、私は文字どおり立ちすくんだ。この分野ではきわめて高名な教授はつまり、ミノア人は古代エジプトに渡っただけでなく、ファラオと交易すらしていたと言っているのだ。

エジプト人が呼ぶところの有名な「ケフティウ」、すなわちクレタの人々の代表団と思われる一行が、動物をかたどったリュトン（水などを注ぐための祭器）を始めとする新宮殿時代の典型的な手工品をクレタからたずさえ、同王朝の高位の者たちの墓に供えた。アマルナのアメンホテプ四世、すなわちアクエンアテンの宮殿（前一三七五年から居住）から発見された後宮殿時代の「クレタの」陶器の破片［前一四〇〇～前一一〇〇年のもの］は後宮殿時代の始まりを、また「ファイストスの」宮殿の床からも同様の陶器が見つかっているため、宮殿が破壊された年代を特定する助けとなる。

私が最初の著作『１４２１』のための調査を始めたのは一九八八年だが、それ以降の二〇年間に、アレクシウ教授が証拠を示したこの事実ほど度肝を抜かれたものはなかった。紀元前一九九一年から前一四〇〇年まで、クレタとエジプトは長期にわたって海上交易を行っていたのだ。私が立てていた仮説は、中国人が一四二一年（西暦のだ！）に世界初の大航海に乗り出したというものだった。だがそれより何世紀も前どころか、キリスト誕生以前から国際交易が行われていたことを示す証拠があるのだ。それは中国人によるアメリカ大陸への航海を扱おうとする私の本にまったく新たな視点をもたらした。しっかりした調査に裏づけられ、確定された考古学的証拠に基づいて、ミノア人はたしかに自国の海岸からはるか遠くまで旅をしていた。それだけではなくて、と私たちのガイドは誇らしげに言った。ミノア人はもうひとつ、重要な「初」を成し遂げていた。文字を発明したのだ。さすがにそれはありえない気がした。エジプト人やシュメール人がいた。

先ではないのか？

私がそう問いかけると、ガイドは手に持っていたノートを自慢げに指してみせた。ページにかすかにしわの寄った写真がいっぱい載っていて、そのなかに奇妙な赤色の陶器の皿があった。表面がくっきりした白色の記号か何かで覆われている。ひどく謎めいた、それまで見たこともないものだった。記号は右から左に向かっているのではなく、中国の文字のように左から右へ向かうのでもない。この言語の道筋は、それが何であれ、ぐるぐると迷宮のような円を描いて回っている。

「まさにミステリーです。誰にも理解できていない」とガイドが言い、指で記号をなぞった。

「なんと呼ばれてるものなのだろう？」と、私は心底興味をそそられてたずねた。

「ファイストスの円盤ですよ」とガイドは答え、説明した。ここにある解読不能な古代の文字もしくは単語は、人類で初めて直線的に書かれたものかもしれない。それとも初めて印刷が行われた例といったほうが適切だろうか。この記号は紀元前一七〇〇年ごろ、焼成される前の粘土の表面に刻まれたものだ。つまりこれは隠された言語なのだ。陶器に記された秘密の歴史だ。この円盤はまるごと失われたひとつの文明を理解する鍵となりうるだろう。だが、解読の専門家にもまったくお手上げなのだ、とガイドは言った。よくよく見ると、円形の皿の表面には二四一の記号が刻まれている。その絵文字の一部はただの棒にも見えるし、基本的な数え方の形式のようにも思える。あるいは奇妙で複雑な、記号的な意味らしきもの——魚や果物、人の頭など——に満ちているようにも。

この円盤は一九〇三年、ファイストス宮殿の北東部分にある「記録保管所」の近くの小さな地下室で発見された。そのすぐ隣には「ＰＨ－１」と呼ばれる粘土板が置いてあり、その表面に初めて見つかったのがクレタの謎の書き文字だった。これは現在、「線文字Ａ」と呼ばれている。円盤と同じく、この文字もいまのところまったく解読されていないが、その後クレタ島のさまざまな遺跡から出た多くの人工遺物や手工品にも同じ文字があるのが見つかった。線文字Ａが最初に使用されたとわかっているのがここファイストスで、一部の専門家は線文字Ａと、円盤の不思議な絵文字には密接な関連があると考えている。なんとおかしな事態だろう。すぐそこに、失われた文明の鍵を直接手にしながら、その意味を解き明かすことができないとは。

もうひとつ、私を悩ませる決定的な疑問があった。もしミノア人がそれほど進んだ人々なら――古代エジプト人に劣らぬ教養と芸術の素養があり、文字と印刷をともに発明しただけでなく、古典ギリシャ時代の何世紀も前に驚くべき写実性を芸術に持ち込んでいたのだとしたら――その人々について世界がこれほど何も知らないということがどうしてありうるのか？　そこから必然的につぎの疑問が浮かんだ。ミノア人にいったい何が起こったのか？

その問いかけにガイドが返したドラマティックな答えが、私の新たな探求の始まりとなった。ファイストスも、その姉妹の宮殿都市クノッソスも、それ以外のミノアの街も残らず「大地震で破壊された」というのだ。この魅惑的な社会は紀元前一四五〇年ごろ、忽然と姿を消してしまった。クノッソスがクレタ島の肥沃な土壌の下から再び出現して以来、人々は考えつづけてきた。こうした遠い昔の魅力的な街々を、それぞれが強力な宮殿文化をもち、不朽の古代ギリシャ神話を生み出してきたその生命力を消し去ることになったのは、いったい何だったのか？　私も俄然、もっと多くのことを知りたくてならなくなった。

「あなたもやっぱり、地震だったと思ってるのかい？」とガイドに聞いてみた。

「この本に書いてありますからね、ここから一四五キロばかり離れたサントリーニ島、古名でいうティーラ島も、巨大火山の噴火で同時に壊滅したと」という返事だった。なら、その痕跡をたどってみないわけにはいかない。

2　火山の下で

クレタから北に一一一キロ離れたエーゲ海に浮かぶこの島が、忽然と姿を消したミノア人の謎の答えを教えてくれるかもしれない。私たちは一路サントリーニ島へ向かった。古代にはティーラと呼ばれていた島へ。

夜遅い時間に到着した。強い北風のせいで予定より遅れ、二人ともくたくただった。地中海は基本的に静かで穏やかなのだが、ときに牙をむく。三〇ノットの風が吹きはじめて六時間たてば、波の高さは三メートルにも達する。とくにメルテーミと呼ばれる北風は、夏になるとほとんど前触れなく吹きはじめ、船やフェリーを大混乱させることもしょっちゅうだ。そんな移動のあとでは、少しのあいだタクシーに乗るのも大遠征の気分だった。私もマーセラも疲れてはいたが、新たな目的地が近づくにつれてわくわくしてきた。岩山の上にそそり立つアパネモ・ホテル。暗くてほとんど何も見えないが、世界初の歴史家ヘロドトスが「カリステ」、つまり「最も美しい」と称したこの島に、やっと無事にたどり着いたのだ。

翌朝起きると、息をのむ眺めが眼下に見晴らせた。中央の礁湖《ラグーン》をなすカルデラ、いわゆる「調理鍋《クッキングポット》」は、かつてサントリーニの火山のどろどろに溶けた中心だった。ここはきわめて活発な南エーゲ海火山帯の真上にあり、私たちのカラフルなギリシャ風の寝室からもその過去の激しい地質学的変動の痕跡を見ることができた。中央の大クレーターはまさに壮観だった。幅はおよそ一二キロから七キロあり、三方が高さ三〇〇メートルの険しい断崖に囲まれている。礁湖の中心部は深さが四〇〇メートル近くあり、どんな種類の船舶でも入れるすばらしく安全な港になった。真正面には最近になって生まれた小さな火山島のネア・カメニとパラエ・カメニがあり、そのあいだの狭い海峡は、前の晩に私たちを悩ませた北風に白く波立っている。はるか下のほうでは、マッチ棒ほどの大きさの白い客船が二隻、紺碧のカルデラに入っていこうとしていた。

現在の島の形は、中央をくり抜いた丸く大きなチョコレートフルーツケーキそっくりで、中央の礁湖を黒々とした火山性の土壌の丸い縁が取り巻いている。ウェディングケーキにかかったアイシングのように、白い村々が段々になって滴り落ちたあと、カルデラの円形の縁と断崖絶壁に命からがらしがみついているようだ。

私はたまたま、ティーラのことをある程度知ってはいたが、それはいってみれば、「水面下の」知識だった。一九六〇年代に潜水艦ＨＭＳナーワルが、ギリシャ海軍からカルデラを潜望鏡で写真撮影するよう依頼され、私も航海士として二カ月間帯同した。

潜水中の潜水艦は、本来そこにあるはずの体積の海水と同じ重さになる。この体積分の海水の重さは、水温と塩分濃度によって変化する——水温が上がれば、潜水艦もそのぶん軽くならなくてはいけないのだ。中立浮力を維持するために、艦の重さは、ポンプで排水したり給水したりして変化させられる。潜水艦は繊細なものだ——ナーワルの場合、ゆっくり移動しているときには四五五リットルの水を入れるだけで適正な重さになる（ただしナーワルが潜水したときに押しのける水の重さは三〇〇〇トンだ）。

現在でも地下の温泉や火山性の亀裂から、ティーラの礁湖の底に向かって熱水やマグマが噴き出している。それが礁湖の水温や塩分濃度にどう影響し、結果として潜望鏡を海面に出せる深度を保ちながら移動するときにどれだけの量の水を潜水艦から排出することになるのかがわかっていなかった。このカルデラに対応できるだけのポンプ容量があるかどうかも定かでなかった。

問題をさらに深刻にさせたのは、カルデラの内部を移動する際に火山性の熱水が噴き出している場所を通過することだった。これはつまり、潜水艦の浮力がたえず変化してもおかしくないということだ。礁湖に入っていく水路は狭かった――私たちには十分な広さだが、まあまあきつい。カルデラの深い入り口でいちばん狭いところは幅が一八三メートルほど――フェリーの全長ほどの長さしかない。しかしこの水路の深さは三〇五メートル近くあった――通過するフェリーの下へ潜り込めるだけの余地はあったので、私たちはそれなりにリラックスできた。

潜水艦での調査が終わると、私たちはザキントス島に戻り、夕暮れの浜辺でギリシャの女の子何人かと落ち合った。ウミガメが産卵のために陸に上がってくる場所を案内してくれることになっていたのだ。そのあとは月明かりの下、みんなでダンスをした。正直をいえば、このすばらしい夜のことが、いつまでも残るティーラの思い出だった。他のことはみな四〇年以上忘れていた。

それがやがて一変することになった。蜂蜜をかけた濃厚なギリシャヨーグルトの朝食をとりながら、ホテルのオーナーが現在のサントリーニ島の下にある比類ない都市のことを話してくれた。

この都市が発見されたのは、あるひとりの人物の英断のおかげだった。ギリシャ人考古学者のスピリドン・マリナトス教授だ。この教授はすでにクレタ島に精通していた。実際のところ、一九三〇年代にこの島で最も重要なアルカロコリ洞窟を発見しているほどだった。その洞窟でマリナトスは、古代の青銅の製品や武器といったきわめて貴重な遺物のほか、クレタ島で見つかった最も有名な双斧のひとつ、アルカロコリの斧と呼ばれる青銅製の奉納供物を発掘している。そのことが私の興味を引いた。青銅製の武器は非常に高価なものだったはずだ。なぜ人目につかないよう隠していたのか？

　マリナトスには何年も前から、サントリーニ島にはクレタ島の古代都市と同じ時代の都市があったのではないかという直感があった。マリナトスは優れた考古学者として長く刺激的なキャリアを積み、最後にはマラトンやテルモピュライなどの世界的に有名な遺跡の発掘調査に参加するまでになった。シュリーマンらに続いて青銅器時代のミケーネの街での調査にも着手した――だがティーラ島の発見こそおそらく、マリナトスにとって至高の瞬間だったにちがいない。

　マリナトスの途方もない発見は偶然の産物だった。従来の説では、クレタ島の宮殿や街を壊滅させたのは地震だとされていた。ところがある日、教授がとある邸《やしき》を発掘しているとき、家の内部全体に火山性の軽石が詰まっているのに気づいた。地震でこんなことになるはずはない。教授が作業をしていたのはアムニソスというミノアの港町で、クノッソスから見て真北、古代ティーラの火山から見て真南に位置していた。新しい視点から見てみると、現場の大きな岩の塊には引きずられた跡があり、巨大な水に押し流されでもしたようだった。その一方で軽石は、浜辺の砂と混ざり合い、何もかもいっしょくたに宙へ放り上げられたように見えた。従来からの地震説にはきっと欠陥がある、とマリナトスは思った。両手に持った崩れかけの考古学的資料を見つめながら、彼は暴力と破壊の、だが地震で引き起こされるものとはちがうストーリーを見てとった。こういったタイプの破滅は、海からやってきたものにちがいない。

彼の目に、この邸が周囲の古代ミノアの街もろとも数分のうちに破壊され、古代都市ポンペイに並ぶほどの思いがけない悲惨な運命をたどるのが映った。ローマ帝国の街ポンペイは西暦七九年、ベスビオ火山が巨大噴火を起こし、南ヨーロッパの広範囲を降り積もる火山灰で窒息させたときに、その下に埋もれてしまったのだ。

紀元前一四五〇年ごろにサントリーニ島とティーラ島で途方もない火山噴火があったことを知ったとき、考古学者の直感はマリナトスに、重要な何か――それもクノッソスと同時代のもの――が埋まっているかもしれないと告げた。準備には数十年かかったが、ようやく彼は、私たちがいま滞在しているアクロティリの街のすぐ外れで発掘作業を始めた。マリナトスの忍耐はほぼすぐに報われた。このあたりの土地に通じた地元民のアドバイスにも助けられ、考古学上の金鉱を掘り当てたのだ。

火山性の軽石でも、そのなかを何メートルも掘り下げていくのはなかなか大変な――腰を痛めつけられる作業だ。だがマリナトスには当てはまらなかったと見える。まるで憑かれた人間のようだった。軽石が降り積もって硬くなった層のなかの、比較的薄い五メートルほどの場所をちょうど正確に選んでいた。古代のトロイアを前にしたシュリーマンのように、マリナトスの直感の正しさも全面的に証明された。彼は都市の廃墟跡を見つけたのだ。

朝食のあとで、日の当たる壁の上に腰かけ、発掘主任のクリストス・ドゥマス教授が火山とサントリーニ島について語った内容を読んだ。ある段階でこの島はストロンギリ、つまり「丸いもの」と呼ばれていたが、火山の噴火で以前の丸いパンの形がクロワッサンに変わってしまった。それからはるか歴史を下って、征服にきた古代スパルタの軍は、三日月型をなす島々にティーラという名前をつけた。ドゥマス教授によると、

……過去四〇万年間にこの島では一〇〇回を超える噴火があり、そのたびに新しい土と岩の層がつけ加わって、島を徐々に大きくしていった。こうした真の破滅をもたらす大噴火が最後に起きたのは三六〇〇年前で……

読み進めるうちに、私たちのすぐ足下に本物の奇跡があること――そしてマリナトスが失われた街をまるごと発見したことを知った。それは少なくとも紀元前一四五〇年の、火山が噴火したと考えられる年までさかのぼれる。理論上では、いま火山灰の層に埋もれているその古代都市は、ファイストス宮殿とほぼ同時期に存在していたということになる。これは驚くべきことだった。私たちが「先史時代」とみなしてきた時代に、これほど都会的な二つの社会が、おたがいわずか一九五キロの距離に存在し、繁栄していたのだ。

この時点ではまだ、私たちはただの旅行客だった――クレタ島についても、ましてやティーラについても何か書く予定などなかった。ただ古代の謎を素直に楽しむつもりだったのだ。悲しいことに現在は、いくら熱意ある旅行客でも、マリナトスが見た地下世界の遺跡を訪れることはできない。発掘されたのは遺跡の三分の一にも満たず、崩落の危険もあって、まだ危険な場所だ。しかしこれまでに発掘されたフレスコ画の一部は修復され、街の美術館にあるという情報をホテルのオーナーから仕入れられた。翌朝になって、ぶらぶらと見に出かけた。そしてその日以来、私はこの古代のパズルが頭から離れず、すっかり魅入られてしまい、そのときとりかかっていた本の調査をすべて放り出すことになる。

溶岩に呑み込まれたティーラ島の地下に埋もれていたフレスコ画は、まるで生きた対象をそのまま写したようだった。あざやかな色彩で、繊細かつ驚くほどリアルに、植物や野生動物の豊富な、美しい肥沃な島が描かれていた。そしてこの古代の楽園には住人がいた。ぜいたくな暮らしを送っている、美しい人々が。私もマーセラも、三〇〇〇年前の人間の暮らしとは、楽しみとは関係ない、純粋に生きるか死ぬかの問題だと思っていた。

青銅器時代というとみんな、何かウーウーという唸り声でしゃべって、洞窟に住んで、動物の皮をまとって、棍棒でおたがいに殴り合い、おおむね体も洗わないような「先史時代」の男女を思い浮かべるかもしれない。けれどもこの、地中海のまさに中心には、きらびやかできわめて先進的な社会があったのだ。雄牛崇拝という特徴はあっても、穴居人のような印象はかけらもない。それどころか見た目にもすばらしい。フレスコ画のなかの人々は、控えめにいっても印象的だった。女性はぴっちりとした、腰までのスリットが入って胸元もあらわなボディスを着けている。クノッソスのフレスコ画で見たのと同じだ。男性は筋骨たくましく長い手足をしてハンサムで、そして男女ともに装身具を——イヤリングから腕輪、ネックレスまでいっぱい身に着けていた。クレタ島と同様に生活水準は高かった。ティーラにも噴水や水洗トイレや浴槽があった。古代の丘のふもとに面して整然と積み重なった赤や白、黒の石造りの家々は、現代の私たちの薄っぺらな「マッチ箱」よりも上等ではないかと思えるほどで、装飾の精巧さではまちがいなく上だった。

　古代ティーラ人とは何者だったのか？　そして、なぜ彼らのフレスコ画はクレタ島の壁画を彷彿とさせるのだろう？　ファイストスで見たものとそっくりの大きなピトス（保存用の壺）があるのに気づいて、ティーラ島がミノア人と強いつながりをもっていたのだと実感した。ここでは、儀式に使われたとおぼしきクレタ様式の、専門家に「最高級の宮殿品質《パレーシャル》」と呼ばれる陶器の破片が何千も見つかっている[1]。

　この文明もミノア人のものだったのだろうか？　素人目にも、ティーラ島とクレタ島の文化や芸術、建築には強い類似性があることがわかった。クレタ島のミノア人と同じように、ティーラの人々も見世物や音楽、祭り、楽しみを好んだ。文化面でも精神面でもつながりがあったのだ。ここティーラでも雄牛は崇拝の対象で、女性神の崇拝もミノアと同じように際立っていた。「クレタ」という言葉自体、語源学者によると、現代ギリシャ語の「強い女神」とつながりがあるらしい。クノッソスでは王、つまり「ミノス」はみな、月の巫女と結婚したようだ[2]。ファイストスとクノッソスでは、女も男と同じ用に運動能力が高かった。雄牛の上でしなやかな若者たちがと

んぼ返りをしているある有名な絵では、二人の娘が牛を抱え込んでいる。ここでも女性は重要な、おそらくは場を支配する存在として描かれているのだ

フレスコ画のつぎのシリーズに移る。壁や床、壺の表面にある先史時代の絵は目をみはらせるものだった。あふれんばかりの色彩と生命力に満ちている。さらに重要なのは、色彩をふんだんに使って美しく描かれたその絵が、様式的に私たちがクレタ島で見たものとそっくりだったことだ。拳闘ごっこをする二人の少年、花からサフランを採る少女たち、魚を運ぶ一〇代の若者の、すばらしく細密な絵。壁画は日常生活の場面を信じられないほどあざやかに伝えてくる。見物人たちを追いかける雄牛、空をさっと飛び過ぎるアマツバメ、果実の花のあいだを舞う蝶。さらに近づいてみた。よりエキゾティックな絵があった。鹿に向かって飛びかかるライオン、逃げ出す体勢をとる優美なオリックスの群。壁画にはティーラとは縁のない動物もあった――アフリカのライオンと猿、アラビアのオリックス。こうしたエキゾティックな意匠はどこからきたのか？　アメリカ原産のタバコシバンムシでさえ、

紀元前一四五〇年以前の火山灰から発見されているのだ。

展示物の列をどんどん見ていくと、古代クレタを想起させるのはティーラ島の美術品だけでないことが見てとれた。この二島の住人のつながりは非常に密接だったのだろう。博物館にある日常的な家庭用品の多くは、クレタ島で見つかったものを正確に写したものだった。ああ、たしかに、スープ皿はどこの国でもスープ皿だとはいえる。日用品が似ているのは、同じ機能をもつのだから当然だろう。だが、美術と考古学の両方を専門とする学者たちにも、ちゃんと両者のつながりは見えている。このティーラで発展した「台所用品」が周辺の島々全体でも標準となっているとさえ言っているのだ。(3)

芸術的なスタイルが驚くほど似ている一方、この二つの社会の基本的な日用品、たとえば締め具やピンなども、じつに印象的だった。少なくとも私たちの目に、ティーラの建築や工学の成果は、クレタ島で見たものの完全な写しのように見えた。クレタと同様に、切石を精巧に積み上げたティーラの家のなかにも三階建ての邸宅があった。さらにティーラの青銅器時代の金属技術も、クレタ島と同じ驚異的な規模と精度をもっていた。

クノッソスとファイストス、そしていま私の目の前にある古代ティーラ——この三つの遺跡には、床に大理石を敷き詰めた、想像を絶するほど豪華な宮殿があった。空間、そして光、自由。これは先史時代の生活と聞いてふつう想像するようなものではない。温水と冷水が流れる天国だった。古代クレタの際立った建築的な特徴——光井、テラス、中央の庭、床より低く作られた浴場、段々になった前廊のある庭園——がここにもあった。開放的なベランダと壮大な階段は、すでに温暖で暮らしやすいこの島での生活をさらに優雅で快適なものにしたにちがいない。水も温水と冷水ともに備わっていて、空調の設備まであった。

専門家であるマルコム・H・ウィーナーによると、

あらゆるカテゴリーにおける証拠を、ミノア人の権力や富、人口、交易網、新宮殿時代のクレタ内外への拡大といった文脈に照らして考えれば、ティーラにミノア人とミノア人の子孫が多くいたことは確かだと思われる。彼らは原宮殿時代に個人または集団で来島し、さらに移民や内婚によって数を増やしていったのではないか。(4)

それでも、この見解の驚くべき意味合いが頭に染み込むだけの時間はなかった。すぐ先に、何よりもすばらしいフレスコ画が待ち受けていたのだ。「西の館」全体を占める部屋5に足を踏み入れたとき、マーセラも私も、自分の目がとても信じられなかった。

いままさに港に戻ろうとする一群の船。何千年も火山性凝灰岩の小山の下で保存されてきたこの帰港する船団の絵は、ほんの数日前に描かれでもしたようにほぼ無傷で、温かな色合いで輝いていた。

一〇代の少年たちが、友だちどうし声をかけ合いながら街の門を抜け、海と街の城壁に挟まれた狭い陸地を駆けていく。窓やバルコニーから顔を出している女たちは、たぶん母親や妻なのだ

船5　船3の東側、湾の内側（イルカの群）。
船6　ずっと沖合。まだ帆を掲げている。
船7　湾の内側。
船8、9　アクロティリに近づきつつあるところ。〈基地〉は現在発掘中。

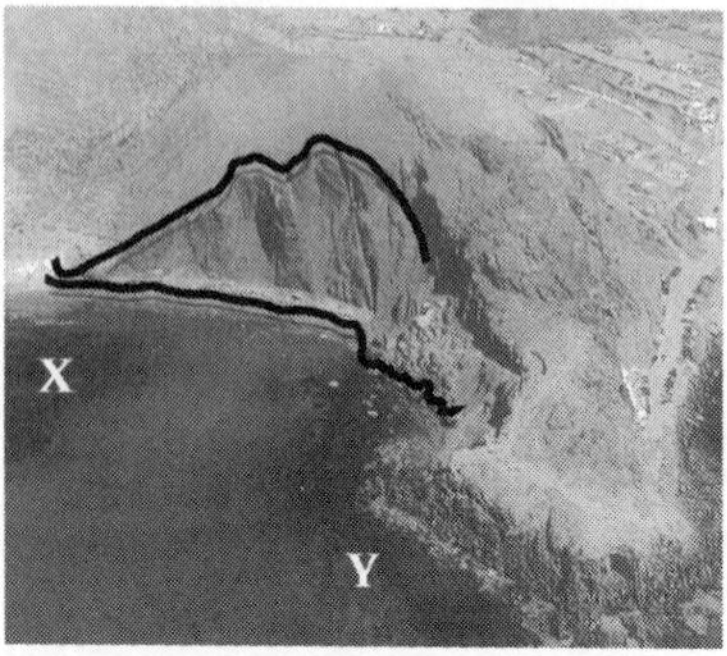

船10、11　港に停泊している。
その他の船は、停泊中のようにも見えるが、フレスコ画では不明瞭で確定できない。
船11の位置は、水深の深い部分が海岸に達するところと一致している。この辺りはまだ発掘を待たなくてはならない。発掘が進めば、石を敷いた水路が波止場まで続いていて、そこから西へ延びる階段が提督公邸へ通じているのがきっと見つかるのではないか。

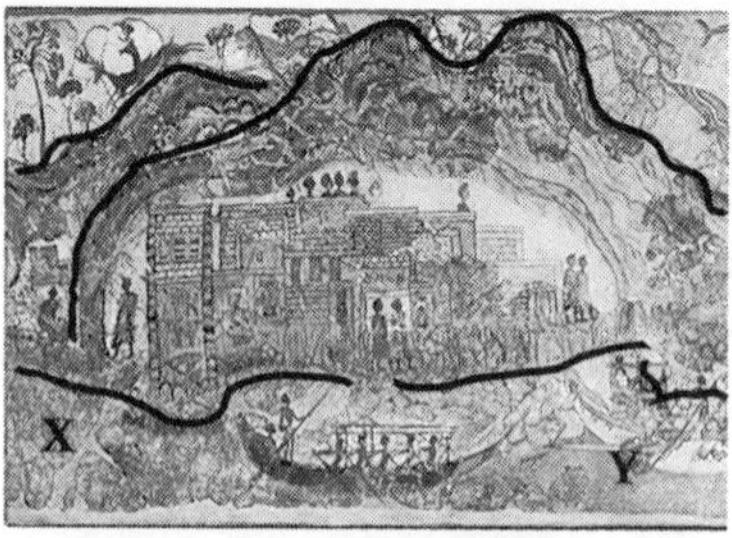

フレスコ画の船を実際の海岸線と結びつける
フレスコ画には3つの層が描かれている——層3は川の様子なので無視していい。層1は船1～5のある海岸の西側部分。層2では船6～11が湾を横切って港へ向かっている。船の番号はイムレイの海図上に記してある。
　これで何もかもはっきりした。船

団は地中海の沖50キロほどでレッドビーチの後背にある丘（C）を視認し、そちらへ向けて針路をとる。水深の浅い湾に達すると、つぎに東へと向かう。船10、11が港の内側に見え、船2～9は港を目指している。

付記　碇の記号はイムレイの海図に元からあるもの。港（F）はおそらく、水深の深い部分が岸に達する場所が選ばれたのだろう。

船団のフレスコ画――船の位置

「細密フレスコ画」と呼ばれるこれらの美しい絵には、2つの港町のあいだを移動していく船の隊列がみごとに描かれている。どの船も舳先に船首像がある。ヒョウやライオンを彫刻・彩色しているように見えるが、本物の動物の皮という可能性もなくはない。凱旋する船は花綱で飾られ、街の住民たちは興奮して浮き立った様子だ。あらゆる細部まですばらしく真に迫っているために、これは本当の現実だったのではないかと私は考えはじめた。この光景は歴史的な記録であり、だから実際の港がここに描かれているとおりに見つかるのではないかと。

私は航海士として10年間過ごしたあと、潜水艦の艦長になり、潜望鏡で写真を撮ってそれを元に地図を作成した。その知識をアクロティリ（サントリーニ島）の西海岸一帯に適用してみたのだ。

フレスコ画を海岸と結びつける

地図はイムレイ社の海図G33を元にしたもので、以下を書き加えている。

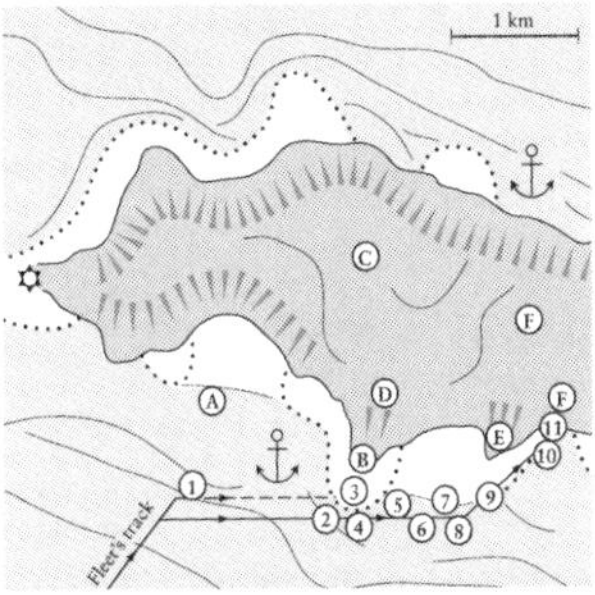

A. レッドビーチ
B. レッドビーチの東端から突き出している岬
C. レッドビーチの後背にある小高い丘
D. 岬Bから内陸へ通じる2本の道
E. 内陸の〈基地〉（現在発掘中）へ通じる3本の道
F. 発掘されたアクロティリ

この地図上の灯台は北緯36度21分30秒、東経25度21分30秒に位置する。

フレスコ画に描かれた船の位置

船はすべて単縦陣の陣形で、東へ向かって航行している。

船1　レッドビーチ（A）の崖を掘って造られた港の前に見える。

船2　船1の海岸寄り、レッドビーチの東端から突き出した岬（B）の向かい側に見える。

船3　船2の海岸寄り、私の地図上にある湾の内側。この船が湾内にあることは、イルカの群が船の海岸寄りにいることでわかる。

船4　船2の東側、船3のずっと沖のほう――湾の内側（イルカの群が船の海岸寄りに描かれている）。

ろう、ひとりは幼い男の子を隣に従えている。漁師たちは浜辺から斜面を登って丘の頂きを目指し、すでに港を埋めている船団をわれ先に目に収めようとする。船団の帰港は物語のクライマックスであり結末だ。そのストーリーの全貌はどんなものだったのだろう？

いま目の前にあるのは、時の流れから切り取られたひとつの瞬間だった。青銅器時代の三五〇〇年前に港へ入っていく船団そのままのスナップ写真。これは現存するヨーロッパの船の絵のなかで最古のものにちがいない。

この船団について考えるうちに、すぐにまたファイストスに思いが及んだ。焦る手でガイドブックをめくっていく。ミノア時代の陶器──とくに黒色やクリーム色、オレンジ色のカマレス陶器と呼ばれるもの──がエジプト第一二王朝までさかのぼる古代のさまざまな発掘場所から見つかっているのだ。

ミノア陶器はきっとこうした、いま目の前にある絵に描かれたような船でエジプトまで運ばれたにちがいない。これらのフレスコ画は、マリナトスが発見した壮麗な邸の壁に描かれていたものだ。発掘チームはその館が提督のものだろうと考えた。もしミノア人が実際に、階級や指揮官といった指揮系統ができるほど進んだ海軍をもっていたとしたら、どれほどスムーズに海上を移動できていただろうか？

紀元前二七〇〇年から前一四〇〇年の青銅器時代の人々が、ほんとうに世界で初めて外洋船を建造し、貴重な品々を積み込んで、世界で初めての国際交易ルートを行き来しはじめたということはありうるのか？　クノッソスの中心であるファイストスとティーラというわずか数十キロの

海で隔てられただけの楽園の島が、実ははるかに広大な航海国家の中枢でもあったとしたら？

もしミノア人が最高の造船技術をマスターしていたのなら、いま私たちの目の前に描かれているのとまさに同じ船を海上に走らせ、その影響力をさらに広めていけたのではないか。交易船団や、あるいは海軍大国ですらあったと考えれば完全につじつまが合う。そうでなければ、いまもこうした城壁にその豊かさがうかがえるような、ミノア文化の洗練や輝きは生まれなかっただろう。よほど国際交易が盛んに行われていたのでないかぎり、こうした人々が享受していたはずのぜいたく品や富がもたらされることはなかったはずだ。

私の目には、たしかに可能だと思えた。「提督のフレスコ画」に描かれた八隻の船のうち少なくとも三隻は、大洋を渡ることができるように見えた。そのフレスコ画にはすばらしく多くの現実的な情報があって、船に備わったオールの数がわかり、帆のタイプと効率性、船の航行能力も見当がつけられた。なかでも船尾側にキャビンのある船は、そのサイズから提督の旗艦だったことを示している――提督の美しい公邸の壁の上の、目立つ位置にあるのも納得がいく。

かつて数千年前には、部屋5はおそらく優雅な応接室だったのだろう。大災害が起こる前には、海を見渡せる見晴らし窓と、印象的な広い階段があったのだ。私はこの部屋を、覚えやすいように「舞踏室《ボールルーム》」と名づけることにした。そのころの光景が目に浮かんでくる。船団の到着を、勝利を、あるいは何かのごく特別な機会を祝っている男女たち。提督に招かれたゲストたちは夕刻のディナー前のひととき、集まって酒を楽しみながら、フレスコ画に描かれた船団に見とれている。もしかすると、長い冒険の旅を終えて帰還したあと、眼下の湾に停泊している本物の船を見ることもできたかもしれない。

この見事なフレスコ画は、舞踏室の四方の壁の上部に沿って続いていた。部屋に入ったゲストたちは、遠く離れた異国への航海の物語を読むことができただろう――現代の習慣のように左から右へではなく、反時計回りに動いていく――最後には船乗りたちが母港に凱旋し、船団は英雄たちの家族やティーラの街の人々の歓呼の声に迎えられる。

これはまるで、船の舷窓から失われた時代へ飛び込んだような、非日常の体験だった。私はまったくの偶然から、長いあいだ忘れられ、語られることのなかったストーリーをたどっていた。そしてメモを取りはじめた。船体の長さ、幅、喫水――そこから割り出される航行能力――は簡単に計算できる。積み込める貨物の重量と容積もだ。要するにこのフレスコ画は、船がどの程度の距離を、またどういった天候のなかで航行できたかを教えてくれているかもしれないのだ。

そうした分析を始めるにあたって、各船に番号を振った。左端の1から始まり、9、10、11まで——船11は絵の右側、提督の館にいちばん近いところに見えるもの。船の大きさはさまざまだ。4、5、7、8がとくに長く、5と8はオールの数も最も多くて、片方の側面に二六本ある。船6は最も高度な航行能力を備えている。

発掘されたミノアの印章からは、少なくとも紀元前三〇〇〇年ごろ以降には、彼らの船がマストや帆も含めて非常に進歩を遂げていたことがわかる。クレタ島西岸のハニアで発見された円形の粘土板には、[5] このフレスコ画にあるような船の特徴が見られる——鉤型の船首に、船尾にあるキャビン様のもの。

船1、2、3、4、5、6、8の小さな「キャビン」は実際にはひさしで、海に照りつける暑い日差しを乗員が避けるためのものだ。見かけは中世ヨーロッパの騎士が戦場へ持っていった装飾つきの大型テントにきわめてよく似ている。驚いたことに、こうした布地の覆いの残骸も掘り出され、船長と提督の紋章もいっしょに発見された。これもまた海軍のインフラが高度に管理され、計画されていた証拠だ。キャビンは持ち運びが可能で、中央部の四角い日よけも同様だった。帆を張ったときはどの船も、ほぼ船6と同じように見えただろう——中央のマストに揚げた大きく四角い横帆が目立っている。

船6がいちばん興味深い、そう感じた。この船には帆を操るためのロープが一〇本あった。船乗りたちがシートと呼んでいるものだ。

このシートを使って帆を上げ下げしたり、帆の面積を減らしたり（帆を巻きつけることで）、帆の形を変えて前方への推進力を最大にしたりすることができる。ロープはマストの先にある真鍮製のアジャスターで調節する――後日アテネのある博物館でも同じようなシステムの初期の例を見つけた。一〇本のロープを使ったこのシステムによって帆を調節し、どんな風のときも帆の力を最大限に引き出すことができる――軽い追い風のときは帆をいっぱいに横向きに張り、向かい風のときは帆を軽く巻いて抵抗を弱め、突風《スコール》や無風のときは完全に巻いてしまって漕ぎ手にバトンタッチをする。

漕ぎ手はそれぞれオールを掻くのに最低七六センチの空間が必要で、九一センチあれば快適になり、一〇七センチあれば速く漕ぐことができる。つまり、漕手が二六人の場合は二四メートルの距離が必要になる――船5と8だ。漕ぎ手の居場所は船尾から船首までの長さの半分を占めるので、船全体の長さは四七・五メートル、船体の長さは約三六・五メートルとなる。これは航海船としては大型で、エリザベス一世の時代にサー・フランシス・ドレイクが乗ったゴールデン・ハインド号とほぼ同じだ。

私はすっかり魅了され、フレスコ画をさらにつぶさに見ていった。私にわかるかぎりでは、どの船にもユニークな特徴がいくつかあった。第一に、船2、3、4、5、8に見られる船尾の奇妙な突起だ。この突き出した部分は、潜水艦の船尾にもあるのと同じような、水平舵としか思えなかった。これは文字どおり水平方向の舵で、船尾の位置を調整するために使う。船8のそれは船尾を上げることで船首を下げ、船の相対的な形状を変えるのだろう。追い風のときはこの位置で使用し、向かい風のときは逆に船尾を下げて船首を上げる。乗組員を船の前方か後方へ移動させても、同じ結果が得られるだろう。

この絵に描かれた船には、もうひとつ特異な特徴があった。船2、3、4、5、8の船首の上に、何やら「空気より軽い」物体が浮かんでいるのが見える。近づいて見てわかったのは、これらの物体は頑丈そうな一本の木材でバウスプリットに取り付けられているため、船首にかなり強い上向きの力を与えているにちがいないということだ。この垂直方向の「揚力」は船尾の水平舵を補完し、水平舵が船尾を下げようとするときに追加の揚力を与えていたのではないか（水平舵が船8の位置とは逆になっている）。こうした垂直方向の力がどのように働くのかは私にもまったくの謎だ――が、他にこれがここにあることの説明は思いつかない。単なる装飾品なら、こんな厚い木材でバウスプリットに固定する必要はなかっただろう。

私の知るかぎり、こうした二つの特徴はミノア船に特有のものだ。

第三の特異な特徴は美的要素に関わるものだ。船体の側面にある美しい絵。船5にはライオンと竜、船6にはハトが描かれている。これらのきわめて進んだ外洋船は、たいていの気象条件で航行でき、帆や船の形状も調整可能だった。なんという技術力なのか！　そして今日の航空会社や鉄道会社、たとえば英国航空やヴァージンアトランティック航空のように、ミノア人はその美しい世界最高水準の船を、卓越した芸術的才能という独自のアイデンティティでもってブランド化したのだ。

3　ミノアの海軍基地を探して

ティーラにかつて、外洋船が停泊できるほど深い港があったのかどうか、自分の目で確かめなくてはならない。港との関連からして、「提督公邸《アドミラルティ・ハウス》」が建てられるのはどこになるのか？　私は世界中の海軍の公邸を訪れてきた経験から、提督はよく主要な港の近くに住みたがることを知っていた。帰投した艦船を出迎え、艦長や士官や部下たちをもてなしたいと考えるのだ。ステータスシンボルとしての「提督公邸」は、ほぼ決まって港を見下ろす丘の上に、たとえばプリマスのマウント・ワイズのような場所に建てられるものだ。

調査の幅をしぼらなくてはならなかった。船長や提督が港を選ぶとしたら、卓越風や荒れる海からの避難場所が必要になる。ティーラに吹く卓越風とは、私たちが以前に洗礼を浴びたメルテーミのことで、古代ギリシャではエテジアンと呼ばれていた。この風は、高気圧（一〇二五ヘクトパスカル以上）がしばしばハンガリーやバルカン半島を覆い、低気圧（一〇一〇ヘクトパスカル以下）がトルコを覆うことで生じる。

このことは調査の幅をしぼるのに役立った。港はほぼまちがいなく南側の海岸線に造られただろう――カピ・アイオス・ニコラオスとプロフェット・エリアス山のふもと（地図1を参照）のあいだか、南海岸のアクロティリ岬とブリチャダのあいだに。

「舞踏室」のフレスコ画には、陸地が海のほうへ下っている様子が、海岸線のドラマティックなパノラマのなかに描かれている。手元のガイドブックには、紀元前一六〇〇年当時の海岸線の再現した地図が載っていた。浜辺は現在より三〇〇メートルほど海側に延びているが、海岸線の形はほぼ同じだ。もっとも提督の目には、現在見えているよりさらに長い海岸と多くの投錨地が映っていただろう。

何千何万年にわたる火山活動のおかげで、サントリーニ島は三色――白、赤、黒――の浜辺をもつ世界でも数少ない場所のひとつとなったにちがいない。この岬のあたりには私も初めて見るほど奇妙な海岸線が広がっていた。浜辺のひとつはレッドビーチと呼ばれ、テラコッタ色の崖、赤い砂と小石、ときおり現れる赤ずくめの旅行客まで含め、たしかに何もかもが赤い。しかし水は深く、冷たく澄んでいて、アクアマリンからターコイズ、コバルト、そして黒へと変化している。

船乗りとしての実用性の観点から考えると、最も港にふさわしそうな場所は、提督公邸が掘り出された地点から西に一〇〇〇メートル離れたレッドビーチと、さらに西へ二〇〇〇メートル行ったホワイトビーチのあいだのどこかだろう。

そのとき、急にひらめいた――想像してみるのだ、もし提督に招かれた客たちが実際に彼の船団を見ることができたのだとしたら？　フレスコ画の上だけでなく、海の上にいる船を？　あのフレスコ画の画家が、実際に見たままの船団を――提督公邸の前に停泊している一群の船を描いたのだとしたら？　そう考えれば完全につじつまが合う。私たちはフレスコ画に描かれているのと同じ短い海岸線に沿って船を出そうと決めた。港を探し回って船の持ち主を見つけ、カッターボートに乗って沖に出ると、向かい風を正面から浴びながらカメラを構えた。

紀元前一六〇〇年ごろ、この島に影響を及ぼしている火山は数多くあった。ラ・ティラシア、メガロ・ブーノ、そしてミクロス・プロフェット・エリアス。すべて北の方角だ。だとすれば、島の北側の海岸にその影響を避けられる基地があったとは考えにくい。港は南の海岸にあったにちがいない。

船乗りたちは危険からはなるべく離れていたかっただろう——これまでの証拠を見るかぎり、この戦略は功を奏した。火山が原因で沈んだ船はまだ見つかっていない。

記憶に残る旅になった。高く舞い上がる水しぶきのなかを、カッターは海岸線に沿って激しく波にゆさぶられながら進んだ。つぎに港に必要になる大きな要素は、航海前の船に飲料水を積み込むために、近くに海に注ぐ真水の河川があるということだ。南海岸のホワイトビーチからブリチャダのあいだには、数えてみると一三の小川があった。商人たちがアクロティリを主要な港として選んだのも、船団が必要とする水を確保するためだったのだろう。

レッドビーチの背後にある赤い崖に、望遠鏡やズームレンズを向けて調節した。レンズに映る像をフレーミングしていると、つながりはまぎれもなくあきらかになった。現在でも土地の輪郭は、あのフレスコ画と一致している。久しく埋もれていてマリナトスに発掘された絵は、ただ美しい美術品であるだけではない。事実上の地図なのだ。島の三つの高い峰もごくはっきりと見える。大きなちがいはフレスコ画の真ん中に見える、島の中央の水路の形だけだ。

フレスコ画の右の側には、今現在も発掘されている途中の家々が描かれていて、提督公邸がひときわ目をひく。幅広の階段が浜辺から館まで続いているのがわかる。それから西へ進み、絵の上でいえば左へたどっていくと、三角形の窓のある大きな建物が見える。これはある種の兵舎だったかもしれず、大勢の人員が乗り組む船団の証拠を探している私たちからすると、とても興味深いものだ。その遺跡はまだ発掘されていない。

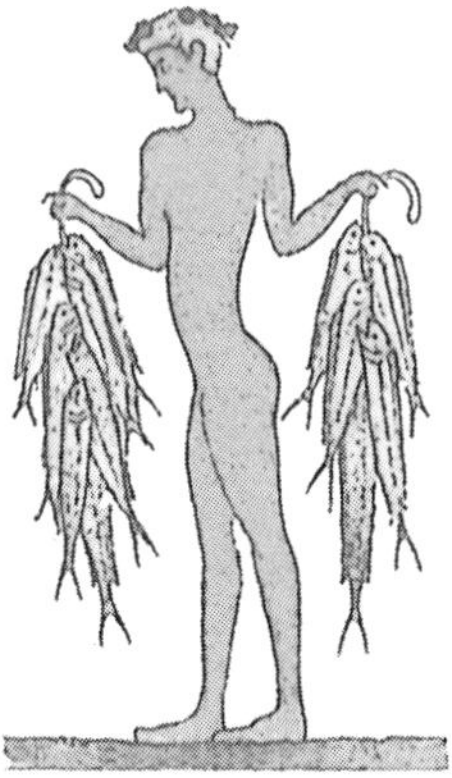

手元のガイドブックに載っている、船団と港を描いたフレスコ画に沿ってさらに西へ向かい、レッドビーチの奥にある特徴的なピラミッド型の丘のところまで来た。

海側から見てもうひとつ驚いたのは、赤い崖のふもとにひと連なりの洞窟が並んでいることで、うち一つか二つには人が住んでいそうにも見えた。岸に上がってみると、このあたりの海岸沿い一帯には、テフラ――火山から噴出した砕屑物――を掘った洞窟がいくつもあった。あとになって泊まっているホテルのオーナーのスピロスに聞いたところ、彼の祖父はいまでもこうした洞窟のひとつに漁の船を置いているし、多くの人たちがスカプタと呼ばれる、テフラをくり抜いて作った細長い家に住んでいるとのことだった。掘るのは簡単だが、崩れ落ちない程度には丈夫なのだ。

その多くはレストランに改装されていた。すっかり腹ぺこになり、いささか日焼けと海焼けもした私たちは、その晩〈ケーブ・ニコラス〉というレストランで夕食をとった。崖を深さ一二メートルも掘った洞窟のような空間だが、すばらしい魚料理が味わえた。

過去に、それも何千年も前に失われた都市を見つけ出そうとするのは、とにかく心躍る経験だった。劇的なストーリーと古代ティーラの突然の消失、それにやはり突然だった再発見とが相まって、これこそ遠い昔に失われた文明「アトランティス」だと人々が推測するようになったのだ。私もその内容はよく知っている。もっと若いころにはとても人気の高い話だった。あるすばらしい都市が突如として海の底に沈んだ。これはその街の人々の傲慢さと慢心に神々が下した罰なのだという。私はただ、ばかばかしい話だと一蹴した。たしかに、ティーラの滅亡には大きなドラマ性がある。全盛期にあった文明のまぶしい光輝が一瞬で消え去るという、ひどく痛ましい出来事だった。それでも規模としてはポンペイの悲劇に及ぶほどではなかったようだ。考古学者たちは、ティーラ島の住民の大半は火山のもたらす惨禍から逃れられたと確信していた。マリナトスによる発掘では、実際の遺体は見つからず、災害への備えが行われていた跡も多く見られた。たとえば、食料保存用の壺、屋根が落ちてきたときに守ってくれる覆いといった細かなものだ。貴重な品々もほぼ持ち出されていたようで、ティーラの人々に火山から逃れられるだけの時間的余裕があったことがうかがえる。

失われた文明というのは話としては魅力的だが、「アトランティス」の場合、そのコンセプト自体がホラ話やペテンの領域になってしまっていた。この不可思議な物語とその背後にある謎は、詩やSFからハリウッド映画まであらゆるものにインスピレーションを与えてきた。アトランティスはどこにあったのか？　誰も事実は知らなくても、多くの人間が自らの考えをもっていた。一九二〇年代の神秘主義者ルドルフ・シュタイナーからナチスの親衛隊長官ハインリヒ・ヒムラーにいたるまで、誰もがこの神話に尾ひれをつけて広めた。アトランティス人は口にする人によってどんな存在にでもなり、北欧の超人から銀河系の異星人まであらゆる姿形をとった。三〇〇〇年前の昔……本も図書館もなく、同じ時代の記録も――少なくとも私たちに理解できる記録は――ない、そんな時代に放り出されるというのは想像もつかないことだ。あるガイドブックで読んだところでは、アトランティスの初期の記録は口承によるものだけだった。ところが後世になって、架空の理論的「対話」を書こうとしているギリシャのある若い哲学者がその話を取り上げ、内容が事実であるかどうかはともかく、文章にしたのだ。私がなかなか信じられないのは、そのプラトンの、ぶどう酒色の海を越えて届いてきた声に何かしらの真実が含まれていたということだった。

> 非運の一昼夜のうちに、武勇に優れる者たちは皆そろって地の底へ沈んでいき、アトランティスの島も同様にして消えてしまった――深い海の底へと。[6]

謎の土地アトランティスをめぐる騒動の原因となってきたプラトンの原典とは、実際には『ティマイオス』と『クリティアス』と呼ばれる二つの「対話篇」だった。紀元前四二三／四二七年に生まれたプラトンは古代ギリシャの偉大な哲学者トリオのひとりで、ソクラテス、アリストテレスに挟まれた二番目に位置する。『ティマイオス』は宇宙の創成に関する内容だ。『クリティアス』は未完で、アトランティスの関連するくだりで突然、途切れている。

翻訳された文章を読むと、その古代の大都会と「王都」は別々の場所を指していると思えるし、それはクレタ島とティーラの関係に酷似していることがわかった。プラトンによれば、中心都市は幅一九キロほどの円形の島にあった。王都のほうは長方形の島に位置していた。つまりプラトンのアトランティスはまちがいなく二つの島か、もしくはそれ以上からなるということだ。地中海にはたくさんの島があってどれでも選ぶことができる。けれどもプラトンが道徳的な物語を書いていたことを踏まえれば、その寓話が必ずしも真実である必要はない。プラトンの動機は、未来の世代にアトランティスについて伝えることにはなかった。哲学や人間の失敗について論じることにあったのだ。それでもプラトンの語りは強烈な印象を残した。

いま、このアトランティスの島には、偉大なすばらしい力をもった王たちの連合が存在し、この島を始めとする多くの島々に君臨していた。(7)

それでも私は一切を無意味なたわごとだと思い、頭から締め出していた。

その日の晩に行った郷土料理のレストランでも見たように、古代ティーラ人にとって壁画は写真のようなもの――装飾芸術の一形式でもあり、一種のドキュメンタリーでもあったにちがいない。誇らしげに停泊する船が提督公邸からすべて見られるように、まるで提督に捧げる記念碑でもあるように描かれているのだ。

私の見たところ、ティーラの港はたしかに、クレタ島のクノッソス、ファイストスの外港だったアムニソス、コンモスよりずっと強い印象を与える。クレタ島のミノア人が真っ先にティーラと協力して、青銅器時代に襲ってきたとてつもない試練に立ち向かおうとしたのではないかと想像できる。この広くて水深のある港は、本当の意味での国際港となるだけの可能性をもっていたのだ。

絵画がそのストーリーを物語っている。白いローブ姿のエジプト人、黒い巻き毛のアフリカ人、それに奇妙にやせて赤い肌をした、北欧系のようにも見える捕虜の絵。これらは記録された歴史が始まる前のエーゲ海で、大規模な交易が行われていたことを示す証拠そのものだ。

イラクリオンの博物館にも証拠となるものがたくさんあった。たとえば、ある青銅製の短剣の黄金でできた柄に巧みに彫られていたのは、まぎれもなくピューマの形をした動物だった。ピューマは南アメリカ産だ。地中海産ではない。そして何よりも頭にたえずよみがえってくるものがあった。火山灰のなかから発見されたちっぽけな甲虫。それはまったく予期しない場所から来たものだった——北アメリカから。

4　ファイストス再訪

新たな事実に目を開かれ、私たちは再度クレタ島を訪れた。アクロティリの市場をそぞろ歩くうちに、このすばらしい島ひとつの自然から、古代の人々に必要だったであろうものがほぼすべてまかなえることが見てとれた。どうやらミノア時代のクレタとティーラは国際的な市場で、オリーブやオリーブオイル、イチジクやサフランといった食材を輸出し、代わりに他の品を輸入していたようだ。もしかすると世界で初めて現れた真のコスモポリタン社会だったのでは？　市場に並んだ魚の数を数えると二八種類もあり、試食させてもらったオリーブはプラムのようにぷっくりしていてその倍も味がよく、世界一のオリーブではないかと思えた。

オリーブはこの島で初期に行われていた商業活動の基盤だった。専門家の見解では、オリーブオイルは数千年にわたって地中海全域へ輸出されていたという。J・ボードマン博士はこう書いている。

クレタ島では初期青銅器時代の紀元前三〇〇〇年ごろ、もとは野生種だったオリーブの栽培が始められた。クレタ島の南東岸にある港ミルトスでは、この時代にオリーブオイルの分離に使われていた桶が発見された。初期の方法は、果実を砕いたあとで湯に浸し、油を分離させてすくい取るというものだった。この場所でオイルを搾ったあと石化した実が見つかったことから、クレタは地中海で初めてオリーブを栽培した地域だったのではないかと思われる。(8)

この島の地形と気候はたしかに、オリーブ栽培には理想的だ。オリーブはたくましい果樹で、クレタの長く乾燥した夏の暑さと数カ月続く干ばつにも耐えられる。冬の寒い時期がオリーブの実をふっくらと膨らませ、主要な収穫時期がくる。オリーブの収穫は都合のいいことに、小麦やブドウの収穫のあとで、種まきの時期――一一月から一月――の前だ。オリーブの木は、人生は四〇から始まるというぐらい実をつけるのが遅いが、うまく育てば一年おきに五〇キログラムのオイルが採れる。そして手入れや剪定をして野生に戻らないようにすることで、何世紀も生きつづける。農家が孫のために植えて、そうした末裔がまた自分の子孫のために植えるというサイクルが何千年も続いているのだ。これは持続可能な農業の元祖にして最良の例のひとつだろう。

特徴的なのは、大収穫が一年おきにやってくることだ。この二年周期は世界中どこでも共通らしい。ミノア時代のクレタでは、オリーブの豊富な収穫が隔年であるということはつまり、ミノア王宮の官僚たちがいろいろ複雑な算段をし、大きな貯蔵施設や細かなオイルの分配計画といったものを考え出す必要があった。古代ギリシャの商人たちは、ちょうど現代の農家がコンバインを予約するように、あらかじめ二年前からオリーブの圧搾機を予約していた。(9) ボードマン博士の引用によると、クレタの宮殿の大倉庫や大桶には大量のオリーブオイルが貯蔵され、とくにクノッソス宮殿の西側の貯蔵庫には一万六〇〇〇ガロンが蓄えられていた証拠があるという。クレタの線文字Bの粘土板には、紀元前一四世紀から前一三世紀にかけて貯蔵、分配されたオイルについての詳細な記録がある(10)。

この製品が古代世界でいかに重要なものだったかというと、戦争のときの戦術としてオリーブの木を燃やすようになったほどだ。アテネとスパルタ間の戦争についての記述にその証拠が見られる。オリーブオイルには食べ物の風味を引き立てるのとはまった別に、じつにさまざまな用途があった。神々への供物として使われるほか、ミノアの化粧品産業の基盤にもなったのだ。化粧品の売り買いには特別な形の壺（ペリケー）が使われ、売るときには特殊なひしゃくや漏斗が用いられる。クノッソスのいくつかの宮殿には、香油を作るのにオリーブの木が数百本使われたという記録が残っていた。アテネで見つかった壺には、オリーブ製造のサイクルが収穫から流通にいたるまで描かれていて(11)、なかには現在でも行われているように、男たちがオリーブの木を長い棒で打って実を落とそうとしている場面もあった。そうした壺のひとつにはこんな文句があった。

「おお、父ゼウスよ、私が豊かになれますように」

車で再びファイストスのほうへ、今度は雄大なプシロリティス山地を越える道を走っていく。ここはクレタ島で最も標高の高い場所で、オリーブの木は次第に消え、濃い緑の松やビャクシン、常緑のオークに取って代わられた。ごく最近まで、この丘陵地帯の羊飼いたちは、ミタタと呼ばれる蜂の巣型の石造りの小屋を建てていた。そのひとつを見かけたとき、先史時代の「トロス」という、後年この島にやってきた好戦的なミケーネ人の手になる円形墳墓を思い起こさずにいられなかった。伝統的なストーブに似たミタタの形状は、千年の時を超えて受け継がれてきたのだ。

　ギリシャコーヒーが飲みたくなり、山間の村に立ち寄った。年配の店主に勧められて中庭をのぞいてみると、薪のオーブンがあり、そばに寝そべって暖まっている数匹の猫たちと同じ空間におじゃまさせてもらった。オーブンのなかの大きな陶器皿から肉のローストと茄子の詰め物のたまらない香りが漂ってくる。もちろん抵抗できるわけもなかった。実際に口にすると、これまで食べた子山羊肉のなかでも最高の逸品だった。まずオリーブオイルとレモン汁に漬け込んだあと、ワインとバジルとタイム、野生の緑色野菜といっしょにじっくり焼いて仕上げてある――まったく申し分ない。クレタ島の土壌はとても肥沃で、フェンネルやネギといった葉物野菜なら道端に生えていて簡単に採れる。世界一たくさんのハーブが自生している島なのだ。それから何日か、クレタ人が数千年前に何を食べていたのかを調べてみた。調理用の鍋のなかで見つかった食べ物の残りを分析した結果があった。彼らも子山羊を、あの山間の店で出たものとまったく同じように調理して食べていたのだ。他にはレタス、タマネギ、ニンニク、セロリなどをオリーブオイルで和えたサラダ、さまざまな果物やナッツ類もよく食べた。アーモンドやピスタチオはとくに人気だった。酒はレツィーナ（樹脂の香りをつけたワイン）、それに大麦から造ったビールを飲んだ。クレタ島の上等なオリーブオイルのように、こうした食品はまもなく海外で広く人気を博すようになる。

　木々を透かして古代の宮殿が初めて姿を現したとき、少し止まって眺めてみようと決めた。レンタカーから降りて、眼下の穀物畑の、エデンの園さながらに広がるビロードの絨毯を見下ろす。

いまいる場所の海抜は約一二〇メートル。この高さからだと、宮殿の壁や池や階段が、まるで象形文字のようだ。ふと見ると、川が宮殿の周囲をぐるっと回り込んだあと、ミノアの港のほうへ流れ落ちていた。真っ青な空の下のファイストスは明るく完璧で、まさに冒険の舞台の中心だった。

再び車を出すと、埃っぽい道路を示す表示板が見えた。その名前に見覚えがあった。これは以前に本で読んだ、他に類を見ないカマレスの洞窟へ向かう道だ。このおそろしく深い縦穴の洞窟は、クレタのごく初期のころに神聖な、あるいは宗教的な役割をもっていたというのが考古学者たちの見解である。

カマレス陶器は、ミノア人が食品やオリーブオイル以外にもずっと多くのものを取引していたことを雄弁かつ明瞭に語っていた。この陶器のデザインは黒と赤の力強くモダンなもので、一九〇〇年代初頭にこの場所で初めて発掘された。私もこれまでに知ったように、そうした陶器は地中海全域で非常に珍重されていた。レバントやメソポタミアのいたるところで、たとえばイスラエルのハゾルとアシュケロンから、レバノンのベイルートとビブロス、古代カナン人の都市ウガリット——現在のシリアにある海辺の街ラス・シャムラ——などで見つかっている。エジプトの墓やこの地域全般での発見から判断すると、ミノアの芸術的技量のおかげで、古代クレタ島のミノア人たちは初期青銅器時代の最も進んだ二つの文化、つまりメソポタミアとエジプトのあらゆる光輝や科学や文明にアクセスできていたらしい。ミノアの創造性は値のつけられない宝石だったにちがいない。ミノアの芸術的所産はかけがえのない、ほとんど神聖なもので、たとえば中国人にとっての絹と同じだったのだろう。

車はやがて、あのクレタ特有の奇妙な道路標示のひとつに行き当たった。実際の目的地を示しているようにはとても見えず、ただ行き止まりの壁か、このときのように見通しのきかないカーブで終わっているのだ。初めはこの人里離れた場所でどちらへ行けばいいのかわからず、二人だけで少しうろうろした。それから洞窟の入り口まで行くのに、道路から外れて歩いて登らなくてはならないことに気づいた――険しい、膝にこたえる上りだったが、頂上に着いてみて報われた。そこには息をのむ光景があった。木々の隙間からメッサーラ平原とリビア海が一望できるのだ。

洞窟まで行くには、ぽっかり開いたとば口を抜け、巨大で滑りやすい岩の階段を――きっと怪物のために造られたのだ――下りなくてはならない。転がっている岩くずをつかみながら、ずるずる滑り降りていく。急な下りの道は、長さ一〇〇メートル近い巨大な丸天井の空間に通じている。どこか張りつめた、別世界を思わせる雰囲気だ。暗くて、太古の霊気が充満している。急な斜面を四〇メートルほど下り、大きな岩がごろごろした広い場所に出て、そこから狭い、曲がりくねった通路に入っていく。二つ目の、ずっと小さめの空間がさらに一〇メートルほど下っている。真っ暗闇のなかを進むうちに、まぎれもない、異臭のようなものがしてくる。水だ。この刺激に満ちた場所が民間伝承に残っているというのは不思議ではない。山の奥深くに分け入ってこんな洞窟を見つけたとしたら、そこからミノタウロスの迷宮の神話が生まれるのも容易に想像できる。神話では、若い英雄テセウスが目隠しをされたまま、おそらくここのようにじめじめと滑りやすい場所から脱出するすべを探すはめになる。この迷宮は実質的に監獄なのだ。そこでテセウスは、半人半獣と対峙しなくてはならなかった。

一九一三年にこの洞窟が発掘されたときには、カマレス陶器の何百個という破片が見つかり、それといっしょに動物の骨やテラコッタでできた動物の小像の破片、石と骨から作られた道具類、さらにミノア時代以降のものと思われる鉄の槍先が六つ発見された。年代の異なる発見物があるという点にかんがみて、ミノア人は青銅器時代（前三〇〇〇～前一一〇〇年ごろ）の始めから終わりまでこの洞窟を利用していたと考えられる。洞窟はおそろしく巨大でよそ者を寄せつけず、非常に守りやすいため、後世では村全体が危険から逃れるのに使われてきた歴史がある。けれども洞窟の内部からとにかくたくさん出てきた古代ミノアのカマレス陶器は、ここが単なる避難場所ではなかったことを示している。ここは何世紀ものあいだ使用され、久しく忘れられていた神聖な儀式の場だったのだ。洞窟はミノア人にとって、宗教的に大きな意味をもっていたと思われる。マリナトス教授はアルカロコリ洞窟に貴重な青銅製の武器が数多く隠されていたのを発見し、ここカマレスでも小立像から双斧にいたるまで何百もの宗教的な物品が見つかっている。

パライカストロとカト・ザクロスの宮殿、それに島の南東部は、広範囲に及ぶ道路網で結ばれている。もしかするとこうした古代の宮殿は、中世ヨーロッパの街のように、従属的な村々をもつ独立した王国のような、最古の都市国家だったのだろうか。だがそうではなさそうだった。先史時代のクレタの道路網には中継所や監視塔も造られていて、その道路の上をおそらくたくさんの貴重な品々が運ばれていたことを示している。ミノア人はたしかに道路を通る品物を守りたかったのだろう。けれどもそれぞれの宮殿が独立していたとしたら——とりわけ、そうした宮殿が政治的支配を争う敵同士だったとしたら――そこまで高度な協力体制はできあがらなかっただろう。つまりここで話題にしているミノア人とは、驚くほど洗練され、進んだ人々だったのだ。彼らは相互につながった社会の価値を理解していたように見える。たがいを思いやり、気を配っていた。共通の利益のために協力し合っていた。

ファイストス――地元での呼び名はフェストス――に着いたのは日中の暑い盛りだったので、村の小さなカフェで陽の勢いが弱まるのを待ちながら、また調べに没頭した。アレクシウ教授の説明によると、紀元前一四世紀には、クレタ島の特産物――金属細工やオリーブオイル、陶器、サフランなど――は地中海東部一帯の統治者たちのあいだで贈り物としてやり取りされていた。代わりにエジプト人はエキゾティックな品々を贈った――黄金や象牙、布、香水を入れた石の器などだ。アレクシウ教授によれば、クレタ島で発見された陶器、彫刻、宝飾品の多くはきわめて古いもので、誰もその年代を正確に特定できない。エジプトには古代ミノアの人工遺物があり、エジプトのそうした遺物の年代はよくわかっているので、専門家にはそれに照らしてクレタ島の遺物の年代を定めるのがベストな方法なのだ。アレクシウ教授はこう書いている。

ミノアの各時代の絶対年代は、古代エジプトとの同時性に基づいている。エジプトでは残存する碑文などによって年代順の出来事が十分に知られているためだ。したがって、［クレタの］古宮殿時代［前二〇〇〇～前一七〇〇年］は［エジプトの］第一二王朝［前一九九一～前一七八三年］とほぼ同時代だと考えられる。理由は中期ミノアII［前一八〇〇年ごろ］のものとされるカマレス陶器の破片が、エジプトのカフンで第一二王朝のピラミッドが建設される際の居住地のごみ捨て場から発見されたことにある。またカマレスの壺が一点、アビドス［エジプト――王家の谷］の同時期の墓から見つかっている。新宮殿時代の始まり［クレタ――前一七〇〇年］はヒクソス時代［前一六四〇～前一五五〇年］に一致するはずだ。理由はヒクソスのファラオであるキアンの名が入った石の器の蓋が、クノッソス（クレタ島）の中期ミノアⅢ［前一七〇〇～前一六〇〇年］の層で発見されたことによる。同様にその後のクレタの新宮殿時代［前一七〇〇～前一四〇〇年］は、とくにエジプト第一八王朝［前一五五〇～前一三〇七年］に関連して、新王宮の年代的限界に含まれる。トゥトモシス三世［前一四七九～前一四二五年］の名の入った雪花石膏製のアンフォラがカタンバ［クレタ］の後宮殿時代の……(12)

今日の計画は、宮殿そのものの探索ではない。宮殿のある地区から歩いて南へ向かい、先史時代の港コモスまで行く予定だった。私たちがいま座っている場所から、世界初の舗装道路といえそうなものがわずか数百メートルのところにあった。午後三時ごろにピツィディアの村に入り、三日月形をした美しいマタラの浜辺を目指した。どこかこのあたりに発掘された港があるはずだ。やがて右手のほう、小さなスーパーマーケットの横に、半分隠れた道路標示を見つけた。歩いていくあいだ、タマリスクの木立が木陰を作ってくれて心地よかった。

この道路を覆う敷石の完璧な細工には目をみはった。細かくカットした切石を敷き詰めた路面は軽く反ってすらいる。冬の大雨のあとも排水がされやすくする工夫だろう。ミノア文明の街が北側の低い丘の上から南側の丘の中腹にかけて広がっている。考古学者たちの見解では、コモスの大きな建物群は紀元前一四五〇年から前一二〇〇年ごろに建設された。つまりミノアの新宮殿時代から後宮殿時代だ。

低い城壁に囲まれた古代の街を見晴らしながら、信じられない思いでいた。かつてはこの静かな場所に必要な装備を作ったり直したりする船乗りたちがひしめき、埠頭はおそらくいろいろな品や軽い飲食物を売る商人たちでにぎわっていたかもしれない。

トロント大学が一九七〇年代からこの場所で発掘調査を行ってきた。コモスの遺跡の大部分――ただし全部ではない――は切石で覆われたひとつの層でできている。しかし掘り出された遺物からは、この街がかつては主要な港で、大きな堂々たる家屋や穀物の倉庫、中央広場や重要な建物があったことがわかっている。周囲から持ち上がった通路や何列も続く階段のほかに、おそらく石が敷き詰められていたであろう、長くて幅広の開けた、荷物の積み下ろしに最適だと思える場所もあった。ある巨大な宮殿のような建物で、いまはJ／Tと呼ばれているものには、中央の庭に面した大きな柱廊があった。これには宮殿にありそうな宗教的儀礼のためのスペースはなかったようだ。[13] 建物の後壁と床の大部分はあざやかな色彩を使った螺旋の絵柄のフレスコ画で覆われていた。

いわゆる「建物P」も魅力的だ。これはミノア船団の帆船が海に出ない冬の数カ月間、マストを下ろして置いておくための場所だったのだろうか。あるいは出荷用の大量の物資を貯蔵しておく広大な倉庫だったのかもしれない。少なくとも幅五・六〇メートルの東西に延びる部屋が四つあり、海に面した西側には閉鎖された形跡がなかった。長い部屋のひとつで発見された、石灰岩製のミノアの壊れた碇《いかり》は、大型の航海船で使われるタイプだった。分析の結果、碇に使われた石はシリアで切り出されたものだとわかった。この石には三つの穴が開いている。穴のひとつは太いロープを通して船と結びつけるためのもの、小さめの残り二つは尖った木の杭を通して碇を海底に固定するためのものだ。一九二〇年代にここで巨大な保存用の壺を発見したアーサー・エヴァンズは、ここがクレタ島の「税関」だったのではないかと考えた。その推測はそう的外れではなかった。トロント大学によると、

われわれの発掘調査は、この遺跡の商業的性質に関するエヴァンズの推測の裏づけとなり、またこの海辺の場所で何が見つかるかというわれわれの期待を大きく上回るものでもあった。二五年にわたる発掘の結果、コモスが主要な港であり、ミノア人による大規模な宮殿建築、巨大な石造りの倉庫群、さらにミノア人の街（前一八〇〇年から一二〇〇年ごろ）も備わっていたことがあきらかになった……石製の碇から地元産または輸入された陶器や彫刻といった運搬可能な出土品は、この場所が航海で上げた利益やその商業的性質を語っている。キプロス、エジプト、サルデーニャから来航した船は、青銅器時代のコモスの市民が交易を楽しんでいたことを示すものだ。(14)

港の周辺を歩いて回るうちに、かつては頑丈だったここの家屋や倉庫はごく激しい風雨にも耐えていたのだろうと思い当たった。そうでなくてはならなかったはずだ。北西からの強い貿易風が顔に吹きつけるのを感じながら、どこか錯覚にとらわれそうになる。ここは失われて久しいコーンウォールの漁村で、半ば廃墟のように風化した古代の石塊のなかに眠っているのだ、と。クレタ島と北アフリカとのあいだに広がる海から押し寄せる波は、意外なほどに大きく強い。ふだんは心地よく穏やかな地中海の波とはまったくちがう。

これら古代の壁が耐えようにも耐えられなかったものが、津波だった。リビア海に面したコモスにはその必要がなく、だからこそ多くの建物が生き延びられたのだ。

いまではほとんどの専門家が、紀元前一四五〇年ごろの大規模な噴火でティーラが壊滅したということで、意見が一致している。ティーラの火山爆発はそれまでの約二万年間に起きた噴火のなかでも最大級のものだった。そして火山から海へ注ぎ込んだ膨大な量の溶岩は、巨大津波を引き起こした。ティーラとクレタを隔てる海を特急列車より速く突き進んだ津波は、大半が古代の海岸沿いにあったにぎやかなミノアの街々や宮殿に襲いかかり、一瞬で瓦礫に変えてしまった。波の高さはところどころで二六メートル以上に達したのではないかという証拠もある。

専門家のあいだで何年も火の出るような論争が続いたが、次第に津波説が有力になっていった。オランダ人地質学者ファン・ベンメレン教授は、サントリーニ島の火山の威力は、一九五四年にビキニ島を真っ二つに引き裂いた水素爆弾のおよそ一〇〇〇倍だったと主張した。そして水爆の威力は、広島に落とされたタイプの原子爆弾の約一〇〇〇〇個分に相当するのだ。これに同意しない専門家も多かった。大惨事になったのは火砕流、つまり超高温の蒸気が通り道にあるすべてを焼き尽くしたからだという説もあった。だが、きわめて真っ当な反論があった。クレタ島がサントリーニ／ティーラ島のすぐ近くにあることは大したちがいを生まなかった、火山そのものがもたらした被害は微々たるものだった、というものだ。

もしそのとおりだとしたら、ミノア人たちの身には何が起こったのか？　それはたしかに謎だ。容易には解けない謎である。しかし移動する水の壁がどれほど恐ろしい力をもつかは、二〇〇四年のボクシング・デー（一二月二六日）に私たち全員の目にもあきらかになった。この日、スマトラ島とインド洋が巨大津波に襲われ、二三万もの人々が命を落としたのだ。

二〇〇四年のあの日以降、インドネシアのアチェで見られた惨状から得た知識をもとに、科学者たちは現代のテクノロジーと技術を駆使して津波現象を分析できるようになった。クレタ島のさまざまな場所で、海抜七メートルのところまで堆積した残留物から、ミノア時代の漆喰や陶器、食料の粉々になった残骸が、化石化した貝殻の破片や微細な海洋生物と混じり合って発見された。

地質学者のヘンドリック・ブルーインズ教授はBBCの質問に、この貝殻や礫《れき》は「強力な津波によって海底からすくい上げられ、こうした品々とともにすさまじい力で砕かれて一挙に打ち上げられたとしか考えられない」と語っている。他にも、島の東端にあるミノア文明最大級の集落パライカストロで、カナダ人考古学者サンディ・マッギリヴレイが、巨大波が襲ってきたことを物語る痕跡を発見した。海に面した街の壁が多く破壊されるか、あるいは完全になくなっているのだ。

「パライカストロは港であるというのに、波の跡はその奥の陸地まで何百メートルも延びていた」とマッギリヴレイは語った。「場所によっては、少なくとも海抜一五メートルにまで達している。大変な高波だった」。こうした海の生物は、ブルーインズ教授によれば、相当な深海にしか生息していないものだった。現在は多くの人々が、ミノアのクレタ島は、世界がかつて見たなかで最大の津波に襲われたと考えている。この巨大な波は島のあちこちの場所を海抜三〇メートルもの高さで襲ったにちがいない。船乗りや商人が住むミノアの街の大半は海岸沿いに造られていたせいで、こうした災害にはとくに弱かった。

驚いたことに、地球物理学上の証拠も、ティーラで読んだプラトンの記述と一致していた。プラトンによれば、アトランティスは突然、「一昼夜のうちに」壊滅させられた。真に悲惨なこの出来事のあとには、恐ろしい「闇」が訪れた。超巨大火山の噴火のあとには有毒なガスと灰の噴出が伴うものだ。それが膨大な黒い噴煙となって、地中海一帯に毒をまき散らしたのだろう。この雲が太陽を覆い隠したことで、つぎには気候が変化し、農作物に被害をもたらした。ベルギーの考古学者ヤン・ドリーセンは、この海を渡る悲惨な大破壊の第一波からしばらくして、飢饉か疫病が発生したと考えている。これは自然災害による巨大スパイラルがもたらした結末だった。

廃墟となったコモスの倉庫群を眺める。建材の石はどれも驚くべき正確さで切り出されていた。そもそも石が切られていること自体、きわめて雄弁な証拠といえる。初期のミノア人が強力で鋭い金属製ののこぎりをもっていたにちがいないということだ。それだけ有用な金属といえばひとつしかない。青銅だ。

人類を石器時代から解放したのはその、硬い岩石を切るという能力だった。大きな石の塊をきれいに切り出すには、硬くて鋭い道具が絶対になくてはならない。つまり青銅製ののこぎりやのみ、ちょうなといった石工の道具だ。世界を変える青銅という合金から作られたすばらしい道具を手にした人類の前には、まったく新しいテクノロジーの世界が開けた。クレタ人はそのテクノロジーを最大限に活用していたと私には思えた。ギリシャ本土のずっと以前、エジプト人よりずっと以前にそうしていたのだ。問題なのは、それをどう証明するかである。

そのとき急に、一九七七年にエジプトで過ごした休暇の記憶がよみがえった。私たち夫婦と、当時まだ幼かった娘二人とで訪れた。エジプト文化でどれだけ石が重要なものだったかは、あらかじめ読んで知っていた。世界で初めて建築家として名の知られたイムホテプが現れるまでは、王家の墓ですらただの地下室の上を乾かした泥で覆ったもの——マスタバと呼ばれた。イムホテプはこの地面のこぶのようなマスタバを発展させた。強力な統治者ジェセルのために、切石を組んではるかに壮大な墳墓を造りあげたのだ。このエジプト初のピラミッドは、野心的な建築文化を誇るエジプトでその後造られたものと比べると、たしかに簡素ではあった。それでも白く美しい石灰岩で覆われ、六段の階段状で、高さは六〇メートルに達した。

ギザの大ピラミッドに着いたときには、ラクダに乗りたいとせがむ娘二人を尻目に、私たちはこの高さ一四六・五メートルの建築上の奇跡に口をあんぐり開けていた。ナポレオンも魅了されたというこの古代の驚異は、現存するなかで世界最古の、しかも唯一無傷で残っているものだ。ガイドがその大事業のすさまじい規模を説明してくれた。大ピラミッドの敷地面積は五万三〇〇〇平方メートルで、ヨーロッパのサンピエトロ大聖堂、フィレンツェの大聖堂、ミラノ大聖堂、ウェストミンスター大聖堂、セントポール大聖堂がすっぽり収まるほどの広さである。これを造るには、完璧に切り出された八〇〇トンの石灰岩と花崗岩を、連日二〇年間にわたって所定の位置に積みつづけなくてはならない。石一個の重さは二・五〜五〇トン。私はすっかり感心して、この巨大な石のブロックをどうやってここまで正確に切ったのだろうとたずねた。「のこぎりだよ」とガイドは答えた。「青銅製ののこぎりだ」。エジプトはクレタ島から青銅器を輸入していたのだろうか？

ミノア文明ではミノア人の国際通商を推奨していて、そのことがエジプトの歴代ファラオの記録にも残っている。あらゆる証拠が示すように、ミノアがエジプトに送った交易使節団は一回限りではなく、定期的なものだった。もう一度アレクシウ教授を引こう。

クレタの宮殿――聖域の複合施設とその巨大な貯蔵室が、経済生活や農業生産、対外交易においてエジプトや東方の神殿――宮殿と同じ中心的役割を果たしたことは疑いようがないだろう。石工や象牙彫刻師、ファイアンス焼の作陶師、印章彫刻師の工房の存在を示す決定的な証拠も、クノッソスやクレタの大宮殿から得られている……。紀元前一五世紀のエジプト貴族の墓に描かれ、「ケフティウ（クレタの人々）と島々の指導者からの贈り物」と表されているオリーブオイルやワイン、サフランなどの農産物や、クレタの熟練の金属細工も、おそらくクレタの宮殿からエジプトへ直接輸出されたものだろう。……エジプト人は代わりに黄金、象牙、布、香水を収める石の器、そして戦車を、さらには［クレタ島の］宮殿の庭で飼うための猿を、王宮の護衛のためにヌビア人を送った。

浜辺に着くと、まだ晴れてはいても、ひどく風が強まっていた。そこいらの崖にくり抜かれた、通路や石のベッドや暖炉を完備した石器時代の洞窟住居が見えた。

高まる興奮を抑えつつ、車に乗って宮殿へ引き返していった。ヌビア人に守られるファイストス、四〇〇〇年前のクレタ島の宮殿のなかを跳ね回る猿――想像するだに信じがたい光景だ。けれどもその証拠がまさに目の前に集まってきている。ここクレタでもサントリーニ島でも、私たちの経験したことすべてがひとつの事実へと向かっていた。一見しただけでは考えられなくても、増える一方の証拠から、ミノア人が世界初の海洋交易業者だったことが示されている。彼らは完璧な船乗りであり商人だった。世界で初めての外洋貨物船を何隻も造って航行した。ときには王宮を代表し、世界の海を股にかける旅行者だったのだ。

この考えを振り払うことはできなかった。私はそれまで一〇年間を費やして、中国人が世界初の世界一周を果たしたのではないかという考えを立証しようとしてきた。しかしいま、その仮説が覆されようとしている。私の著書『１４２１』は、最初の世界発見の航海はキリストの時代から一〇〇〇年以上たった西暦一四二一年に行われたと論じるものだというのに、どうやらミノア人がエジプトやその先まで航海していたらしいことを知るのは、ある意味、胸がかきむしられるような思いでもあった。

もともとはただ、夫婦でエーゲ海に浮かぶ美しい島へ休暇にやってきただけだった。ところが私たちの見つけたものは、古代青銅器時代のパリ、香港、ニューヨーク、ロンドンをひとつにまとめたような存在だった。それはただの島ではなく、一大交易帝国だったのだ。

5　古代の学者たちは語る

人種的にも文化的にも、国際交易の観点からも、疑う余地はない。クレタは尋常ならざる島だった。神話ではすでに、神々の王はクレタ島から来たとされていた。詩人ホメロスはミノス王を「全能の神ゼウスの伴侶」とすら呼んでいるほどだ。私たちは憑かれたように、さらに文献を読み、あちこちの博物館を探し歩いた。調査を始めてみると、人々の記憶から失われて久しい、だが強力な島の帝国の存在を示すヒントはいたるところにあった。古代ギリシャの歴史家トゥキディデスは、「ミノス王」がキクラデス諸島を占領、植民地化し、カリア人を追い出したと書いていた。前一世紀の歴史家シケリアのディオドロスは、五人の王子がクレタ島からロードス島の対岸にあたるケルソネソス半島まで航海し、カリア人を追い払ったあとに五つの都市を建設したと言っている。

このころには調査の参考になる資料や文献もたくさん集まっていた。古びた木のベンチに腰を下ろし、リュックサックから何冊か取り出すと、遠い古代の歴史をのんびりと旅して回る準備を整えた。

そしてわかったのは、ミノア人が複数の植民地を経営していた、また彼らが海を支配したことで「パックスミノイカ」つまり「ミノアの平和」がもたらされたという絶対的な確信を多くの学者がもっていることだった。ケア島は、クレタ島よりはるかにギリシャ本土に近いが、それでもミノアの文化をしっかり映した植民地文化の完璧な一例といえた。

大英博物館には地中海全域、たとえばミラベロ湾やキプロス、ロードス島、エギナ島といった場所の墓や遺跡から発見されたミノア陶器や宝飾品、印章のコレクションが収蔵されている。興味深いことに、その最も有名なコレクションのひとつ「アイギナの財宝」のなかの装身具類は、主に紀元前一八五〇年から前一五五〇年ごろに作られた、海外との広範囲な交易があったことを証明するものだ。ここで金細工師たちが使ったきらびやかなアメジストは、エジプトから来たものという以外にありえない。他にもラピスラズリが見られるが、これはアフガニスタンからの交易ルート経由で来たにちがいないと専門家は結論づけている。

リュックサックに入っていた本の一冊は古書店で買ったもので、何カ所かにすでに黄色いマーカーで印がつけられていた。よほど念入りに読み込まれたのか、指でめくった跡とすり切れが目立ち、いまは海風の湿気でページが丸まりかけている。そのなかのある一節に目がとまった。そこにはこうあった。

　ミノスは最初に海軍を組織した人物だった。現在ではヘレニック海と呼ばれる海域の大部分を支配した。キクラデス諸島を統治下に置き、その大半の島々に最初の入植地をつくった。(15)

つまりこの偉大な統治者たるミノス王は、地中海全域に及ぶ海洋帝国を築きあげ、各地に植民地を、あるいは少なくとも基地をもっていたのだろうか？　紀元前五世紀のギリシャ貴族の歴史家トゥキディデスは、たしかにそう考えていた。現代の多くの学者たち、たとえばバーナード・ナップも同じ考えだ。

……中期青銅器時代から後期にかけてのミノアによるタラソクラシー［海の支配の意］は十分に確立されていた……ミノアの制海権は、征服し植民した「商業コロニー」と、特別な交易関係を通じて［維持された］……キクラデス諸島とドデカネス諸島、アナトリア西岸［ウルブルンの沈没船が発見されたところ］のさまざまな場所がミノアの帝国の一部を形成し、クノッソスがエーゲ海の主要な交易網を支配した……[16]

さらにトゥキディデスのこんな文章がある。「アガメムノンは……当時の統治者のなかでも最強の存在だったにちがいない……」

認識が新たになる瞬間だった。津波が起こり、ミノア人の船団が壊滅したあとにクレタの後継となった文明は、かつて植民地だったミケーネだったようだ。ミケーネ人がクレタ島とティーラ島の文明のすべてを受け継いだということは大いにありうる。

トゥキディデスの記述はさらにこう続いている。「アガメムノンが継承したのはこの［ミケーネの］帝国であり、同時に彼は他のどの統治者よりも強力な海軍を有していた[17]」

つまりトゥキディデスは、ミノア人が後世に伝えた遺産について書いていたのだ——船を建造し、航海するための技術について。重要なのは、彼がこれを書いていたのはプラトンが『ティマイオス』を著す一三〇年近く前だということだ。

突然、すべてつじつまが合った。何千年ものあいだ、そこそこの速さで移動する実際的な方法といえば、長い距離の場合はまちがいなく船だった。地中海という水に覆われた世界の中心は、島だらけのエーゲ海である。きっと現在のヒースロー空港のような存在だったにちがいない。東と西とで分かれる時間帯のちょうど中間という戦略的な位置にあったのだ。エーゲ海は輸送の中枢であり、入植者や商人、外交官にとってとくに重要な移動路だった。広く開けた西の海域に出るには、船長はペロポネソス半島南端のマレア岬とクレタ島のあいだの危険な水路を航行しなくてはならず、そのためにクレタのミノア人とそれを取り巻く島々は大きな力を得た。

彼らはその力を支えられるだけの優れた技術ももっていたようだ。とくに私が興味を抱いて調べたものがひとつある。交易に関連してくる技術——印章の製作だ。

クレタ島では古代の印章が大量に見つかっている。やわらかい石や象牙、骨を削り出して作った小さな品々。これらはたくさんのことを物語る。もともと印章を使うというのは、ごく単純な発想からだったのかもしれない——誰の所有かを示す印であったり、壺やアンフォラに封をしたり……だがここでのポイントは、とにかくたくさんの印章があって、その小さな品のひとつひとつが、活気に満ちた先史時代の文化の一端を垣間見せてくれるということだ。

ファイストスでは長年のあいだに、六〇〇種類を超えるさまざまなデザインの印章が六五〇〇個以上も見つかった。これだけの規模から考えると、単に個人の私有物を守るだけのものではなかったはずだ――経済的に重要な交易業で品物を確認するのにも使われたのだろう。

アレクシウ教授によると、宮殿の多くの倉庫の扉はしっかり施錠され、封印もされていたことがわかっている。ミノア人がもし実際に、島で作ったカマレス陶器や宝飾品やオリーブオイルを輸出していたとしたら[18]、厳格な管理が必要になっただろう。盗難も防止しなくてはならない。何の品がどこへ、誰のところへ行くのかのリストも作っておく必要があった。こうした印章は、ミノア人の帝国全体へ出荷するために、巨大な貯蔵庫にある品物の目印として必要だったのか？　あるいはもっと遠く離れ、ぜいたく好きな、統治者層の顧客のところへ行ったのだろうか？

島の博物館で展示ケースをつぎつぎのぞき込みながら、古代の印章、とくに堂々たる認印つき指輪の一部に施された見事なデザインを見て唖然とした。この小さな、細密に彫刻された円盤は、少なくとも私の目には、単に所有を示す印という以上のものに映った。これはまぎれもなくステータスシンボルだ。そして神聖な知識にいたる手段でもなかっただろうか？

ここまで緻密な細工ができる超絶技巧には、とにかく驚嘆させられた。こんな極限まで小さな彫刻をいったいどうやれば作れるのか？　答えは意表をつかれるものだった。ミノア人はすでにレンズを発明していたからだ。現代でいう拡大鏡を。もし私がこれ以前に、初めてレンズを作ったのは誰かと聞かれたら、一二〇〇年代半ばにオックスフォード大学の講師だったイングランド人ロジャー・ベーコンが拡大鏡を発明した、と答えていただろう。いや、それはさておき。

こうしたレンズははるか昔の学者たちにも未知のものではなかった。ローマ皇帝ネロは近視の矯正のために、エメラルドをごく薄くレンズ状にしたものを使っていた。また、紀元前二一四年のシラクサ包囲戦のときには、偉大な発明家で数学者のアルキメデスが、鏡を使って攻撃側の船を燃やしている。とはいえ、この二例はどちらもずっとあとの時代のことだ。この技術の元祖は、実はミノア人だったのだろうか？

クレタ島で見つかったあるレンズは、完璧な透明度で、最大七倍まで拡大できる。このレンズ自体は紀元前五世紀と特定されているが、それよりずっと古いミノアの印章に職人たちが刻み込んだ奇跡のように細かな細工を見ていると、こうした技術はあきらかにもっと以前から編み出されていたのだろう。どうやら印章には——もしくは印章に刻まれた細密な意匠には——特別な精神的意味合いがあったように思える。たとえば、レンズの多くは、「イデの洞窟」と呼ばれる神聖な洞窟に隠された状態で発見された。

イデ山はクレタ島の最高峰で、カマレスからやや北西の、ニダという不毛な台地の上にそびえ立っている。ここは神話の女神レアが、自分の子どもたちを貪り食う恐ろしい父親クロノスから、幼いゼウスを隠したとされる場所だ。神話では、赤子のゼウスが食われないよう守るために、クレテスと呼ばれる特別な戦士たちが盾や金属の武器を手にゼウスの周囲で踊りながら騒がしい音をたてて、泣き声が大食らいの父親に聞こえないようにしたという。これもまた、青銅の武器の特別な力を示す民間伝承なのだろうか？

そうしたいわれが、この島の発散する神秘の雰囲気をさらに強めている。プシロリティス山脈の地下には蜂の巣状に延びたたくさんの洞窟がある。たとえばスフェンドニ、メリドニ——そのなかに、洞窟学者や探検家たちから「ラビリンス」と呼ばれているものがある。この洞窟は第二次世界大戦中にドイツ軍が武器弾薬を保管するのに使われた。そして退却を強いられたときにすべて爆破していった。カマレスと同様に、イデの洞窟も神聖なものだが、この場合は母なる女神やギリシャ以前の神話の深層とさらに強く結びついていた[19]。

クレタは、プラトンが書いた「アトランティス」と同じように、金属加工文明の栄えた、緑豊かで肥沃な土地だった。金属と、乳と蜜の国だ。そうした一切を象徴するものを、のちにイラクリオンの古代博物館で見つけた。美しい小さな蜂のブローチ。ギリシャ神話では、赤ん坊のゼウスを育てたのはメリッセウス（蜂男の意）だった。ブローチはすばらしく繊細かつ丹念な細工物だ。古代のアトランティス人、というかミノア人は、美しい宝飾品を作るのに劣らず、蜂蜜を採るのも好きだったのだろう。

私は「アトランティス」説にはまだ懐疑的だったが、なぜその筋の愛好家たちがミノアの世界をプラトンのアトランティスと解釈するのかはよくわかった。たしかに、そこで示される金属技術を踏まえるなら、「アトランティス」は青銅器文化ということになる。プラトンは『ティマイオス』と『クリティアス』という一対の対話篇で、神話上の島の文明を「真鍮で覆われた」壁をもつものと表現している。

蜂と同じように、ミノア人の富は創意工夫と勤勉の上に築かれたものだった。その想像を絶する富と人々の並外れた創造力が、クレタ島に神話的なオーラと、ミノア人自身が去ってからも長く続く地位と立場を与えたにちがいない。

確かなのは、クレタ人が、現代の私たちにはとても信じられない水準の技術をもっていたということだ。ミノア文明が失われたあと、人類はこれらの技能やテクノロジーを取り戻すのに何世紀も待たなくてはならず、キリストの誕生から何百年もたったあとでようやく段階的に再発見されたのだった。古代ギリシャ人から見れば、この魔法の国が神話の域に達していたことに不思議はない。

ミノア文明を理解する鍵は、少なくともひとつのレベルでは、印章にあるように思える。そこには何が書かれているのか？　航海の手引だろうか？　星図か？　あるいはただ単に、所有権に関する詳細なのだろうか。どれだったにしても、クレタの金細工師の技術と知識には目をみはらされる。細密に彫られた印章のなかには、何か星座のように、たとえばオリオン座のように見えるものもある。私のなかでひとつの確信が深まりつつあった。ミノア人はきっと航海術を理解し、そのために星を利用していたにちがいない。彼らが世界の探検家として成功したかどうかは、どれだけこの航海に熟達していたか次第といえる[20]。

ホテルに戻ると、石に刻まれた印章の写真を、それからファイストスの円盤の裏表を穴のあくほど見つめた。円盤の絵文字の数を数え、この記号を並べ替えてグループ分けし分類できないだろうかと思った。それで何か深い意味が見えてくるのか？　もちろん、この円盤に記されているのはただ平凡なもの――たとえば何かのリストということもありうる。しかしなぜ、螺旋という概念がこれほど重要なのか？――ミノアの陶器や宝飾品のいたるところに、そしていまはこの円盤の迷路のような表面にも見えている。

二〇世紀の学者たちは、ウガリット語のようなほんとうに難解な言語まで解読できるようになっていた。クレタ島の線文字Aに続く言語、ミケーネ人が取り入れたいわゆる「線文字B」も、一部は翻訳されていたが、今度ばかりはそうはいかなかった。ファイストスの円盤は、これまで行われてきたあらゆる解読の試みを拒んでおり、一方でその封印は比類のない発明と技術力をもった文明のストーリーを物語るものだった。私はすっかり引き込まれていたが、専門の技量がないことにはどうしようもない。

現代の世界は、こうした印章やファイストスの円盤といった古代の遺物を、ミノアという世界の謎を解き明かせる可能性のある道具を白日のもとに掘り出した。私たちはパズルを解く鍵を手にした。ただその鍵を回すことができずにいる。

6　ミッシング・リンク

青銅器時代という名称は、ある一種類の銅合金にちなんでいる。これは奇跡のような素材だ。あるとき突然、専門家の集団が火の魔法を使い、岩を金属に変えられるようになった。現在では世界の政治が、石油やウラン、および知識を豊かに有する地域に支配されている。何千年も前に富と権力をもつには、現在のエネルギー供給や情報と同じくらいに、金属が不可欠なものだった。

銅と錫《すず》を九対一で混ぜると、いま私たちが青銅と呼んでいるものができる。それをいつどこで、どんな知られざる天才がつきとめたのかはよくわかっていない。この発見が世界の技術に革命を起こした。青銅は縁が鋭利で、丈夫で耐久性もある。その構造と強度は、効果的な武器や驚くほど弾力性に富んだ道具を作るのにうってつけだ。この貴重な金属は——当時はほんとうにかけがえがなかった——世界を完全に造りかえた。技術の進歩に不可欠なら、文明の発展にも決定的な意味をもった。成形したり叩くことでどんな形にもできるモダンな材料——合金を人間にもたらしたのだ。

この新しい知識は長い時間をかけて広まっていった。近くで銅や錫が採れない国では、槍や剣は交易や征服によってしか入手できない。とてつもない、莫大な価値のあるものだった。青銅の剣、青銅の矢じりのついた矢、青銅の盾をもつ者はほとんど無敵に見えただろう。その事実が、魔法の剣や鎧が出てくる多くの古代伝説や神話の背景としてあるにちがいない。

青銅器時代になって人間はにわかに、硬質で耐食性の高い金属でできた道具を手にしたのだ――シャベルや斧、のみ、ハンマーを。人類は歴史上初めて、この有益な技術で得られた自由な時間を使い、純粋なぜいたく品を、たとえば豪華な装身具などを大量に作れるようになった。ミノア人は装身具の製作には秀でていた。また青銅製の鋭いのこぎりも手に入ったおかげで硬材を切ったり彫ったりして丈夫な船を建造できた。こうした本格的な全天候型の船を使い、エジプトや地中海全域で新たなぜいたく品を取引することができた。

そして武器も忘れてはいけない。金や銀といった金属があれば戦争の資金を調達できる一方で、青銅という魔法の新しい金属があれば戦争に勝てる。歴史家ヘロドトスは「エジプトのファラオに戦闘の技術を売った」「青銅の男たち」について語っている。[21] その「青銅の男たち」の正体は不明だが、クレタ島の日常を一変させた破壊の日が訪れるまで、エーゲ海一帯やドデカネス地域、ギリシャ本土に製品をせっせと輸出していた剣の製造工房があったことはまちがいない。[22] 武器の技術については、そうした青銅細工師がきわめて優れた仕事をしていた。

現代の青銅には、亜鉛やマンガンといった他の金属が合金に用いられる。ごく初期の青銅にはヒ素が使われていた。ヒ素の青銅は純粋な銅と比べて、鋳造性には劣るものの、焼成温度が低くてすむという利点がある。だが致死的な毒を扱うことには難点もあった。青銅器時代の初期には、鍛冶師があまり長生きできなかったために鍛造もはかどらなかった。技術と金属細工の神ヘパイストスは、ギリシャ神話の神々のなかでもきわめて重要な位置を占め、一般にはゼウスとヘラ、いわば神々の王と女王の息子とされる。ところがヘパイストスは醜いうえに足が不自由な、いろいろな意味でグロテスクな人物として描かれており、この民間伝承はヒ素銅を使う作業が個人に及ぼす影響を反映したものだと考えられる。

フランスの皇帝ナポレオンは一八二一年、セントヘレナ島で生涯を閉じたが、その死因が毒物中毒だということがわかった。だが多くの敵がいたナポレオンとはいえ、これが謀殺でないことはほぼまちがいない。彼の死はまったくの偶然によるものだった。謎はこうして解けた。ナポレオンの暮らす上品な島の牢獄の壁紙をあざやかな緑色に「修正」するのにヒ素が使われていたとわかったのだ。ヒ素は多臓器不全と体細胞の壊死の原因になる。ヒ素中毒は中枢神経系の機能不全を引き起こし、最終的には死をもたらす。

したがって金属の時代を明々と照らすことになる青銅は、錫一〇%と銅九〇%の比率の合金だった。錫なら鍛冶師にも危険はない。錫青銅の利点はそれだけではなかった。銅と錫の合金を鍛え上げた剣は、私たちがイラクリオンで見た見事なピューマの短剣のように、強度が高く脆さもない。また青銅は可鍛性をもつ。あらゆる形に成形できるため、加工しやすく信頼性の高い材料として、石や木より数段勝っている。

面白いことに、二つの金属の鉱石はどちらも、ブリテンではたやすく手に入ったが、クレタ島ではそうでなかった。青銅で最も奇妙なのは、その二つの材料がめったに同じ場所で見つからないという点だ。エーゲ海には錫の産出地がない。なのにミノア人はこの材料を惜しげもなく使っていた。アーサー・エヴァンズはクノッソスで巨大な錫青銅の二人用のこぎりを発見しているし、一九一〇年代にはアルカロコリの聖なる洞窟から農夫たちが大きな儀礼用の剣や斧を掘り出し、金属のくずとして市場に売りに出すという事件もあり、ティリソスとザクロスでは巨大な大釜が発見された。ともあれ青銅器を作るには、交易もしくは旅が不可欠だった。錫を見つける航海のために、各地に安全な港のネットワークをつくることの利点は、どの統治者層の目にもあきらかだっただろう。

専門家のM・H・ウィーナーが言っているように、青銅はほんとうに重要なもので、熱心な探索、計画、投資の対象にもなっただろう。ウィーナーはこう書いている。

クレタ島の安全保障、経済、ヒエラルキーは青銅に大きく依存していた。ミノア王宮の統治者たちがただ手をこまねいて、東からの商人が新たに銅や錫をたずさえてやってくるのを待っていた……ということは考えづらい。

強大だったエジプトも、古代には錫がなく、手に入る銅の量も限られていた――鉱山から産出される銅は年間でたったの五トンだった。ピラミッドの建設に必要になる大量の青銅製のこぎりは、その原料または完成品ののこぎりを輸入しないかぎり調達できなかっただろう。

ではエジプト人は実際に、どうやって原料を手に入れたのか？　こうした話はすべて文字による記録が普及するより何千年も前のことなので、歴史的記録を読み解くのは骨の折れる作業だ。

鉛年代測定法や考古学上の証拠から、初期の銅鉱石の調達先はキトノス島だったと考えられる。シフノス島は同じように銀と鉛の供給元だった。青銅器時代の後半に入ると、経済的に有利なギリシャ本土やキプロスの銅鉱石が使われるようになった。私も自分であれこれ掘り下げてみて、キプロスのトロードス山脈に古代の銅山があったことをつきとめた。キプロスは当時はアラシヤ王国と呼ばれ、一般にはヒクソス（エジプト第一五王朝の統治者たちを指す）の従属国だったとされる。それでも、ここまで需要の多い鉱石を安定的に供給するのはさすがに難しかっただろう。銅はアナトリア（現在のトルコ）とオマーンでも発見された。先史時代の一時期には、バーレーン島にも重要な金属市場があったとされる。トルコのトロス山脈では初期青銅器時代の錫の加工品が発見されているが、鉱床は小さなものがあっただけだ。しかし紀元前一七八四年以降には、地中海に錫は存在せず、銅も十分というにはほど遠かった。

錫は戦略的な物品だった。一般にはクレタ島から遠く離れた場所でしか見つからない金属だ――そしてそこに、興味深いいわくがあるにちがいない。もしもある航海民族が青銅器革命の舵を取っていたとしたら？　私の調査全体があるひとつの結論へ向かっていた――国際的な交易の存在なくして、青銅器時代はありえなかった。その交易を裏で支えていたのは誰か？　ティーラ島は青銅器時代には、ファイストス、アレキサンドリア、テル・エル・ダバア、タイア、シドンと同等のきわめて重要な場所だった――あの提督のフレスコ画に見られるようなたくさんの船がある港はそう多くはなかっただろう。

そしてやはり、あらゆる証拠がこのひとつの説を支持していた。繁栄する交易を支える海上ネットワークがエーゲ海全体に存在していたのだ。アテネの国立考古学博物館には、ドデカネス諸島やキクラデス諸島、とくにティーラ島やサモス島の墓から発見された外国産の手工品が、陶器に描かれるか彫り込まれるかした青銅器時代の交易船の絵とともにたくさん展示されている。

ミノア人が船をもっていたことに疑問の余地はないが、それでも他の島々の交易相手たちは、ミノア人が実質的にこの海域を支配するのにまかせていたのだろうか？　青銅器時代の地中海には、ミノア人の航跡をたどって、地中海からその先まで交易に向かっていた船がどれほどあったのか？

歴史的な資料——ホメロスの『オデュッセイア』と、のちのピュテアスの航海——が示すのは、ペルシャ人がギリシャを最初に侵略しようとして船三〇〇隻（二度目は六〇〇隻）を失うという有名な事件があったが、その何千年も前から航海技術は発展を遂げていたということだ。ペルシャ軍の二度目の攻撃では、両軍合わせて一〇〇〇隻近くが交戦した。これはもちろん、青銅器時代よりもずっとあとのことだが、長い海洋の伝統を示してもいる。

古代の海をかつてどれだけの船が行き来していたのか。私はその数を合理的に推定するために、まず紀元前一八〇〇～前一五〇〇年ごろの中期青銅器時代の地中海に存在した港に注目し、つぎにその港の数に、それぞれの港で建造できたであろう船の数を掛けてみた。エーゲ海には一四〇〇以上の島がある——ウィーナーにいわせれば、「海洋技術発展のための自然の培養器」だ。

そうした資料からいくつかの例を挙げてみよう。ギリシャの航海者ピュテアスは、アレクサンドリア、タイア、シドン、アテネ、ミレトス、アポロニア、オデッソス、カラティス、オルビア、クーマエ、ニカラ、アンティポリス、アグデ、サンタポラ、カルタゴが定着した交易港だと言及した。北アフリカで交易が行われていた港については、フェニキア人の記録が残っている――セウタ、メリリャ、マラガ、アルジェ、ビゼルト、チュニス、トリポリ、そしてスファックス（ここではのちのヨーロッパでの呼称を使わせてもらった）。クレタの主要な宮殿はおそらくそれぞれ自前の船を所有していただろう――アヤ・トリアダ、ファラサルム、リゾス、ソウヤ、プレヴェリ、コモス、レビーン、ミルトス、イエラペトラ、ザクロス、シテイ、グルニア、マリア、アムニソス（クノッソスの外港）。キプロスの青銅器時代の港はルーニ、ソリ、キレニア、ペイア、パフォス、コリウム、リマソール、アマトゥス、ラルナカ、アヤナパ、ファラリムニ、ファマグスタ、サラミス、トラキナス。これらをレバノンや黒海の有名な港に加えれば、地中海には七〇をゆうに超える港があって、それぞれが地中海からおそらくその先にまで航海できる船を建造し装備できたと考えられる。

各港でどれだけの船が造られたのか？　その答えを出すのはかなり不可能に近い。ティーラ島のフレスコ画には一〇隻の船が描かれているが、うち六隻は外洋航行用に見える。ティーラが常時、どの時点でも六隻の外洋船を航行させられたとすれば、島ではまた別に、少なくとも一八隻の船が建造もしくは修理、訓練されていたと考えるべきだろう――つまりティーラには少なく見ても合計二四隻の船があったということだ――他のミノアの港に停泊中の船や、そうした港が所有している船もあったことはさておいて。

ホメロスは、クレタが七つの港から船八〇隻をトロイア戦争に提供したと書いているので、控えめに見積もって、各港が八隻建造したのではないだろうか。船を造ることのできる港は地中海全体で七〇。すると地中海やその先まで行って、青銅器時代になくてはならない原料——銅と錫——を運搬することができた船はおおよそ五六〇隻、大ざっぱにいって五〇〇隻だ

このように古代クレタ島のミノア人には、よく組織し計画された都市があった。道路や港があった。灯台もあった。そして船をもっていた。その船はクレタで作られた、他の土地の人たちが買いたがる品々を、蜂蜜から青銅器、精巧な陶器、上質のワインまで輸送したのだ。そして肥沃な天国の島にいるミノア人にとって、古代エジプトや中近東の豊かな市場は偶然、きわめて近い位置にあった。バスコ・ダ・ガマと「大航海時代」より四〇〇〇年も前に、クレタ島にはアフリカへ向かう船団の姿があったにちがいない。

はるか遠い昔を想像してみてほしい。クレタ島は、三つの大陸を結ぶ壮大な十字路に位置する。この戦略的な場所にある島では、ヨーロッパとアフリカ——そしておそらくアジアも——の人種と文化的影響がすべて出会い、混ざり合っていたのだ。

7　ミノア人とは何者か？――ＤＮＡの痕跡

私の調査をつぎの段階へ後押ししてくれたのは、また別の新聞記事だった。「これまでわれわれにあったのは［ミノア人の遺伝的起源を示す］考古学的な証拠だけだった――いまは遺伝的データを手にし、ＤＮＡの年代測定も可能になった」。この一文を読んだのは火曜日、朝のコーヒーを飲んでいる最中だった。そして金曜日にはイスタンブール行きの飛行機に乗っていた。

夜明けごろに時報係ムアッジンのよく通る深い声に目を覚ますと、タクシーでイスタンブールの旧ビザンティンの港まで行って水中翼船に乗った。マルマラ海（地図4を参照）を渡ってトルコのアジア側沿岸の街ヤロバに着く。清潔なバスのターミナルには、きれいな娘さんたちがケバブやお茶やパン菓子を売っている売店が並んでいて、バスはなんと一〇五台、しかもほとんどが豪華で大型のメルセデスだとわかった。そのうちの一台に乗り込み、エアコンの効いた車内で快適に、西アナトリアにある旧オスマン・トルコの首都ブルサを目指した。

一時期のことだが、ミノア人の祖先はアフリカ人だとする説があった。これには多くの専門家が異を唱えたらしい。彼らの考えでは、もともとクレタ島に移り住んだのは、アナトリア南西部にいた、さらに東のヒッタイト人と関連する言語をもつ人々だった。[23] さまざまな研究分野からさまざまな証拠が得られている。一九六一年にレナード・パーマーは、線文字Aとルウィ語との関連性を指摘した。ロドニー・カッスルデンは著書『ミノア人』で、第二神殿時代にミノア人とアナトリア南西部のアルザワ地域とのあいだに重要な文化的接触があったのではないかと論じている。ヒッタイト人の王国は歴史上のさまざまな局面でアルザワと強い接触を保っていた、また女神的な存在との関連で線文字Aに頻出する「-me」という接尾辞は、ルウィ語ではたしかに「女性」を意味している、とカッスルデンは言う。こうした事実はすべてミノア人の熱心な女神崇拝と一致するものだ。

科学者たちが遺伝子の理論を厳密に検証できるようになったいま、私がここまで来た理由は、『タイムズ』紙で報じられた新しい調査結果だった。国際的な遺伝学者たちのグループによる新たな研究で、クレタ島の新石器時代――青銅器時代以前――の人口の一部が、アナトリア（現在のトルコ）から海路で実際に移動したことが示されたのだ。テッサロニキのアリストテレス大学のコンスタンティノス・トリアンタフィリディス教授が、ギリシャ、アメリカ、カナダ、ロシア、トルコの遺伝学者たちを中心とするグループの研究の成果を発表した。トリアンタフィリディス教授によると、分析の示すところでは、こうした新しい民族がクレタにやってきた時期は、紀元前七〇〇〇年ごろのミノア文明の誕生へといたる社会・文化の高度化と一致しているという。研究者グループはとくに、古代クレタ島の原集団とアナトリアの有名な新石器時代の遺跡とを結びつけている。

ヨーロッパの新石器時代最初期の遺跡があるのはクレタ島とギリシャ本土だ。そうした農民がもともと近隣のアナトリアから来たのかどうかについて、また海を越えた植民地化の意味合いをめぐっては議論が続いている。これらの問題に取り組むために、ギリシャにある初期新石器時代集落三カ所の周辺地域から一七一の検体、さらにクレタ島から一九三の検体が採取された。Ｙ染色体ヘクトグラフの分析では、ギリシャの新石器時代の遺跡から採った検体はバルカン半島のデータと高い類似性を示し、クレタ島のほうはアナトリアの中央部および地中海沿岸との高い類似性を示していた。ハプログループJ2b-M12は、テッサリアとギリシャに属するマケドニアに多く見られるが、ハプログループJ2a-M410は少なかった。それに対しクレタ島では、アナトリアと同様にJ2a-M410が多く、J2b-M12が少ないことがわかった。この対比は考古学的な証拠、とくにパンコムギ（Triticum aestivum）が新石器時代のアナトリア、クレタ島、南イタリアで見られ、［にもかかわらず］新石器時代最初期のギリシャには見られないという点と対応している。[24]

夜明け前にバスに乗り、薄闇のなかにずらりと並ぶパン菓子の店の前を通り過ぎると、売り物の砂糖漬けの果物が目に入る――オレンジに黒ブドウ、赤いサクランボに赤褐色のアプリコット。オリンポス山のふもとに造られた魅力的な街ブルサは、「エメラルド」と呼ばれているが、それもむべなるかなというところだ。街の東側に青々とした肥沃な、山岳地帯から流れ出す水を集めるサカルヤ川の渓谷がある。

ブルサから四五分ほど行ったあたりから、バスは広大なアナトリア高原に向けて登りはじめた。平原はおそろしくさまざまな品種のイチジクが緑豊かに茂り、山麓のほうにはアプリコットの群生が見える。黒七面鳥の群が道ばたをよちよち歩いている。そこここにあるポプラの植林地に沿ってオークや松やスズカケノキが点在する。ときおり羊や山羊の群が現れてはバスの進路をじゃまする。

二時間ほどしてアナトリア中部の、だだっ広く波打つ高原地帯に出た。ふもとのほうにあったアプリコットの群生がポプラやプラタナスに変わったあと、木はすっかり姿を消して延々とはてしなく続く小麦畑に取って代わられ、おおよそ一五キロ進むたびに巨大な甜菜工場が現れる。幾筋かの緑の線が遠くの山までずっと連なり、水の流れた跡を示している。この地域の家屋はとてもりっぱだ――ギリシャや北のルーマニアの田舎にある家よりずっと大きい。アナトリアはあきらかに何千万という人間を養えただろう。肥沃な土壌、豊富な水、降り注ぐ太陽――自然の恵みがすばらしい土地だ。

バスはさらに何時間も高原を走り、ボアズキョイを目指していった。アンカラの東二〇〇キロに位置する、数千年前にヒッタイト文明の中心だった街。私もヒッタイトの名前は聖書から知っていた。ダビデ王に重宝された兵士の一部がヒッタイト人だったのだが、そのことがどんな意味をもつかをつきつめて考えたことはなかった。ボアズキョイの博物館に行くと、紀元前四〇〇〇年の商業関連の円筒があった。他は矢や斧頭、宝飾品で占められていた。

ボアズキョイは赤い桟瓦の屋根が集まった雑然とした街で、広場に年季の入ったドルムシュというバスが並んでいる。バスは客で満杯になってから、ようやく出発した。ここからまさに最初のミノア人がクレタへやってきたのだろうか。とはいっても、この道を通り過ぎた民族や文化をぜんぶ記録するのは、専用のスコアカードでもなければ無理だろう。新石器時代のクレタにやってきて島をすっかり造りかえた人々は、おそらく紀元前七〇〇〇年ごろにこの土地を離れたと思われる。

かつてヒッタイトの首都だったハットゥシャは、どこか周囲をとがめるように、現在の村を見下ろす高く巨大な岩の頂にある。暑い思いをしてアスファルトの道路を歩いて上ると、堂々たるライオンの門が見えてくるが、他には廃墟となったアクロポリスの瓦礫と足場以外ほぼ何もない。ライオンの姿は妙に子犬に似ている。これを彫った人物はあきらかに、本物の猛獣をじかに見る機会がなかったのだろう。

紀元前一三四四年から前一三二二年の最盛期には、この大きな宮殿は全長六キロの石壁で守られていた。いまは文字どおり、塵に還ろうとしているようだ。

廃墟のなかを歩いていくと右手に、かつて存在したと知られているなかで最も古い図書館の輪郭が見えてきた。いまはもう地面にいくつかの凹みがあるだけだ。塵と土の上につま先で渦の模様を描いてみる。考古学者たちによると、こうしたはるか昔の楔形文字の粘土板は、現代の書棚の本のように立てて並べられていたという。焼いた粘土を目印にする、いわゆる索引まであって、何枚も束ねた「本」の中身が何か教えてくれるようになっていた。たとえば、あるラベルはこうだ──「ネリクの街のプルリ祭に関する三二枚の粘土板」。

プルリ祭に行くとはどういうものだろう。プルリは嵐の神だったので、雨にたたられることの多い英国の音楽祭を思い浮かべた。グラストンベリーから遠く離れてはいても、そこまでちがってはいないのかもしれない——あちこち泥だらけ、傘だらけというところは。

やがて私は、手元のコーヒーを飲み干し、意気揚々と空港へ向かった。ミノア人の過去を調査するうえで、まったく新たな道が開けたのだ——DNAという方法が。

ヒッタイトは恐るべき民族だったにちがいない。エジプトの歴代のファラオやアッシリアの王たちとも和平を結んでいる。バビロンを征服し、秩序ある社会を保ち、多くの神々を崇拝していた。私はそのなかに、女神がひとりいることに気づいた——ヘパトという太陽の女神だ。それがクノッソスの有力な女神たちとじかに結びついているのかどうか、確かなことはわからなくても、しっくりくる感じはあった。ここからすぐ南のコンヤ平原には、世界初の——紀元前七五〇〇年から前五七〇〇年ごろの——大規模な集落といわれるチャタル・ヒュユクがある。トルコは二つの大陸をまたぐ土地、というだけではない。時間そのものもまたいでいるのだ。

古代クレタ島とのつながり、かつてそこに栄えたミノア文明とのつながりは何か？　ごく早い時期にクレタ島へ移り住んだ人々は、牛や羊、山羊、豚、犬のほかに野菜や穀物を持ち込んだ。初期の入植地は島の東部、南部の海岸の周辺にできていった。ところが紀元前七〇〇〇年以降、クレタ島とその文化に何かが起こったようだ——何か重要なことが。人々がにわかに農業の進んだ技術を身につけ、陶器作りを、さらに金属細工を発展させた。ついでまったく突然に、驚くべき宮殿造営の時期が始まった。どうしてこれほど驚異的な技術革新がいきなり生じたのか？

新聞記事で初めて読んだ研究をさらにくわしく調べてみると、DNAハプログループJ2a1h-M319（八・八％）とJ2a1b1-M92（二・六％）が、ミノア人と新石器時代後期から初期青銅器時代に——遅くとも前七〇〇〇年までに——クレタ島へ移住した人々とを結びつけていることがわかった。とくに遺伝子の研究者たちは、古代クレタ島の原集団を、いま私がいる場所からさほど遠くない古代アナトリアの有名な新石器時代の遺跡——たとえばアシュクリ・ヒュユク、チャタル・ヒュユク、ハシラルなど——と結びつけていた。それを知って、血がさらに少し速くめぐりだした。もし遺伝子研究から、私がいま訪れている場所からクレタ島へ向かう古いDNAのつながりの跡をたどることができるなら、私もミノア人の跡をたどり——DNAを通じて——彼らが行ったことのありそうな他の場所にまで行き着けるかもしれない。そうすれば私の自説を補強できる。当時のミノアがきわめて重要な国際交易文化だったということ、そして世界史において決定的な位置を占めていたことを。

人はみな、体のあらゆる細胞にDNA（デオキシリボ核酸）をもっている。どの細胞にも四六本の染色体があり、そのうちの半分は母親から、半分は父親から受け継いだものだ。染色体には固く巻かれたDNAが含まれ、そのなかに遺伝子と呼ばれる領域がある。遺伝子は細胞にどんなたんぱく質を作るかを伝える。たとえば、あるたんぱく質は目の色素を作り、別のたんぱく質は歯の大きさや形を決める、というぐあいだ。

一対の二本鎖DNAは、おたがいに巻きついて二重らせんを作る。どの人間もそれぞれ自分独自の遺伝的な「指紋」をもっている。他の誰のＤＮＡとも似ていないものだが、これには都合のいい乗り物がある。女性はＸ染色体を二本もつのに対し、男性はＸとＹが一本ずつ。Ｙ染色体は必ず父親から男系の子孫に受け渡される。この独自の特徴によって、Ｙ染色体は実質的に苗字のような働きをする。世代から世代へと、男性の系統に沿ってほぼそのまま受け継がれていくのだ。

Ｙ染色体はまれに自然に起こる突然変異によって変化する。こうした変異は、ハプログループと呼ばれるＹ染色体の配列を特定するのに利用される。ＤＮＡの専門家ならざる私は、ここで少しばかり勉強する必要があった。「ハプログループ」という言葉はギリシャ語に由来し、「単一」という意味がある。ハプログループは数千年前までさかのぼる先祖の起源をあきらかにする。同じハプログループをもつ男性は、過去に共通の男性の祖先をもっているはずだということだ。これはじつに興味深い。私がいま学んでいる知識によれば、他の大ざっぱな民族、たとえばエトルリア人は、アナトリアのヒッタイト人と共通の祖先をもつことがわかっているという。ハプログループにはより小さな、ハプロタイプというＹ‐ＤＮＡの配列も含まれている――共通の祖先をもった遺伝子のグループだ。ヒトゲノムプロジェクトの成果のおかげで、こうしたハプロタイプの多くが同定され、たとえばJ2a-M410といったコードネームがつけられた。

この研究の詳細を発表したのは、テッサロニキのアリストテレス大学のコンスタンティノス・トリアンタフィリディス教授だった。その所見を読んで、生ぬるいモーニングコーヒーを飲んでいた私は、トルコ中部の猛暑の平原へと駆り立てられていった。トリアンタフィリディス教授の当初の発見によると、現在のクレタ島の人々は遺伝的に、過去のアナトリアの人々と混ざり合っていた。こうした人々の到来は社会、文化の急激な発展と時期的に一致している。それが紀元前七〇〇〇年ごろの、ヨーロッパ初の高度な文明の誕生につながったのだ。

ファイストスの円盤に刻まれていた、ある驚くべき絵をありありと思い出した。羽毛の頭飾りをつけた男の姿だ。このトルコへの旅で私の仮説の裏づけが得られた。あの青銅器時代、こうした戦いのための頭飾りをつけていたのは、アナトリアのリュキア人だったのだ。

第Ⅰ部　注

（1）Marthari personal communication; S. Marinatos 1974, 31 and Pl. 67b and d; C. Doumas. C., in *Thera and the Ancient World*, 1983, p. 43

（2）Rodney Castleden, *Minoans: Life in Bronze Age Crete*, Taylor and Francis, 2007

（3）M. H.Wiener, *Thera and the Aegean World III*, vol. 1, Archaeology, Proceedings of the Third International Congress, Santorini, Greece,3-9 September 1989, p.128

（4）Ibid

（5）Papapostolou, I., Godart and J. P. Olivier, pp. 146-7, *Roundels among Minoan seals* (2009)

（6）Plato, *Timaeus*, trans. Robin Waterfield. Oxford World Classics, 2008

（7）Ibid

（8）J. Boardman & colleagues, 'The Olive in the Mediterranean: Its Culture and Use', Royal Society Publishing, vol. 275, No.936, JSTOR

（9）Ibid

(10) Ventris and Chadwick, *The Decipherment of Linear B*, Cambridge University Press, 1958

(11) Shaw, B. D., *The Cambridge Ancient History*, Cambridge University Press, 1984

(12) Stylianos Alexiou, *Minoan Civilisation*, Spyros Alexiou Sons; First Edition (1969)

(13) Bruins, MacGillivray, Synolakis, Benjamini, Keller, Kisch, Klugel, and van der Plicht, 'Geoarchaeological tsunami deposits at Palaikastro (Crete) and the Late Minoan IA eruption of Santorini', Journal of Archaeological Science 2008, 35, pp. 191-212

(14) Joseph Shaw (www.fineart.utoronto.ca/kommos/kommosintroduction)

(15) Thucydides 1.41. trans. Benjamin Jowett. Oxford, 1900

(16) Bernard Knapp, 'Thalassocracies in Bronze Age Eastern Mediterranean Trade: making and breaking a myth', in *World Archaeology*, vol. 24, No.3, Ancient Trade: New Perspectives, 1993

(17) Thucydides 1.9.1,3

(18) Stylianos Alexiou, *Minoan Civilization*, trans. C. Ridley. Heraklion Museum, 1969

(19) Robert Graves, *The Greek Myths: Complete Edition*, Penguin, 1993

(20) Stylianos Alexiou, *Minoan Civilization*

(21) Herodotus, *Histories*. trans. George Rawlinson, Penguin Classics, 1858

(22) Sandars 1963, p. 117; Popham et al. 1974, p. 252; Driessen and Macdonald 1984, pp. 49-74, 152 in *The Isles of Crete? The Minoan Thalassocracy Revisited*, The Thera Foundation (www.therafoundation.org)

(23) Sinclair Hood, in *Archaeology: the Minoans of America*, vol. 74, 1972

(24) Constantinos Triantafyllidis, Aristotle University, Thessaloniki

第二部

近東への航海

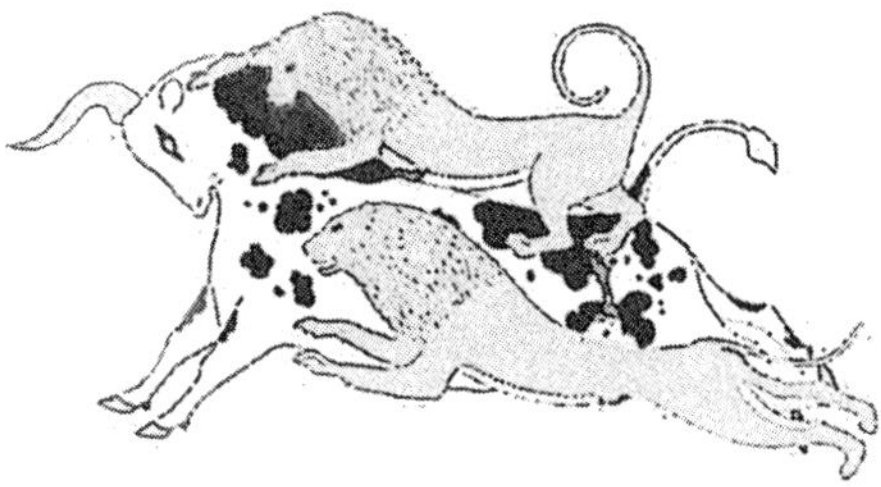

8　沈没船と埋もれた宝

いまではもう、確信が生まれつつあった。ミノア人はトロイアに渡った神話の英雄たち――アガメムノン、アキレス、オデュッセウスら――の祖先なのだ。とはいっても、彼らが実際にどんな船で航海したかを示す具体的な証拠がなければ、これ以上先へは進めないという不安もあった。そんなある夜、トルコ沿岸の海底で見つかった紀元前一三〇五年ごろの沈没船の話を聞いた――私のような元船乗りには、史上最大の考古学的発見のひとつに数えられるものだ。

ウルブルンはボドルムの東にある岬で、船の視点から見ると、ティーラ島からはきわめて近い。私にとってとくに重要なのは、そこがまさにアナトリア西部――バーナード・ナップがミノア帝国の支配下にあったと記した一帯にあたるということだ。トルコ語の「ウルブルン」は、単に「岩の多い台地」という意味でしかない。しかしその下の岩礁は、どんな岩礁でも同じだが、悪天候のときにはじつに危険な場所となる。

ボドルム付近に到着したのは、朝早い時間だった。今回もまたフェリーに乗ってエーゲ海を進みながら、快適でない一晩を過ごしたのだ。ここまで来るには、美しいマルマラ海とは、また混沌としたイスタンブールの景色とは逆の方向へ向かわなくてはならない。行く手にはごつごつした岩だらけの島々がつぎつぎ立ちはだかる。のろのろと前進する船の上で、エーゲ海をただ南北に航行するだけでも相当腕ききの航海士が必要だろうと思った。

さわやかな風と、港に近づこうとする船上の慌ただしい動きで目が覚めた。急いで甲板に出ると、早朝の澄んだ空気のなかに、二十数年ぶりに見るトルコの海岸が目に飛び込んできた。紫色の丘、深い灰緑色のオリーブ畑、青い海、そして遠い過去のロマンス。そのすべてを深々と吸い込んだ。

興奮に肌がひりつくのを感じた。古代世界の探検家や船乗りたちの陰にある真実を解き明かそうとしてきた私は、いよいよその確かな突破口の前に立とうとしている――今日は街の博物館まで行き、知られているなかで世界最古の沈没船を初めて目の当たりにできるのだ。

ボドルムは歴史の生まれた場所といっていい。少なくとも、世界で最初の大歴史家ヘロドトスの生地である。古名をハリカルナッソスといい、かつては街の城壁が古代世界の七不思議のひとつとされる有名な霊廟を守っていた。この場所まで来てすべてを吸収できるというのは、じつに喜ばしいことだ。かつて街のほぼ全域を囲んでいた古代の城壁の跡をいまもたどることができる。ボドルム城は、現在は海洋考古学博物館となっているが、一五世紀に聖ヨハネ騎士団が建てたものだ。私はたちまちこの城に引きつけられるのを感じた。イングランド塔、またはライオン塔を含む大きな塔が五基あり、入口の壁際には大型の多彩なアンフォラ（運搬用の素焼きの容器）が並べられている。

ウルブルンの沈没船は、考古学者たちが夢に見るような、まさに歴史を塗り替える発見のひとつだ。この船がなぜ、現在の小さな漁村カシュの近くで、このように悲劇的な運命をたどったのか——確かな理由は誰にもわからないだろう。船が沈没した時期は、ティーラのフレスコ画が描かれていたころからおよそ一〇〇年後にあたる。でもその程度の時間は、長い時の流れからするとほんのまばたき程度でしかない。その間も造船の技術はほとんど変化していなかっただろう。

痛ましい事実がひとつある。沈没船には、古代史においてきわめて珍しいものもあった。歴史を通じて最も古い「船長日誌」だ。しかし船長は何も語らぬまま、柔らかい蠟の上に記されたその言葉は、時の流れのなかに消えてしまった。


沈没船は何世紀にもわたって誰にも知られることなく、水深四五メートルもの青く静かな海の底で、略奪者の手からも守られていた。やがて一九八二年、最後の旅から数千年あとに、ひとりの海綿採りのダイバーがまったくの偶然でその船を発見した。私たちはメフメト・チャキルの良識と誠実さに恵まれた幸運に感謝しなくてはならない。もしこれがチャキルでなかったら、世界で最も貴重な宝物のいくらかは、闇市場を通じて悪徳商人の手に渡っていた可能性が高い。チャキルが見つけたのは、アラジンの洞窟にも劣らない価値のある宝物——海底に眠る宝の山また山だったのだ。

難破し沈没してから何世紀もたったいま、この船のとてつもない積荷は、現代フランスの高級品店の品々にも肩を並べるかもしれない——ただしこれらのぜいたく品は最高級シャンパンよりもずっと魅力的なものだ。岩がちな海底に二五〇平方メートルにわたって散らばっていた宝物は、じつに一〇もの異なる青銅器時代の国々からきていた。ウルブルンの船には、精巧に細工された金銀の宝飾品や豊かな果物と香辛料に加え、レバノン産の大きなアンフォラ、香水を作るのに使うテレビン樹脂、はるばるエジプトからきた黒檀《こくたん》、そして象牙やカバの歯、ダチョウやウミガメの甲羅などのありとあらゆる異国の品々が積まれていたのだ。

船の本体を見学するに先立って、博物館のガイドに案内され、船倉からの発見物を見て回る。沈没船で見つかった物品を救い出すには、とにかく膨大な労力を費やさなくてはならない。まず、手工品は水槽に入れられ、六年から八年ほど置いておかれる。細かな孔の多い物質から塩分を抜くだけで最低五年、長ければ一〇年かかる。水の交換は一五日ごとに、計器による管理で行われる。塩分が抜けたあとは、ポリグリコールの入った槽に漬けてさらに四〜五年。とにかく貴重な物ばかりで、保存のために可能なかぎりの注意が払われる。理由は推して知るべしだ。

なかでも最高の、まさに王にふさわしい価値ある宝物が、船尾で見つかった。純金製の比類ない儀式用の杯《カリス》。ホメロスは、伝説の戦争の英雄アキレスがこれとそっくりの黄金のゴブレットから酒を飲む場面を書いている。

アキレスはすぐさま部屋へ取って返し、豪華な象嵌細工の収納箱《シー・チェスト》の蓋を開け放った。テティスがなめらかな足取りで船に積み込んだ、戦服や防風マント、重い羊毛の敷物が縁まで詰まった箱。なかに収められていたのは……じつに美しく、精巧な杯であった。(1)

海底で見つかったアキレスの黄金のカリスは、鉤爪にコブラをつかんだ黄金の鷹をかたどったエキゾティックな首飾りの隣に置かれていた。船倉にはまだまだ宝物があり、そのひとつ黄金のスカラベには、エジプトの全権を握るファラオであるアクエンアテンの妻で女王だったエジプトの美女、ネフェルティティの名が記されていた。

だがいろいろな意味で、私はこうした珍奇な品々以上に、この外洋船が語りかける「日常の」ストーリーに強く引かれた。この船はタイムカプセルのように、見る者をたちまち青銅器時代の日常生活へ連れて行く。私には『ドクター・フー』のターディス（作中に登場する時空をこえる装置）に足を踏み入れたのと同じだった。

おごそかに並んだガラスケースの列に沿って進んでいくと、ナイフや秤が視界に飛び込んできた――何千年もの昔にふつうの船乗りが使っていた実用的な道具たち。青銅で動物をかたどったものを数多くあった。鹿や牛など、子どものおもちゃのようで目を引きつけられる。カタログを見ると「分銅」という説明があった。秤に使われる分銅はとくに目立っていて、愛嬌すら感じさせる。食料を挽く石臼や、魚を捕るための釣り針があった。棘のついた三叉の槍もあった。ローマのレティアリウス、つまり網と矛をもった戦士を連想させる――彼らはずっとのちに皇帝アウグストゥスによってローマ帝国に迎え入れられた。

レティアリウスは漁夫を模した闘士だ。投げ縄のように使う網の端には錘《おもり》がついている。いま私の目の前にあるのは、この軍事的革新のもとになった青銅器時代の前身だ。漁夫が投網の端につけて使う何百もの錘。銛も一丁ある――そして海の上で過ごす長い夜、オイルランプの心地よい黄色い光の下で楽しい賭けごとに使うナックルボーンが一揃い。武器もあった――三〇〇〇年以上も前の古代人のしなびた手が振るった武器。

　やがて最後の展示ケースまで来た。その中身は私にとって、金銀やどれほど美しいものすべてを合わせたよりも、はるかに価値があった。思わず、ふうっと深く息をつく。

　やはりそうだったのだ。沈没した船の主な積荷は何だったのか？　青銅を作るための原料だ。その割合までが適切だった。銅一〇トンに、錫一トン。

　これはまさしく青銅器時代の船なのだ。青銅製の道具類で造られ、軍ひとつの武器を作るのに十分な銅と錫を積んだ船。銅の「丸パン型」インゴットが一二一個、さらにその九個ぶんの破片があり、「牛皮型」インゴットは三五四個で、一個平均の重さは二三キロだった。牛皮型インゴットはどれも一メートルほどの長さがあって、四隅が鋭く飛び出している。なぜそんな名前で呼ばれているかというと、その特徴的な形が剝いで引き伸ばした牛の皮に少し似ているせいだ。以前は雄牛一頭の価値を表すものだと考えられていたこともあった。いまでは単に扱いやすい形としてこうなったというのが、考古学者の見解だ。

　つぎの部屋に近づいていくと、足取りがゆっくりになった。目の前に、ずっと探していたものがあった。自分が見てきたなかで最古の船。長さ約一五メートル、炭化した木材はひょろりとか細い。何世紀も海水に浸かって損なわれてはいるが、その船としてのデザインには現在の状態を忘れさせる強さ、優美さがあった。ここにあるのは風のように帆走できる船だった。軽快で反応がよく、操作性も高い。展示室には他にもかなりの数の入館者がいたが、静かな、思慮深い空気が漂っていた。さもあろう。この船に乗っていた人たちは、自分たちの命をかけて運命と戦った。そして敗れたのだ。

ウルブルンの沈没船の発掘には、驚くなかれ一一年の年月と二万二〇〇〇回の潜水を要した。船は右舷側に一五度傾いた状態で、東西の方向に沈んでいた。船体の大きな残骸は海底にほぼ三五〇〇年のあいだ、ほぼ無傷の状態で残っていた。そもそも残っていること自体が信じられなかった。

船は古代の船体優先の伝統に従って杉材で建造され、ほぞ継ぎをして釘を打って板を板に、さらに竜骨に固定していく。この船を造るために、職人チームは背の高い糸杉の木を切り倒し、樹皮を剝いで、木全体を竜骨の形に彫り込んだのだろう。(2) 初期青銅器時代のクレタ島は糸杉の森に覆われていた。糸杉は水に浸かると膨張し、継ぎ目の密閉性を高めるので、船の建造にはうってつけなのだ。

それから船大工たちは、きれいに挽かれた長い糸杉の板を巨大な竜骨の両側に「へり継ぎ」した。竜骨の端から端まで、二五センチごとに深い長方形のほぞ穴を彫り込んでいく。平たい長方形のほぞを切り、そのほぞ穴にぴったりはめ込む。そして竜骨から突き出しているほぞに、別の板をはめ込んでいく。

船大工たちは竜骨の両側につぎつぎと板を継いで、頑丈な船体を造りあげた。板材はへり継ぎされているので、コーキングの必要はほとんどなかったが、継ぎ目には樹脂を混ぜたもので防水を施した。神話の英雄イアソンの下で働いた船大工アルガスは、船の木材をペリオン山から切り出していた。だがトゥキディデスによると、戦争のための艦隊に木材が使われた結果、豊富にあったギリシャの森林は、紀元前五世紀にはもう裸になっていたという。ウルブルンの船の頑丈なオーク材のマストは高さ一六メートルほどあり、強靭な麻のロープを使った索具で固定されていた。長年を海で過ごしてきた人間の目から見ると、いま目の前にあるこの船の運命とは関係なく、こうした船は長く危険な航海を十分に乗り切ることができたにちがいないと思えた。

だが、それを証明することはできるのか？　古代の冒険家たちの活躍は単なる伝説でしかないのか、それとも真実に近いものなのか？　運のいいことに、古代の神話と、現代の実在する探検家の船を比較することは可能なのだ。イアソンとアルゴー船探検隊が、金羊毛皮《ゴールデンフリース》を手に入れるために行った二〇〇〇キロに及ぶ航海――あれはもし現実にあったとしたら、青銅器時代のことだろうと学者たちは言う。一九八〇年代にティム・セヴェリンは、この神話が現実に裏づけられていることを検証したいという思いに取り憑かれ、アルゴー船と同じ船を建造した。

神話そのものは、いわば古代ギリシャ版「ミッション：インポッシブル」だ。主人公の王国は、裏切り者の叔父ペリアス王のために危機に瀕している。神々はイアソンに、父親の王国イオルコスを取り戻すために魔法の金羊毛皮を見つけ出すよう命じる。こうしてイアソンは未知の土地へ向かって危険な航海に乗り出していく。

この物語にいくぶんかの真実が含まれていたかどうかを確かめようと、セヴェリンは古代のガレー船を資料に基づき正確に復元した。ガレー船には帆だけでなくオールもあり、おそらく敵のいる海域を戦いながら進んでいく船としては理にかなった選択だ。私の記憶だと、たしかセヴェリンは黒海まで沈まずにたどり着いたのではないか——かなり危ない場面も何度かあったようだが。

ウルブルンの船ならずっとうまくやれただろう。この船はもっと大きく、もっと耐航性がある。船主も自分の船が遠くまで速く行けると考えていたことは、その積荷を見るだけでわかる。北のバルト海産の琥珀《こはく》、赤道アフリカ産の黒檀、カバの歯、象牙、そして地中海の東部と西部両方の品々。この航海の途中でキプロスに立ち寄って銅を、エジプトでは黄金を、シリアでダチョウの卵やザクロを入手したことはほぼまちがいない。そのためには羅針盤のあらゆる方向に向けて舵を切らなくてはならなかっただろう。ティム・セヴェリンにできることなら、私がボドルムで目の当たりにした船にもできるはずだ。ウルブルンの船はタイタニック号のように沈んでしまったにしろ、それは船長が岬近くの危険な海域を通過しようとしていたためで、おそらく危険度がさらに増す冬場の航海でもあったのだろう。通常の条件なら、高波のうねる状況下でもまちがいなく乗り切ることができた。

考古学者たちは、ウルブルンの発見は航海史の始まりが通説より何世紀も前だったことを証明したと認めている。私にいわせれば、ティーラ島のフレスコ画という証拠はその歴史をもっともっとさかのぼらせるものだ。まったく同じ構造の船が描かれているフレスコ画の年代を踏まえれば、航海にはさらに長い伝統があったはずだ——そして画家たちが石膏に絵を描くころにはそのノウハウが存在し、実際に使用されていた。造船の技術は変わってはいるものの、その変化はゆるやかなものだ――少なくとも産業革命が起こり、鉄と蒸気によって飛躍的な進歩を遂げるまでは。もしサー・フランシス・ドレイクが二〇〇年後に生きていたとしたら――ドレイクの有名なゴールデン・ハインド号はチューダー王朝時代の丸い腹の船だった――もっと大型で細身なネルソン提督のＨＭＳビクトリーもうまく操って、一八〇五年にトラファルガーで勝利していたかもしれない。

ウルブルン船のマストには、帆の上の部分を支えるための長さ一〇メートルほどのブームが一本ついていた。ブームの中心をマストにつなぐのに使うのは、マストの軸のまわりにゆるく巻かれた太く強靭なロープの輪だ（ティーラの船6も参照）。そのおかげでブームは風を受けるとマストのまわりを自由に回転することが可能になる。ブームの上げ下げはマストヘッドの青銅製の固定具に通したロープで簡単に行える。風を受けたときのブームと帆の向きは甲板上からロープで制御でき、向かい風でもうまくタッキングすることが可能だ。

フレスコ画のことを思い返すと、すでに気づいていたことを裏づける証拠がこのボドルムにあった。あのガレー船に似た船はどれも傑作だった。私は圧倒されていた。あらゆる証拠が示しているとおり、船大工たちはたしかに、紀元前一四五〇年という早い時代から遠洋航海に適した船を造ることができたのだ。船乗りたちにはマストヘッドの青銅製の固定具を始め、帆を巻き上げたり下ろしたり調整したりする進んだ方法があった。こうした印象的な技術発展を示す証拠は他にもあり、アテネ国立考古学博物館のエジプト・ギャラリーにはその機械的な原理を示す二つの異なる実例がある。これらの固定具からわかるのは、はるか昔の船でありながら、追い風だけでなく向かい風のときでもちゃんと航行できるよう期待されていたことだ。船乗りたちは予期せぬスコールにも迅速に帆を下ろすことを知っていた。ウルブルン沈没船の船倉と比較すると、私の見積もりでは、ティーラの提督の船の貨物積載能力はおよそ五〇トンだっただろう。

こうした青銅製の道具、とくに長さ二メートル、幅三分の一メートルの大きな両手持ちののこぎりなどを使いこなした古代の船大工たちは、ルネサンス期のヨーロッパが何世紀もかけてようやく再発見した造船技術をすでに会得していた。これが青銅器時代の文明だったのだ。しかし青銅器時代の技術を最大限活用することは決して、程度の低い技術を我慢して使うということではなかった。

この博物館では、もうひとつの驚きがあった。ミノア人は考古学者たちのあいだではもっぱら平和な民族とされてきた。だとすると、彼らの武器のレベルはじつに驚くべきものだ。アーサー・エヴァンズ自身は苦い暴力沙汰を経験している。一八九七年のギリシャ・トルコ戦争のとき、『マンチェスター・ガーディアン』紙の戦争特派員として、クレタ島での虐殺事件を目撃したのだ。クノッソスを発見したあとでエヴァンズは、この悲劇とはまったく対照的に、わが愛するミノア文明は平和そのものだったと言いきった。ケンブリッジ大学の研究者キャシー・ギアはこう書いている。

エヴァンズは、クレタ島で起きたイスラム教徒とキリスト教徒の虐殺について、双方に対する公平な憤りをこめて報告していた。過去を癒しと和解の場として提示しようとするエヴァンズは、青銅器時代のクレタ島をよみがえらせた。クノッソスの穏やかな統治のもと、城塞もないのどかで平和な、ミノス王の伝説的な操船の技量によって外敵から守られた文明として。(3)

それ以降の学者はみな、エヴァンズにならって、クレタ島を平和な社会として描いてきた。理由は主に、どの都市にも城壁がなかったことにある。ミノア人は緑したたる文明的な環境で調和のとれた生活を送り、民主的な方法で冷静に統治していた。都市を守る城壁は無用だった。彼らの王国は地上の平和な楽園だった、ということだ。

けれどもいま、私たちが薄暗くひそやかな展示室を抜けていくと、沈没船から回収された武器を収めたケースがいくつも待っていた。大量に製造された青銅製の武器。何世紀も深い海底にあったために緑色に腐食していたが、この先史時代の船には戦士の一団に必要なものすべてが積まれていたことがはっきり見てとれた——矢じり、双斧、槍、剣、短剣などに加え、ちょうな、のこぎり、ねじ、カミソリなど、もっと平和な用途のものもあった。

イラクリオンにあるクレタ島最大の考古学博物館にも、一般の兵士が用いる青銅製の武器——槍に始まって短剣、いかにも不吉に見える細身のレイピアにいたるまで——をいっぱい収めた展示ケースがある。一部のものはあきらかに儀礼用で、マリアの街で発見された、柄の部分を金箔で飾った見事な短剣を思わせる。だがこの時代の終わりごろには、どの剣もあきらかにただひとつの目的のために作られていた。戦闘だ。短い刀身は、突き刺すだけでなく、切るという用途にも適していた。これは戦士のための武器だった。

　ミノア人の軍事的強みはまちがいなく、その船団からきていた。船の設計の精巧さと相まって、ミノア人はまったくの平和主義者というにはほど遠い強大な軍事力を有していた。ギリシャ本土の好戦的なミケーネ人は、『イーリアス』や『オデュッセイア』に描かれるとおり、のちにトロイアと戦争をすることになる。それでもミノア人は彼らとともに平和に暮らしていたようだ。実際に多くの考古学的記録によると、ギリシャ本土はミノアの植民地、あるいはミノアの従順な同盟相手だったとされる――津波で船団が壊滅な被害にあったクレタが必然的に弱体化するまでは。

　もちろん、ミノア人は武力を行使しないほうを好んだのかもしれない。実際のところは知りようがない。彼らはまちがいなく、武器と同じくらい交易にも関心があった。それでも注目すべきなのは、ミノアの速く頑丈な船は、青銅製の強力な戦争兵器で完全武装した兵士を乗せて迅速に動員できるタイプだったということだ。

　親が戦争を経験している世代の英国民のほとんどと同じく、私もまた「島国」であることの戦略的価値はよく理解している。「アトランティス」の船員たちはすでに世界トップの海軍力を有していた。ヨーロッパや近東のどの国よりもはるかに進んだ船を手にした結果、ミノア人はどんな相手も恐れなくなった。彼らの比類ない都市に防御の壁が存在しないのは、代わりに海があったからにほかならない。そのために、世界が見たことのないほどの高波にはまったく無防備になってしまった。

　ティーラのすばらしいフレスコ画の少なくともひとつに、戦闘用の兜を着けて戦いに赴こうとする兵士たちとともに、海戦の指揮をとり、勝利する提督の姿が描かれている。彼らはあきらかに地中海全域に及ぶ支配力をもっていた。そしておそらくその力を利用した。

つぎの目的はそれをつきとめることだ、と私は決めた。

構造的にウルブルンの沈没船は、西の館のフレスコ画にある船5とほぼ同一だった。そこからひとつのことが確実になる。ミノアにも同じような遠洋航行のできる交易船があったのだ――トルコ沖に沈んだ船より少なくとも一〇〇年前に。薄暗く静穏な博物館をあとにしながら、頭のなかを血が駆けめぐるのを感じていた。シリアのダチョウの卵。エジプトの黄金。バルト海の貴重な琥珀。赤道直下のアフリカのカバの歯……世界中のすべての富。それがここにある。

ここボドルムで私は、ミノア人という高い創造性と独創性、芸術性をもった人々が、世界最初の探検家でもあったことの確かな証拠を見ているのだ。

9　ビザンチウムからの船出

トルコとウルブルンの沈没船をあとにするときには、一抹の悲しさを覚えた。船長日誌が、あの木製の折りたたみ式の単純な書字板が、ずっと頭から離れなかった。船長は世界中の富という富をあの船に載せていた——楽器の材料になる亀の甲羅から、きわめて珍重されたコバルトブルーのガラス、そしてクレタ島で大量に採れる臭いの強い、世界一あざやかな紫色の染料が採れるアクキガイまで。それでも船長と乗客乗員を海の危険から守ることはできなかった。どんなに並外れた航海の技量をもった人たちでも、ときには悪天候や岩礁と闘う必要に迫られる。そしてその戦いに敗れることもある。

世界最古の日誌は、二枚のツゲ材の板を、象牙で作った三個の円筒形の蝶番でつなげたものだった。板のくぼみは蠟で覆われていた。けれどもやはり、ファイストスの円盤のように、その言葉は私には届かない。船長は何も語らず、書き文字は彼の命を奪った海に消されてしまった。彼の旅がどんなものだったかも、その船乗りとしての技術も、私は何も知ることができない。それでも彼が航海に出たという事実こそ、青銅器時代の船乗りたちに、自分たちは海の遠くまで野心的な旅をして帰ってこられるという自負があったことの何よりの証拠となる。

その日誌には、船主からの、あるいはおそらく統治者本人からの、積荷とその届け先についての指示が書いてあったはずだ。それはこのような内容だっただろう。「船長はティーラからビブロスへ向かい、積荷を降ろす。この特別な積荷はXの所有になり、内容は銅インゴット三四〇個、錫インゴット六〇個……」。そのあとに、青銅製の尖筆で記された船内のあらゆる価値の高い物品の詳細のリストに加えて、その重量、寸法、届け先が続く。私はふと考え込んだ。もし誰かがこの船長の積荷を盗み取ろうとするか、あるいは船長自身が不正を働こうとした場合、蠟は記録媒体として理想的なものとはいえないだろう。熱したヘラを使えば簡単に消してしまえるし、数字も容易に書き換えられる。

その日誌は――きっと日誌にちがいないと思う――閉じて結ばれていた。船主個人の封印もあったはずだ。さらに誰が扱ってもまちがいのないように、船主と船長は共通の度量衡法を使っていた。船には遭難したとき分銅と秤が少なくとも三セットあった。このことはさまざまな大勢の商人がこの船旅に加わっていたことを示している。青銅器時代にはすでに地中海全域で、九・三～九・四グラムの分銅を単位とする質量基準が使用されていたのだ。

懐疑的な見方をとれば、たしかに、こうした航海の技術が突然、どこからともなく魔法のように現れるなどありえないと思えるかもしれない。もっともな話だ。長距離航海はおそろしく過酷である。優れた技量、海についての深い知識、絶え間ない警戒心、そして勇気と忍耐力、さらに一定量の幸運も忘れてはいけない。ティム・セヴェリンが「金羊毛皮」の航海に出たときには、悲観的な見方も多かった。追い風に恵まれないかぎり、ジョージアに到着するまでに、乗組員はそれぞれオールを一〇〇万回以上漕がなくてはならないだろう。きびしすぎる企てだと。

　だが、こうした懐疑論は的を外してもいる。現代に生きる私たちが、新しい都市や新しい遺跡、新しい沈没船などを「発見」したとして、それをきれいに年代順に並べるということはできないのだ。初期の考古学者や探検家たちには、古代エジプト人はほとんど超自然的な能力の持ち主に見えたにちがいないし、いまでもそう思っている人たちは少なくない。しかし古代エジプトの技術は、一部で主張されているような、異星人が地上に送り込んだものとはちがう。実のところ、古代エジプトで成し遂げられた偉業が驚くほど唐突なものに見えるのは、私たちがその間のさまざまな発展段階を見逃しているからなのだ。エジプトの場合でいうなら、古王国時代以前の遺跡の多くは、比較的最近まで発掘されていなかった――もしくはそれが実は何なのか認識されてもいなかった。

　エジプトの大きな王家の谷の墓に隠し通路や隠し部屋があるのと同様に、ミノアの航海術も何もないところから生まれたわけではない。ミノア人のDNAの痕跡をたどってヒッタイトまで行き着いたときにわかったとおり、この機略縦横の文化は何世紀にもわたって知識を積み上げてきた。エジプトの場合と同じように、この先もっと待っていれば、初期クレタ人がもっていた航海術の証拠が見つかっていくだろう。私としてはミノアの帆船についてもっと知る必要があった。

　船はミノア文明の土台となる原材料を運ぶうえで不可欠だった。輸出用の完成品を移動させるのにも、製品を作るための原料、たとえばキプロスの銅、インドやアフリカの象牙やカバの歯、上エジプトの黄金、レバントの石膏やガラス、バルト海の神秘の物質である琥珀を輸送するにもなくてはならなかった。だからこそ地中海を何百キロも行き来し、貴重な琥珀の場合にはバルト海までも行ける船が必要だったのだ。ほんとうにそんなことが可能なのか？

そこで航海という作業の実践と、ティム・セヴェリンのことに再び思いをはせた。

復元船で黒海へ

カリフォルニア大学、ミネソタ大学、ハーバード大学のハークネス・フェローだったティム・セヴェリンは、『バイクでシルクロード――マルコ・ポーロの道を行く』から『消えゆく原始人』まで、探検に関する本を数多く書いているが、なかでも私にとって重要なのが『イアソンの航海』だ(4)。

ホメロスは『オデュッセイア』を書いた紀元前八世紀ごろ、イアソンとアルゴー船探検隊の勇敢かつ壮大な金羊毛皮探索の航海は、すでに「あらゆる者の口にのぼる物語」だったと言っている。時期的にはトロイア戦争の一世代ほど前だ。この航海については懐疑的な声が多かった。現実的な根拠がない、時間的に遠い昔のことすぎる、そんなテクノロジーが存在したはずがない、等々。そこでセヴェリンは、イアソンが紀元前一三〇〇年にバルト海までほんとうに航海できたかどうかを確かめようと目論んだのだ。本人の言葉を引いてみよう。

……われわれは実際に、彼ら［アルゴー船隊の探検隊］の跡をたどってみたいと考えた。それでイアソンの時代のガレー船を復元した。三〇〇〇年前に設計された二〇本オールの船に乗り込み、われわれの金羊毛皮を探す旅に漕ぎ出したのだ……。

セヴェリンが復元した船は、青銅器時代の鍋やフレスコ画に描かれた絵のほかに、鎧や宝飾品や印章の彫刻をもとにしていた。費用の問題から二分の一スケールで、「船首にあるおかしな鼻のような衝角の先端から船尾の優雅な広がりまで」一六・五メートルの長さがあった。もっと後世の紀元前七世紀から前四世紀にかけての船の絵から、セヴェリンは帆装や帆の制御のしかたなどの技術的な詳細をさらに仕入れていった。

ホメロスの書いたものでは、ギリシャの船の規模はオールの数で測られている。オールは二〇本、三〇本、五〇本の各三セット。セヴェリンは費用の節約のために最も少ないものを選んだ。セヴェリンはずっと海流に逆らいながら、卓越風の助けも借りずに航海をするつもりでいた。使う船はティーラのフレスコ画に見られる船より二世紀ほどあとのものになる。これは難しい選択だった。船の長さと幅はティーラの船5および船8の半分しかなく、オールの数も半分で、容積はティーラのわずか八分の一。これでは貨物や水や食料の積載量が大きく制限され――乗組員にもかなりの負担がかかってしまう。スペースが足りないせいで眠るのもままならず、結果として乗組員はたえず疲労に悩まされることになった。

セヴェリンは造船技師コリン・ムーディーとともに、三〇〇〇年以上前にこの地域で造られた船と、その航海のしかた――とくに乗組員との関連について、あらゆる角度から検証した。青銅器時代の人間の体格はいまより小さかった。身長は一六五センチ、体重は現代の平均からマイナス六キロ。セヴェリンたちはエーゲ海の伝統的な帆船の建造が専門の船大工を、何千年も前と同じ環境で仕事ができる人材を探した。ヴァシリス・デリミトロスはスペッツェス島で最高の船大工という評判をとっていた。いまのスペッツェスは絵のように美しく、車のない、すばらしい保養地となっている。イアソンの時代には、ミケーネ人の拠点だったのだろう。ガレー船は青銅器時代に使われていたのと同じ、青銅製のちょうなやのこぎりを使って建造された。デリミトロスはコリン・ムーディーの描いた図面に忠実に従い、とくに船体を作るにあたっては、板材どうしの端と端をウルブルンの船のように継ぎ合わせた。オークの板材をのみで削ってほぞを作り、継ぎ合わせる板材からそれに合ったほぞ穴を彫り、二本の板を水平に打ち合わせてから、接合した部分にドリルで穴をあけて固定用のペグを通す。ヴァシリスには朝飯前の作業だった。まず船の片側を目測で完成させ、つぎに反対側も目測で作った。生まれてからずっとこの仕事をしてきたとでもいうように、板材はみるみるスムーズにはめ込まれていった。

船体ができあがると、背の高い、まっすぐな糸杉の木材からマストを、それから高さ三・五メートルの舵取りオール二本を彫り出した。艤装はティーラのフレスコ画に描かれた船6と同じだった――編んだ麻を縫い合わせて、ステー、シート、ハリヤードを作る。滑車は知られているなかで最も古い沈没船の、木のピンの周囲に木のシーブを固定したものをそっくり再現した。こうしてついに、荒々しくも勇壮なアルゴー船が完成したのだ――しかも外側が赤、白、青と、ミケーネ時代の船にもティーラの城壁のフレスコ画にも見られる色彩で塗られていた。

これから書くのは、私個人の感想だ。批判的に感じられるところもあるかもしれないが、そういった意図は何もない。セヴェリンがほぼアマチュアばかりの乗組員たちとともに、外洋を二四〇〇キロ横断する旅を成し遂げたことには、無条件の賞賛の念を抱いている。個々人の払う犠牲はきびしいものだった。たとえば、黒海に入ってから強烈な嵐に見舞われ、激しい豪雨のせいで漕ぎ手たちの手は白く膨れあがり、恐ろしいありさまになった。セヴェリンはその様子をこう書いている。「苦闘の末にできた彼らの水膨れは、まるで死んだ肉のようだった」

つぎのエピソードなどは、青銅器時代の船乗りがつねに直面していたはずの危険を如実に表すものだ。セヴェリンはある穏やかな入り江を目指し、押し寄せる大波の圧力に逆らって、崖の狭い切れ目を通ろうとしていた。

岸壁に近づくにつれて危険が増し、乗組員も強行軍が続いてスタミナが削られ、口数が少なくなっていた……私はアルゴー船を入り口に対し直角に向け、その隙間へ突進した。アルゴーは波の背中に乗って持ち上がり、前に向かって投げ出されると後ろに戻され、また再び持ち上げられた。乗組員たちはひたすら全力で漕いで海上を進みつづけ、私が舵を操って船が針路から外れたり波を横腹に受けたりしないようにできるだけの速度を保とうとした。巨大なジェットコースターのように、ガレー船は獰猛な目でまっすぐ前を見すえたまま、岸壁の隙間を切り裂き、穏やかな入り江に飛び込んでいった。(5)

災難にも数多く遭ったが、結果的には計画よりうまくいったことも多かった。まず第一に、船首の衝角は乗組員が座って用を足すのに便利な場所だとわかった。ペグを二重につないで梯子にすれば船の上まで登って戻れる。海が凪いだときには体や衣服を洗ったり――釣りをすることもできた。

第二に、一対の舵取りオール（たがいに逆の方向に動かす）で船の向きを変えることは容易にできた。そして凪いだ穏やかな海では、一二人の漕ぎ手（要員は二〇人いた）で三～三・五ノットの速度を出せるし、他の漕ぎ手たちと積荷を船尾に移動させて重心を調整すれば、さらに速く進むことができた。セヴェリンはこう書いている。

アルゴー船はその日一日、イアソンの跡をたどり、まるで夢から飛び出した船のように波の上を滑っていった。順風満帆のアルゴー船はすばらしく快調だった。船体は青い海面を切って進み、二本の舵取りオールはほんのわずか触れるだけで、よく訓練されたサラブレッドのような反応を見せた。こちらの思うがままに向きを変え、もう一度ティラーに触れて水平にすればまた元の針路に戻り、なめらかに前へ進み出す。風下へと速度を上げるときには、船体の細かな震えが感じとれた。竜骨と板材が音をブーンと唸りをあげて行く手の海面に向かって突進し、船首にぶつかる波を衝角が両脇へ押しやっていく……アルゴー船が何時間も五～六ノットの速度できれいな航跡を残すあいだ、乗組員はベンチでくつろいでいた……

第三に、アルゴー船は強風のなかでもきわめて高い耐航性能があった。船はぐらぐらと揺れ、つぎつぎ押し寄せる波に翻弄されているようでも、あまり水はかぶらなかった。乗組員は――船酔いはしかたないにしろ――ただ座って強風が過ぎるのを待てばよかった。アルゴー船は波の方向に舷側を向けるのが自然な体勢であり、波が進むにつれて船体は上下し、波頭が竜骨の下を通るたびに大きく横向きにゆさぶられる。

ここからは悪い話だ。船を漕ぐのは悪夢だった。乗組員はたえまなく海水を浴び、ぐっしょり濡れて苛立ち、塩水であちこちがひりひり痛み――両手とも水ぶくれだらけになった。潤滑油をマトンの脂肪からオリーブオイルに換えても、漕ぐことが役に立つのは凪のあいだだけだった。少しでも風が吹けば悪夢に変わる――「……ほとんど感じとれないほどかすかな向かい風が船首に吹きつけるだけで、船の速度は驚くほど低下した。上り斜面を歩いているどころか、たえず砂が崩れ落ちてくる斜面を登っているようなものだ」

海面がどんな状態でも、オールが波に取られて暴れ、漕ぎ手の背中にぶつかった。舵取りオールは強度が足りず、ひんぱんに折れてしまう。オール受けも同じで、よく壊れた。木綿の帆は濡れてカビだらけになった（木綿の帆を使ったのは失敗だったと私は思う。ミノア人は羊毛を織って油脂を染み込ませたものを使っていた）。

五カ月間海にいただけで、船体はフジツボにびっしり覆われ、速度が一ノット低下した（ティーラのフレスコ画を見ると、ミノア人は船体をキャンバスで包んでいたことがわかるが、これならフジツボはほとんど付かなかっただろう）。こうした悪条件にもかかわらず、アルゴー船は二四〇〇キロを三カ月で――向かい風と海流に逆らいながら――たえず交替する経験の浅い乗組員とともに走破したのだ。じつに驚くべき成果だった。

セヴェリンと乗組員たちは、アルゴー船のような船が青銅器時代の地中海をりっぱに航行できることを実地に示してみせた。この証拠からすると、バルト海まで行くことだって可能だろう。だが私にしてみれば、まだ答えを出す必要のある大きな疑問がいくつかあった。なかでも知りたかったのは、とくにミノア人だけがこうした航海術を発展させたのかということだ。彼らにはもともと優れた、たとえばギリシャ本土の人々よりもいい船乗りになるような広い伝統があったのだろうか？

二〇一〇年春、またしても『タイムズ』紙を手に取ったときに、運よくもうひとつのパズルのピースを見つけた。

クレタ島の南西部、プラキアスからアイオス・パブロスにかけての一帯で――有名なプレベリ峡谷も含まれる――少なくとも一三万年前に作られた道具類が発見された。石英から削り出された手斧や肉切り包丁、スクレーパーなどで、時代的には後期旧石器時代のものだった。クレタ島は地中海で本土から切り離されてから五〇〇万年もたっているのだから、こうした道具を作った初期の移住者は船でクレタまでやってきたにちがいない。ロードアイランド州プロビデンス大学のトマス・ストラッサー博士、ギリシャ文化省のエレニ・パナゴプル博士が率いる考古学チームはそう考え、旧石器人が住みついていたと思われる淡水の河口付近の洞窟や岩陰の調査を行っていた。プラキアスの調査チームのカーティス・ランネルズ教授は、『タイムズ』にこう語っている。「［彼らは］外洋航行が可能な船を使い、幾度かの航海でこの島に到達した——地中海における航海史を一〇万年以上も前にさかのぼらせる発見だ」

合計二八カ所の遺跡から、二〇〇〇点以上の石器が出土した。道具類の材料となる珪石は、道具を削り出したあとは捨ててしまうほど豊富にあった。このうち五カ所の遺跡では、地質学的背景に照らして石器のおおよその年代がわかった。ランネルズ教授の推定によると、少なくとも一三万年前で、さらに古いかもしれないという。

この報告書でランネルズ博士は、こうした石器が地層の少なくとも二倍（つまり二六万年前）は前のものだという可能性を示唆している。ストラッサー博士はさらに踏み込んだ——少なくとも七〇万年前のものではないかというのだ。ストラッサー博士は過去二〇年にわたってクレタ島で発掘調査をしてきた人物で、八〇万年前にアフリカで作られた両刃の手斧に基づいてそう推定したのだった。そしてこうも考えていた。クレタ島でこれだけ大量の手斧が見つかったのは、かなりの人口がいたということを意味しており、きっと幾度も海を渡り、すべて同じ場所に上陸したのだろう。そのためには、旧石器時代人は一〇万年以上も前に耐航性能の高い船をもっていたということになる。それにあとから出航した組がクレタ島の位置と、先人たちがどこに上陸したかがわかるような航行システムももっていなくてはならない。新しい移住者たちは以前の航海についてくわしく聞いていたはずだ——それも当時はまだ、いま私たちの知っている書き文字が普及する前のことだった。

　こうした思いがけない発見がある前には、海の旅人たちは紀元前六〇〇〇年ごろまでクレタ島に到達していなかったと考えられていた。だが現在は、どれだけ遅くても紀元前四〇〇〇年ごろには、クレタ島の住民たちにはある程度の時間の余裕をもてるだけの食料や住居、衣服があったことが認められている——そしてこの時点で彼らの暮らしは、ただ生き延びるための闘いではなくなっていた。

　プラキアスの調査チームは、これはいままでに地中海周辺で発見された、後期旧石器時代における最も古い航海の証拠だと考えている。クレタ島のいちばん最初の住人たちは、船でこの島に到達していたのだ。考古学者たちはこのあといったい何をつきとめることになるのだろう？　どういった船に乗っていたのかはわかっていなくても、人類はホメロスのいう「ぶどう酒色の海」を、これまで誰の考えも及ばなかったほど早い、従来の認識よりも何万年も前の時期から航行していたのだ。

10　図書館通いの日々

これからさらに調査を進めようとするのなら、いまやるべきことは、ミノア人が海に乗り出していった理由についてもっとよく知ることだ。彼らはいったい何を取引していたのか、そのためにはどこまで行く必要があったのか？　ウルブルンの沈没船が語りかけた魅力的なストーリーを、なんとか解き明かさなくてはならない。そして沈没船と現代を隔てる三〇〇〇年以上の空白を埋めなくてはならない。

ありがたいことに、ロンドン北部のわが家から大英図書館まではあまり苦労せずに歩いていくことができた。それでたっぷり三週間かけて、ウルブルンの沈没船とその船倉から発見された品々について調べるために、ユーストン・ロードの新しく大きな赤レンガ造りの建物まで足繁く通った。あの図書館の穏やかで学術的な空気を味わうのは、純粋に楽しかった。古今東西の知識に四方を支えられた建物に座っていると、なぜかとても心が安らぐ。まるで世界から切り離された繭《まゆ》のなかにいるような、すべてを赤レンガ造りの船倉に積み込んだ時間旅行のシャトルに乗っているような感じだ。私の目当ての歴史的な美しい地図や貴重な写本類は、地面の下の穴蔵で朽ち果てるにまかされているものと思いきや、実際には勤勉で親切な司書が教えてくれたように、温度や湿度を一定に保った広大な地下室の書架に保管されていて、ロンドンから遠く離れたボストン・スパといった敷地外の書庫施設にあることも多いらしい。

これでウルブルンの船の積荷を細かく調べることができる。ほんの数カ月前まで、私にとっての古代世界はただの闇だった。だが少しずつ、その暗い影のなかに明るい色の光が差し込んできた。私が数カ月前まで存在すらろくに知らなかったすばらしく活発でにぎやかな世界があり、そこに住んでいた急速な発展を遂げる人々の生き生きした暮らしが感じられはじめた。またエジプトの政治的・戦略的な同盟関係についてもさらに知りたくなった。ミノア人がこれほど多くの物品をアフリカや中東から買い入れていたのなら、エジプトとも長年にわたって戦略的な関係を築いていたにちがいないからだ。

するとほとんど間をおかずに、ミノア時代のクレタが洗練された香水で名高かったこと、それが地中海の全域へ輸出されていたことを知った。クレタ島にはテレビンノキという、ヒヤシンスに似た形の真っ赤な花をつける木がいまでも生育する――地元産のブランデーに混ぜるのに使われることも多い。古代文明では、香りはきわめて大切なものだった。宗教的な儀式だけでなく個人のおしゃれとしても、さまざまな樹脂や香木を焚いていたのだ。私も以前エジプトとナイル川西岸を旅行した折りに、女王ハトシェプストが自ら探検隊を率いて新しい香りを探しに出たという知識はあった。そのてんまつが、王家の谷の入り口近く、デル・エル・バハリに築かれた女王の葬祭殿の壁に記されている。ウルブルン沈没船の船倉には、「無駄がなければ不足もない」の精神が表れていた――テレビンノキの茎や葉そのものが船の上で弾力のある梱包材として使われ、航海中に繊細な品々を守っていたのだ。

植物の学術本をひと目見たとたん、図らずもテレビンノキという地味な植物がきっかけで、思ってもみなかった事実を見つけることができた。この樹脂は冬の初めの、霜が降りたあとにしか採れないのだ。このささいな事実と、船の船倉に熟したザクロが積まれていたことから、ふと思い当たった。これはこの船が冬に航海していたという確かな証ではないか？　するとつまり、ウルブルンの船が遭難したときには、あるいはそれよりずっと以前に、航海はもう真夏に限定されたものではなくなっていたということになる。青銅器時代の船乗りは季節を問わず、向かい風もかまわずに航海していたのだ。

調査の当初はこういった成果があったものの、まもなく自分に課した課題が思っていたほど簡単にはいかないことを思い知らされた。ウルブルン船の船倉には地理的に見て矛盾があり、それがこちらをじっと見すえていた。

陳列されていたのは、珍しい儀礼用の珍しい笏《しゃく》／戦棍だった。専門家の分析では、ブルガリアかルーマニア――黒海に入って北上したあたり――のものだという。さらに船倉には大量の琥珀があった。琥珀は松脂が固まってできる化石だが、これはバルト海沿岸で産出したものだ。私はすぐにセヴェリンの航海を思い出し――イアソンの航海と金羊毛皮に似ている――それを頭から追い払った。いま問題なのは現実の話で、神話ではない。ティム・セヴェリンが行けたのは黒海までだった。バルト海となると危険性は段ちがいになる。ミノア人はほんとうにはるか北のバルト海まで行って琥珀を運んできたのか？　現在、磨き上げられた琥珀は非常に価値があり、宝石並みに扱われて取引される。だがそれにしても?

偉大な古典学者ロバート・グレイヴスの研究と、(6) いくつかの科学雑誌にざっと目を通したところ、さらに裏づけとなる一連の手がかりが得られた。どうやらワインはただ神話のなかだけでなく、クレタ島の発明品である見込みがきわめて高そうだ。ワインという単語自体がクレタ島の言葉だという言語学的証拠もある。またワインを作るためのブドウは、もともと黒海周辺の野生種が起源だと考えられている。

さらに調べるうちに、琥珀が石器時代から珍重され、利用されていたことも確認できた。ギリシャ語で琥珀は electron といい、私たちが使う電気(electrocity)という言葉の由来にもなっている。琥珀を布でこすると電気を帯び、紙でも引き寄せられるのだ。(7) それはきっと神秘と驚異の念を引き起こしただろう。魔法のような治療法として使われたことも確かだ。実際に琥珀は、咽喉炎や歯痛、胃の不調を防ぐお守りとして身につけられた。蛇に咬まれたときの対処法ともみなされ、新生児は感染症から守るために琥珀のネックレスを与えられた。ずっとあとの時代には、預言者ムハンマドでさえ琥珀を高く評価した。真の信仰者は琥珀でできた数珠を着けるべきと言っているほどだ。

つまり琥珀は本当の宝物であり、きわめて価値の高い品だった。その品を手に入れるために、古代ミノアの船乗りたちは岩礁だらけのフィンランド湾を抜け、あるいはリガ湾を経由して航海する必要があったのだろう。後世の偉大な船乗りバイキングですら、ときには遭難していたほどの海域を。

イアソンとアルゴー船探検隊を思い起こし、岩礁だらけの海を行くことの危険を想像した。それでもバルト海産の琥珀は、ウルブルンの沈没船だけでなく、あきらかにギリシャ本土の古代の墓地からも多く見つかっているのだから、何かしらの方法で運ばれてきたにちがいないのだ。クレタ島がワインで高い評判を得ているのも、偶然の一致だとは思えない。もしクレタの船乗りたちが冒険の旅の末に初めてブドウの木を、そしてブドウの実を発見したのだとしたら？

証拠の糸をすべてつなぎ合わせるには、まだまだ知るべきことがある。はるか古代の世界交易という魅力的な仕組みをもっともっと学ばなくてはならない。そこで取引の対象だった物品のうち四つの重要なカテゴリーに焦点を当て、その仕組みについてさらにわかることがないか見てみようと決めた。ノートを手にしてとりかかった作業は数日を要したが、ここでは以下の四つの項目だけにまとめた。

琥珀

赤外線分光法によって、地中海周辺の古代遺跡で発見された琥珀のほとんどが、ウルブルン沈没船のものと同じようにバルト海沿岸産であることが証明された。そうした地中海周辺のバルト海産の琥珀で最も古いのはミケーネ（縦穴墓О）で見つかったもので、年代は紀元前一七二五年から前一六七五年のあいだとされている。ミケーネで発見された膨大な量の宝飾品は、もともとミノアのものだった。

ミケーネでは合計一五六〇個の琥珀が出土し、縦穴墓Ⅳからだけでも一二九〇個が発見された。興味深いことに、こうした最も早い時期の琥珀は、ブリテンで見つかった同じ時代の琥珀のネックレスと際立った相似性（スペーサーのデザイン）を示している。このブリテンの琥珀もまたバルト海地方由来のものだった。つまり、拡張するクレタの帝国が紀元前一七二五年にはすでに琥珀の取引を行っていたといえそうなのだ。

それからまもなく、古代の琥珀交易の陰にミノア人ありと考えた人物が私以外にもいることを知った。一九九五年当時、ドイツの科学研究機関マックス・プランク研究所の所長だったハンス・ペーター・デュアーだ。デュアーはこの年に家族を連れて、ハンブルクに近い北海の島まで休暇に向かった。中世に大嵐のため波間に沈んだという、失われた都市「ルングホルト」に興味があったのだ。

中世の街ルングホルトはかつて、ノルトフリースラントという国の一部で、一五〇〇人ほどの人口をもつ驚くほど豊かな港だという評判を得ていた。だが、低ザクセン語でいう一度目の「グローテ・マンドレンケ」、つまり「聖マルケルスの洪水」の犠牲となってしまった――この一三六二年にイングランド、デンマーク、ザクセン、オランダを襲った北海の高潮は島々を破壊し、推定で二万五〇〇〇人の命を奪った。

そしてデュアーは、ドイツの雑誌『ＧＥＯ』に語っているように、中世後期のルングホルトの地下に――下ということはさらに古い、紀元前一二〇〇年の青銅器時代の泥炭層ということだ――きわめて興味深いものを発見した。それはごくふつうの日用品だった。もっとはるかに価値の高いものを求めてきた船乗りたちが、港に残していった品々だ。
われわれが出会ったのはレバントの人工遺物、とりわけミノア製の、日常的に物を運ぶために使用される陶器だった。年代的には前一三、一四世紀だ。こうしたなかに、クレタのものである三脚の調理鍋の破片が二つあった。このことから紀元前一四〇〇年ごろには、クレタから北フリジアの海岸まで船が行き来していたと考えられる。(8)

こうした鍋が骨董品として、ずっと後世により現代的な船で運ばれてきたという可能性もある。ただデュアーがそう考えていないのは、これらの品物自体がきわめて日常的なものであるせいだ。「骨董品」とはとてもいえないふつうの調理用具だった。

われわれの見つけた鍋は、商人が運んできた交易品ではなかった。陶器は日常的に使用されるもので――船の備品の一部だったことはまずまちがいない。

発見されたなかには槍先や香なども あったが、主なものは飲んだり食べたりするための器だった。最も重要なのは、デュアーが線文字Aの刻まれた印章を見つけたことだ。

紀元前一四世紀、クレタ島から北海へ向かったミノア人は、いったい何に引きつけられたのか？

デュアーの考えでは、ミノア人の興味はまず、つぎのものにあった。「コーンウォール産の錫だ。この発見物は船が難破したことを示している」。彼はこう続けている。

もうひとつ付け加えられるのは、ブリテンから、ミケーネの人々が大好きな琥珀の産地フリジアまでは遠くないということだ。ミノア人が三三〇〇年前に船で北海まで行ったというこ とはありうる……。コーンウォール産の錫、非常に危険な北海での航海……そうした意外きわまりない主張はひとまず置いておいて、ウルブルン船の船倉の調査を続けるつもりでいる。

象牙

両端をきれいに切り落とした象牙。沈没した船の船尾で、銅インゴットのためにかなり汚れた状態で見つかった。象牙はぜいたく品として定期的に取引されていた。私もイラクリオンの博物館で、両端が炭化した象牙を見たときのことをありありと覚えている。それはクレタ島ザクロスの、紀元前一五世紀の墓から出たものだった。象はもちろんアフリカにもインドにもいるが、ウルブルン沈没船の象牙はまだどこのものとも分類されていない。しかし青銅器時代にはインドゾウの牙が地中海沿岸の広い範囲に行き渡っていたことがわかっている。トルコ南部アララハの中期青銅器時代の宮殿跡からはインドゾウの牙が五本、イスラエル北部エズレル渓谷のメギドからはさらに多くの象牙が出た。

カバの歯

個人的に、カバとその歯には少し思い入れがある。私は一九五九年に不幸なめぐり合わせで、退役するためにシンガポールから英国へ帰還する巡洋艦、HMSニューファンドランドに乗船することになった。ニューファンドランドは第二次世界大戦時の艦艇で、攻撃機や原子力潜水艦の時代には無用の長物だった。五八人もの士官が乗り組んでいたが、実際は八人もいれば十分だった。だいたいの時間、私たちは何もすることがなく、しこたま酒を飲んで時間をつぶした。

モザンビーク南部のロレンソ・マルケスに停泊し、初日の夜はポルトガル人経営のあやしげなナイトクラブで過ごした。私の好きなファド歌手のマリア・デ・ルルド・マチャドが出演していたのだ。ファドとは失恋や不実を歌う悲哀に満ちたポルトガルの歌謡曲である。きっと飲みすぎたのだろう……夜が明けて、私たちは北にあるリンポポ川のデルタ地帯へカバを撃ちにいくことにした。巡洋艦付属のモーターボートを一隻持ち出し、ラム一箱とライムを積み込んで出発した。

やがて川の浅瀬で、たくさんのカバが鼻息を荒くしているのを見つけ、その背中めがけて銃を撃ちはじめた。カバたちはいたくお気に召さなかったらしい。それどころかボートめがけて突っ込んできた。ボートが宙に舞い上がり、プロペラを空回りさせたままさかさまに回転して落ちていくのを見た記憶がある。さらに重要なことに、赤く血走った目と大きな歯をむき出して怒ったカバが、数メートル先から私をじっと見つめ、朝食にしようと狙っていた。酔いのあまり私は緑色の胆汁を吐き出し、それが油っぽい膜となって、リンポポの濁った川面をカバのほうまで広がっていった。カバはさも嫌そうに私の下へ潜り込んだかと思うと、そのまま消えた。

というわけで、カバの歯は至近距離からたっぷり見たことがあった。いや、そんなことより大事なのは、カバの歯がごく長い年月のあいだアクセサリーとして加工されてきたことだ。クノッソスではミノア文明初期（前三〇〇〇年期）の宮殿跡からカバの下顎犬歯の断片が見つかっている。つまり、遠い昔にアフリカとクレタ島のあいだで交易が行われていたということだ。

卵の殻と貝殻

ダチョウの卵のように繊細な物体が、ウルブルン船の沈没に耐えられるなどとはとても考えられないが、実際にいくつかは生き延びた。また少なくとも五つの亀の甲羅が船に残っていた。深皿の形をした甲羅は竪琴を作るのに使われた。

だがとくに興味をひかれたのは、二種類の貝殻だ。ひとつは何千何万という単位で出てきたmurex opercula（アクキガイの一種）の殻。クレタ島は、この非常に臭いの強い軟体動物から抽出される貴重な紫色の染料を取引する世界交易の中心だった。マント一枚分の染料を採るのに何千もの貝が必要になるが、ミノア人はこの実入りのいい商売のために大量に養殖を行っていた。沈没船にこの巻貝がきわめてたくさんあったことが、ミノアの船だったという考えを裏づけている。

もうひとつ興味をひかれたのは、種のわからない大形の貝殻から作られた二八個の指輪だった。どれもきれいにカットされ、研磨された状態で見つかった。大きさからして地中海産ではなく、インド洋－太平洋地域産のものだと思われる。これはすでに専門家たちの目をひきつけていた。

……ウルブルンの指輪は、紀元前一四世紀のペルシャ湾とレバント沿岸地域との交易の証拠となる。貝殻は、オウシーヤ遺跡で見られるもののように、完成品の指輪としてメソポタミアへ輸出されたか、あるいは当地で指輪に加工され、おそらくメソポタミアの瀝青を塗った象嵌で装飾されて、レバントまで輸出されたものだろう。(9)

つまり、地中海のミノア人とインド洋との交易を示すものがここにあるということだ。

銅インゴット

ウルブルンの沈没船を偶然に発見したとき、メフメト・チャキルは海綿を探していた。代わりに見つかったのはビスケットだった、とチャキルは言った——「耳の生えたビスケット」だと。ビスケットのように見えたものは、竜骨の近くにあった銅と錫のインゴットだった。錫インゴットの多くはどろどろに腐食していたものの、銅インゴットは三五〇〇年という長い年月がたってても驚くほどしっかりしていた。

インゴットの総重量は一一トンほど——銅が一〇個に、錫が一個。「牛皮型」の銅インゴットは三五四個で、小さめの丸パン型インゴットが一二一個、その破片が九個分。溶けた金属がこうした形に成型されたことを示す鋳型は見つかっていないが、融けた金属をひとつの鋳型に二度に分けて、急いで続けて流し込んだようだ——冷やすあいだに金属が収縮してひびが入っているのがその証拠になる。ほとんどのインゴットには冷えたあとでマークが刻み込まれていた——おそらく集積・売却される交易場所で彫られたのだろう。

この銅がどこからきたのかについては、侃々諤々《かんかんがくがく》の議論がある。錫のほうも同じだ。その出所がわかれば、需要を満たせるだけの銅鉱の数がないはずの地中海でどうしてこれだけ大量の青銅が利用されていたのかが説明できる。

銅インゴットの徹底した分析が、アンドレアス・ハウプトマン教授、ロバート・マディン教授、ミヒャエル・プランゲ教授の手で行われた。その内容は彼らの論文「ウルブルンの沈没船から回収された銅インゴット・錫インゴットの構造および組成について」に書かれている。(10) 結果はこうだ。

船は一〇トンの銅と一トンの錫を積んでいた。この大量の積荷はつまり、地中海地方に金属の「世界市場」があったことを表すものだ……多くのインゴットからくり抜いたコア部分は、銅特有のきわめて高い多孔率を示している。鉱滓、赤銅鉱、硫化銅などの含有物から、このインゴットが、まず原石を炉で製錬したあと、つぎの段階としてるつぼで再溶解して製作されたことがわかる。内部に冷却を示す縁があることから、複数回に分けて溶融物が注ぎ込まれたことが示されている。インゴット全体が、後期青銅器時代の溶錬炉から一度に取り出された金属であるかについては疑わしい。銅の質が低く［すなわち、製錬工程に問題がある］、鋳造前にさらに含有物を取り除く必要があったとはいえ、化学組成［つまり原料の銅］は高い純度を示している。銅そのものは精製されていない。錫インゴットの大部分は腐食がはなはだしい。だが微量元素の含有率は、鉛をのぞいて小さい。

教授たちが調べていたのは製錬の工程だった。だがその工程を検証するには、原料の分析も必要になる。その分析結果は私の興味を強くひきつけた。報告はこう続けている。

化学的観点から見れば、この銅の純度は、後期青銅器時代の旧世界に分布していた他の種類の銅と比較してきわめて高い。たとえば、ワディ・アラバの銅は鉛の割合がずっと多く（数％に及ぶ）……コーカサス地域の銅はヒ素の割合がきわめて高い（数％に及ぶ）……オマーンの銅は通常、ヒ素とニッケルが％単位で含まれる。

教授たちは、この並外れて高い純度は製錬の結果ではありえないと考えている。

……たとえば、鉛やヒ素、アンチモン、ニッケル、銀などの濃度は、製錬によってはあまり大きく変化しない……。したがってこれらのインゴットには、金属を作るために製錬された「純粋な」銅鉱石の組成が反映されていると結論づけることができる。

インゴットひとつひとつの組成表を始めとする詳細な結果は、私たちのウェブサイトで見られる。統計分析によれば、銅の純度は驚くほど高いものだ。

驚天動地とはこのことだった。それだけのレベルの純度をもつタイプの銅はただひとつ、カナダ―アメリカ国境にあるスペリオル湖から産出される銅しかない。私がそのことを知ったのは、中国人による発見を取り上げた以前の著書『1421』と『1434』の北アメリカの読者の多くが、このテーマについて書き送ってくれた情報があったからだった。ミシガン湖のキーウィノー半島からはいまでも、かつて見つかったなかで最高純度の銅が採れる。あまりに純度が高いので、ほとんど精錬しなくても銅の調理鍋ができるほどだ。北アメリカから何百万キロもの銅が――それも紀元前二〇〇〇年期に採掘され――どこかへ輸出されたと思われるが、どこへ行ったかは誰にもわからない。情報をくれた読者たちは、その銅が中国まで、中国の船で持ち帰られたのかもしれないと考えていた。

ウルブルンの船から発見された丸パン型の銅インゴットのうち、一〇個がスペリオル湖の銅でできていたなどということがどうしてありうるのか？　その一方でまた、地中海の真ん中にあるティーラ島の商人の家の廃墟から、どうしてちっぽけなアメリカのタバコシバンムシが見つかったのか？

私たちのウェブサイトには、まず最初に、ハウプトマン教授らによるウルブルン沈没船の銅インゴットの化学分析についての報告がある。そのつぎにあるのは、スペリオル湖の銅についての一三の報告の抜粋だ。そこからわかるように、スペリオル湖産の銅サンプル一三点と、沈没船のインゴット一〇点は、いずれも九九％以上の純度をもっている――この純度はウルブルン島のインゴットとスペリオル湖の銅の両方にしか見られないものだ。

その夜、この問題から離れてベッドに入る気にとてもなれず、調査を率いた考古学者による発見物の報告を読み進めた。ジェマル・プラク博士は、トルコの海洋考古学研究所の副所長で、この調査の主任でもあった。

ウルブルン船の船倉にあった品々がきわめて価値の高いものであることから、この船が難破したとき運んでいたのは王族またはエリート層の積荷だった、とプラク博士は考えている。船内に見つかった「日用品」の一部ですら、この説を裏づけるものだ。たとえば、ミノア人もその後継者のミケーネ人も、髭をきれいに剃るのが好きだった。プラク博士によれば、少なくともミケーネ人二人が船に乗り込んで、積荷の番をしていただろうという。この説の論拠の一部は、船で典型的なミケーネの青銅製カミソリが五個見つかったことにある。

そして船の母港は、現在のイスラエルの北カルメル海岸にあるカナンだったのではないか、というのがプラク博士の主張だ。その主な理由は、沈没船から見つかった二四個の石製の碇がカナンに特徴的なデザインだったこと。だがこの船の典型的なミノア的構造から、私としては、船の起源はミケーネ時代のティーラ島かクレタ島にあると考えたい。

船の積載能力は、考古学チームの計算では、少なくとも二〇トンあった。これは、一〇トンの銅と一トンの錫も含め、船から回収された物品を集計して出した数字だ。私はさらに大きな提督の旗艦の積載能力を五〇トンと見積もっていた。

私がいわゆる「アマルナ文書」の存在を知って、いたく興味をひかれたのも、プラク博士の研究のおかげだった。アマルナという名はもっと以前、クレタ島にいたときにたまたま出てきてはいた。いまはそのアマルナが、エジプト第一八王朝末期のファラオであるアクエンアテン――ネフェルティティの夫――が新しい首都として建設し、その後まもなく放棄された都市だということがわかった。いくつもの文書から、アクエンアテンの治世にはエジプトと多くの国々とで高度に発達した交易システムが存在したことがわかった。さらにまた、青銅の継続的な供給を保つことがエジプトの権力基盤にとっていかに重要だったかも示されている。

アクエンアテン（前一三五三～前一三三六年ごろ）は今日、有名な少年王ツタンカーメンの父親としてよく知られている。像の姿を見るかぎり、肉付きがよくてハンサムだ――長い顔にくっきりした大きな目鼻立ち、秀でた額。いかにも強気な性格に見える。アクエンアテンは急進的な、それが高じてエジプトの伝統的な神々への崇拝を捨ててしまったほどの王だった。新しい首都アマルナをおそろしく新しい様式で建設した。それから数千年後の一八八七年、ベドウィンの女性がただの畑と見える場所で働いていたときに、石板に記された楔形文字（古代メソポタミアの文字体系）の隠し場所を発見したのだ。

三八二枚あった石板の年代を特定するのは難しいが、そのほとんどはアマルナが放棄されるかなり前の、アクエンアテンの治世の直後に書かれたものだということだった。

翻訳家でアッシリア学者のウィリアム・モランはこう言っている。「アマルナ文書の年代を定めるのは、相対的にも絶対的にも問題が多く、その一部はどうしようもなく複雑で、いまだに決定的な解決にはいたっていない(11)」

これらの石板や断片が教えてくれるのは、王たちのあいだに存在した綿密な交易上のエチケットの体系だ。たとえばアラシヤの王が書き送ったものには、こちらからの送金が遅れたのは労働力の多くが悪疫の神によって「誅された」ためだったとある。

私がこうしてわずか五〇〇［シェケル］の銅貨を送ることについて言うならば、わが兄のご機嫌をうかがう贈り物としてです。兄よ、この額の少なさをお気にかけないでくださいますよう。わが国では多くの民が黄泉の国の神ネルガルの手にかかって誅され、銅を作る者が残っておりません……どうか銀をたくさんお送りくださいさい、そうすれば私はあなたの求めるど

んなものでも送りましょう……[12]

専門家たちの考えでは、これは交渉の駆け引きだった。この王が銅をあとで送ることができるのなら、銅作りであてにしていた人間たちがほんとうに死んでしまったとは考えにくい。つまりこの王は見本を送り、お返しに銀をアクエンアテンに求めているのだ。

世界はどんどん複雑な様相を呈しはじめていた。多面カットの、だが捉えどころのない宝石のように、多くの色彩がゆっくりとゆらめいてあるべき場所に収まろうとしている。私は次第に、ミノア人が羅針盤上のすべての方向へ航海に出ていたように思えてきた。そして自分も彼らの跡をたどっていかなくてはならないように感じた。

11　多くの名があり、多くの民がいる場所

今日の目的地はテル・エル・ダバア――ナイル川デルタ地帯の丘の上にある中王国時代の宮殿である。私たちが目指すのは、現在の街の近くにある古代の港だ。エジプト第一三王朝時代にはアバリスと呼ばれ、ヒクソスという交易民が支配する主要な交易港だった。

私の友人グループが、この調査の最初の段階につきあうと申し出てくれていた。テル・エル・ダバアを訪れてからナイル・デルタに向かい、カイロの北から紅海とナイル川を結ぶ古い運河をたどってザガジグまで、私がミノア人の交易路にちがいないとにらんでいるものを検証していく。途中でブバスティスという、「猫の女神」バステトが由来の古都にもただ楽しみのために訪れたが、古代エジプトにおけるミノアの影響や関わりを見ておきたいという隠れた目的もあった。

私はウルブルンの船で見つかった宝物の出所を頼りに、ミノア人がたどったルートを探査していこうと決めていた。まずベイルートから出発し、つぎにダマスカス、アレッポを経て、青銅器時代の世界の中心バビロンにいたるまでの、一〇万ポンドはかかる旅になるだろう。どの場所も青銅器時代の重要な交易の中枢だ。でもその前に、私が初めて恋に落ちた場所のひとつである聖なる土地エジプトをゆっくりと旅して、バーナード・ナップが書いたこの言葉の真意を探るつも

りでいた。

……エジプトのケフティウに関する記述は、あきらかにクレタ島の指導層を指している。近年になってエジプト東部デルタのテル・エル・ダバアの遺跡から出土した「ミノア様式」のフレスコ画、またイスラエルのテル・カブリのミノア様式の漆喰を塗った床からは、多様な社会的または政治的接触があったという可能性が開かれる。[13]

このカイロ北部に広がる肥沃なデルタ地帯で、エジプトの青銅器時代の遺跡をつきとめて調査するのは、ナイル流域の乾燥した南部で行うよりずっと難しいものになるだろう。何千年にもわたって、デルタ地帯はエジプトに恵みを与えてきた。この一帯は世界でも有数の豊かな農地なのだ。エジプトの農民は、ただ作物を植え、毎年起こるナイル川の氾濫が土地を潤し肥やすのを待てばいい。そこまで豊穣なだけに、当然ながら土地は容赦なく耕されてきた。だが湿潤な気候はデルタの古い都市をぼろぼろに崩れさせ、古い文明の偉大な芸術品も遠い昔に土の下に消えていた。灰は灰に還る、だ。

手始めに私たちは、クロワッサンを頬張りつつ濃厚なエジプトコーヒーを飲みながら、農民たちがロバに乗って畑仕事に出かけるのを眺めた。はるか頭上の空をガンの群れが渡っていく。どの家にもハト小屋がある。ときおりシュッシュッと音をたてて平らな土地を通り過ぎていく古い列車が、屋根からぶら下がった人間たちに黒煙を噴きつけている。

今日は市場の立つ日で、村は黒いブルカをまとって買い物の籠を頭に載せた女性たちでいっぱいだった。籠はどれもクラウディア・ローデンの美しい中東料理本の表紙のようだ——インゲン豆やキュウリ、レンズ豆、ヒヨコ豆、ナツメヤシ、オリーブにキャベツがぎっしり詰まっている。

けれども私個人がここまで来たのは、うまい食べ物のためではなく、オーストリア考古学研究所による地理学調査の結果を受けてのことだ。その調査から、およそ四五〇メートル四方の船溜まりがここの地下に埋もれていて、ナイル川のペルシウム支流につながる運河もあったことがわかった。

この地域は、聖書のなかのヤコブが一族を連れてきたとされる場所である。もっとも今現在は、周辺の農村にある倒壊し埃をかぶった二、三の廃墟しか見られない。残りは大方の遺跡と同様、現代の街の地下に完全に隠されている。だが紀元前一七八三年から前一五五〇年ごろには、この地域全体が商業活動の中心地だったはずなのだ。オーストリアの考古学チームが撮ったレーダー画像によると、青銅器時代にはここの二つの島に加えてナイル川の支流がアバリスを流れていたばかりか、かつては中期ヒクソス時代の宮殿F／IIに隣り合って第二の港があった。歴史家たちはずっとエジプトが航海民族ではないと考えてきた。もしそうなら、なぜ港があるのだろう？第三の港または乾ドックまでが、アバリスの北、ナイル川の支流そのものに面して存在するのだ。

青銅器時代のエジプトでおそらく最も有名なのは、そのめざましい建築技術と死者にまつわる周到な儀礼、とくにミイラを作る技術だろう。ごく最近まで、ナイル川の重要性はあきらかだというのに、エジプト人は船の建造の知識をほとんどもたなかったと考えられていた。ところがヒクソス時代以降、アバリスは有名な海軍基地となった。主としてトトメス三世とアメンホテプ二世によって建造され、ペルネフェルと呼ばれた時期もあった。

年代を正確に定めるのは難しい作業で、古代のこの地域を行き来した諸民族や人種、歴史的人物などのからみ合いをある程度まで分析する必要が出てくる。ヒクソス人はおそらく第一二王朝時代（中王国）末期に現れたと思われる。もともと船大工や船乗り、兵士、職人としてやってきたのだろう。アバリスが現在のドバイのように、外国から膨大な建築労働力を選抜して受け入れていたことは想像に難くない。第一二王朝時代の末にファラオたちは意図して彼らをこの地へ移住させると、港町の建設に携わらせ、おそらく船さえ造らせた。だがのちに政治力が弱まる時期がくると、労働者たちは小さくとも独立した自らの王国を築き、やがて叩き潰されることになった。クノッソスの迷宮からはヒクソスの手工品も発見されている(14)。

トトメス三世はトゥトモシスとも呼ばれ、髭のある女性の統治者ハトシェプストの継子だった。戦争好きなトトメスは、ヌビアからシリアにまで広がるエジプトの歴史上最大の帝国を築いた。ルクソールにトトメスの名宰相レクミラの墓があり、華やかな装飾に覆われたその壁には有名なフレスコ画が見られる。そこには容姿も服装もともにミノア人らしい男たちの行列が描かれている。彼らがたずさえているのは、よくいわれるところの贈り物だ。絵画の上の位置にはヒエログリフの列がある。翻訳するとこうだ。「ケフティウの族長たちと海の島々の族長たちが平和に来訪し、われらが王トゥトモシス三世陛下の威光の前に慎ましく頭を垂れる(15)」

この都市の名は、時代とともにアバリス、ピラメセス、ペルネフェルと移り変わりはしても、主要な港だったことに変わりはなく、夏の交易シーズンには大いににぎわい、たくさんの船が行きかったことだろう。そしてケフティウ、すなわちミノア人も大挙してやってきていただろう。私はこれからその痕跡を探し出そうとしているのだ。

アバリス／ペルネフェルは重要な軍事拠点となった。この都市はカナンへ向かう陸路、有名なこの道路は、「ホルスの道」の出発点だった。聖書では「ペリシテ人の道」（出エジプト記一三：一七）と呼ばれるこの道路は、軍事遠征だけでなく商業交通にも使われた。この場所はヒクソス人が追い出されたあとで一時的に放棄されたようだ。しかし第一八王朝末期にエジプト人の支配下に戻ったころには、アバリスは城壁に囲まれた三つの大宮殿を誇っていた。施設全体の規模は五・五ヘクタールほど。ここで発掘された宮殿のうち少なくとも二つ、宮殿Fと宮殿Gでは文字どおりのとてつもない発見があった。

一九六〇年代に初めてここで調査を行ったオーストリアの考古学者マンフレート・ビータク博士は、大量の不思議な壁画の破片を発見して驚いた。エジプトの絵画とはかけ離れたものだったからだ。その断片をつなぎ合わせてみると、しだいに見覚えのある作品が目の前に現れてきた。背景は美しい青色。さらに組み合わせるうちに、何人かの人間の姿ができあがってくるのに気づいた。そのひとりは跳躍していた。雄牛の背を飛び越えているのだ。考古学者は驚愕した。この絵はたしかに以前見たことがある。だがどこで？

実のところ、ビータクの見た少年――青色を背景に雄牛の背を飛び越えている、いわゆるブル・リーピング――はまさしく、アーサー・エヴァンズがほぼ一世紀前に、クノッソスで発掘したフレスコ画と完全に同じものだったのだ。ミノアの芸術家が外国の王宮で仕事をしていたという衝撃的な発見は、以来ずっと美術界にも博物館界にも大きな衝撃を与えている。そしていまの私にも。

さらに闘牛や軽業の場面がティーラではなくクレタのミノア人が好んだ硬い漆喰に描いてある絵も大量に見つかった。背景が迷路の模様になっているものもあった。闘牛のさまざまな場面、杖を持った等身大の男性の像、紋章の図柄になったグリフィンらが遺跡のいたるところに散らばった小さな石膏の破片をつなぎ合わせて再現されていた。グリフィンはミノアの典型的な意匠であるうえに、アバリスのグリフィンはクノッソスで描かれたものと同じ大きさだった。やはり興味深いのは絵に描かれた女性の姿で、クノッソスの巫女と同じように優雅な白のスカートを穿いていた。パトロンや画家がクレタから来たのかどうかを絶対確実に断定するのは不可能でも、専門家たちはそのとおりだと考えている。ここはやはりミノア人の交易基地であり、当時存在したのではないかと私がいま考えている広大な帝国の一翼を担っていたという印象が強まってきた。

現在のモダンな、数十億円規模の国際的な美術品取引について考えると、そこから浮かんでくるのは、ハイファッションやステータス、周囲の人間をうならせるような超高級な世界を作り上げようとする金満家たちのイメージだ。ミノア人の優れた芸術の技量は、青銅器時代の世界では最高級のごくまれなものだったため、大いに需要があっただろう。けれどもアバリスの色あざやかなフレスコ画は、単にファッショナブルな室内装飾の一品だったということはありえない。クレタではブル・リーピングの場面や、半ロゼットのシンボルを使うことはきびしく制限されていた。テル・エル・ダバアの絵の多くに現れる意匠は、専門家たちによると王族に限定されたものだ。そこにはスピリチュアルな含意もあったかもしれない。とくにクノッソスでは、そうした絵画は公的な建物に限定して描かれ、都市のもつ力と支配の規模を示していた。だからこの前哨基地も、同じような指揮統制の役割をもっていたはずだ。

クノッソスとエジプトの王宮とで、最高レベルでの政治交渉があったということは十二分に考えられる。

かつてのアーサー・エヴァンズの、かなり古風なエドワード朝の世界観では、クノッソスの玉座の間は男性のミノス王のために作られたものとされた。だがそれから一世紀近く、新たな発見と新たな宮殿の発掘が続けられた現在の考古学者たちは、この玉座は王ではなく女王のものだったという考えに達している。ミノアの神々は女性だったのだ。エジプトでも同じだが、統治者は地上における神々の代弁者とされた。クノッソスではその女王が二頭のグリフィンに挟まれた玉座に座っていた――これは偉大な女神にして動物の女王という役割を暗示するものだ。そしてこの二頭のグリフィンは、アバリスの宮殿Fで発見された一対のグリフィンに瓜二つだった。

エジプトでのミノア人の存在は、昔ながらの伝統的な方法、つまり婚姻によって正式に認められるという場合もあったのだろうか？　ミノア人はこの基地をもったことで、途上での交易を行うだけでなく、長い航海のための食料も仕入れられた。東への遠征用のナツメヤシや新鮮な野菜、塩漬けの魚などを東への遠征用に船に積み込むことができただろう。

周辺の集落を採掘し、陶器やスカラベの年代を同定した結果、この宮殿はトトメス三世とその

息子アメンホテプ二世の治世末期のものだとわかった。このことはトトメスの宰相の墓に描かれている場面とも一致する。これで何もかも完全につじつまが合う。エジプトとミノアとのあいだで交わされた正式な協定とは、エジプトの商人がギリシャ本土の南部と大アナトリアへ向かうための道筋を提供するものだったのだろう。それはまたエジプトに対し、現代でよくいわれる「知識移転」——ミノアの驚異的な航海術や造船技術を利用する手段の伝達——をもたらしもしただろう。

それ以外にもまだあったのではないか。私がここへ来る前に仕入れた知識では、少なくとも美術界ではたしかに、キリストが生まれる以前から美術の市場は完全に国際的なものだった。そして次第に形をとってきたのは、ミノア人が世界を移動しながら流行の発信源となっていたという構図だ。まさに現代美術家のダミアン・ハーストのように、値段のつけられない技量を備えた熟練家たちだった。なにしろティーラでは、猿やカモシカ、ライオンなどの真に迫った優美な姿を描いていたのだ。これだけ正確なのは、生きた実物を写生したからにちがいない。ミノアの芸術家たちはただ技量があっただけではない。国際的に有名な存在でもあった。

それだけに、のちに彼らの作品がこのエジプト古代宮殿の壁面だけでなく、地中海東部周辺に大きな弧を描くように広がっていることを知っても、ある意味で驚きはなかった。こうした絵が見つかったのは、現在のシリアにあるマリ、五五キロほど離れたエブラ、現在ドイツとシリアが共同で発掘している古代の王都カトナ、トルコ南部のアララハ、それにイスラエルのテル・カブリだ。古代の都市国家アララハは、アンティオキア湖の近く、オロンテス川流域に位置する。サー・レナード・ウーリーが、一九三〇年代から四〇年代にかけて発掘調査を指揮し、ここで王宮や神殿、住居、街の城壁などを発見した。いま私たちがミノア人のフレスコ画として見ているものが発見されたのは、それより少しあとのことだった。当時の考古学者たちはまだ、ミノア人の国際的な冒険やクレタ島とアナトリアとの複雑な関係についての理解を深めていなかったのだ。こうしたフレスコ画の発見は青天の霹靂といってよく、美術界を驚愕させた。これがきっかけで考古学者たちは、クレタ島の壮麗な壁画は実はアジア起源なのだと推測するようになった。ウーリーはこう主張している。

クレタがそのフレスコ画でも最良の部分を……アジア本土に負っていることは疑いを入れないだろう。われわれとしては、訓練された専門家たち、画家ギルドの……メンバーがアジアから外国へ……クレタの支配者たちの宮殿を飾るために招待されたと考えざるを得ない。(16)

ところが、そうした画家が実は優れた技量を備えたミノア人の芸術家たちで、その才能が広範囲に輸出されて遠いバビロンにまで届いていたことを示す証拠が、この地域で新たな発掘があるたびに否応なく増えてきた。テル・カブリを発掘したチームは、ティーラの「西の館」にある美しい細密画のフレスコ画をほぼ忠実に再現したフレスコ画の断片を見つけている(17)。

古代シュメールの都市マリで発見された文書記録からは、紀元前一七七五年から前一七六一年までの時期に存命だったジムリ・リム王が、ミノアの絵画をきわめて珍重し、自身の威光を示すための贈り物として他の支配者たちに与えていたことがわかっている。当時の重要な都市ウガリット（現在のラス・シャムラ）に残る詩文が示すところでは、ミノア人はただ外国の宮殿の壁を飾っただけではなかった。彼らは国際的な名声を得た建築家で、顧客たちの建物も建設していたのだ。

私がエジプトへ向かう前に、ニューヨークのメトロポリタン美術館で「バビロンを越えて」という展覧会が開催されていた。そのすばらしい図録の執筆陣は、この展覧会のために特別に集められたそうそうたる専門家たちだった(18)。

彼らの考えでは、テル・エル・ダバアでの発見はエジプトとクレタ島の特別な関係を証明するものだという。ジョーン・アルスは図録にこう書いている。

地中海沿岸の地域で、まぎれもなくエーゲ海のものであるフレスコ画が発見されたという驚くべき事実は、前二〇〇〇年期における文化交流の構図を劇的に明瞭化した……外国の王宮にミノアの芸術家がいたという証拠は、地中海東部世界における文化的相互関係についての私たちの見方を一変させた。

「バビロンを越えて」展も、大英博物館にある「パピルスBM10056」という文書を引用している。この文書にはエジプトの港にクレタ人の船が停泊していたこと、そして「ペルネフェル」という地名が書かれていた。アバリス／ペルネフェルの宮殿の複合施設にはあきらかに、相当な歴史があったということだ。テル・エル・ダバアは一時期、聖書の人物モーセが住んでいただけでなく、ファラオの夏の別荘だった可能性もある。要するに、紀元前一四四六年ごろの出エジプト以前には、世界でも最高に刺激に満ちた都市だったのだ。本当の意味で国際的な人種のるつぼであり、世界のリーダーたちが会合に集まる場所でもあった。ニューヨーク大学のエジプト美術・考古学教授のデヴィッド・オコナーは、図録にこう記している。

通常の解釈では、こうした船はトトメス三世の時代にのみ言及され、クレタ型であるか、またはクレタまで航海していたものだとされる。しかし論理的に見てより妥当なのは、ミノア船が実際にペルネフェルで係留され、修理が行われていたという仮定だ。もしテル・エル・ダバアに、ペルネフェルのようなミノアの宮殿と同じ壁画があったとしたら、エジプトがミノアの制海権との特別な関係を育むことで、近東での軍事計画のために海軍力を増強しようとしたのだと考えられる。

もし宮殿Fがほんとうに、ファラオ時代のエジプトという地球上で最も強力な国家の心臓部の真ん中に置かれたミノアの政治拠点だったとすれば、ミノアの大交易帝国が存在した——始まりはこのきわめて特別な戦略的関係からだった——という私の主張はどんどん強固になっていく。修理施設や食料や水を備えたアバリスはたしかに、つぎの航海のための理想的な前進基地となっていたのだ。では——ミノア人はいったい世界のどこまで到達していたのか？

12　砂漠のなかの船

友人たちはあと数日で帰国便に乗る。私はひとりでマリへ向かう予定だった。やがて私がまだエジプトにいるあいだに、すでにロンドンへ戻っていたマーセラから電話があった。思いがけない幸運から、マーセラは『USAトゥデイ』に載った私の探索に光を投げかけるレポートを見つけていた。同紙の科学記者ダン・ヴェルガノによる、砂漠で新たな発見があったという記事だ。マーセラがその内容を読み上げてくれた。

考古学者たちは総じて、自分たちの専門分野のインディ・ジョーンズ的側面、つまり大胆さや予期せぬ発見に満ちた部分を軽視しがちだ。ところがごくまれに、驚くべき発見があってごくごく経験豊富な研究者すら目をみはることがある……まさしくそうした出来事が、ボストン大学のキャスリン・バードがエジプトの砂漠の片隅にある砂岩の穴に手を差し込んだときに起こったのだ……イタリア人とアメリカ人からなるバードの研究チームはいま、そうした洞窟にこれまで発見されたなかで最古の船舶用品が眠っていたことを知った。完全に保存された木材やロープその他の備品類は四〇〇〇年前のものと見られる。(19)

二〇〇五年一二月、バードは高温や砂漠に巣食う毒蛇にもめげずに、紅海沿岸のワディ・ガワシスという地域である隠し部屋を発見した。洞窟のずっと奥を調べていたとき、バードの指がかすかな空気の流れを感じとった。そこになんらかの部屋があり、発見されるのを待っているのだと調査チームは判断した。のちにイタリア人の同僚キアラ・ザッツァーロが落ちた石くれを取り除くと、洞窟の奥にある二つめの洞窟が現れた。洞窟はあきらかに手掘りで作られていた。調査チームがこの干上がった古代の水路で見つけたものは、隠された秘密の造船所だったのだ。

インディ・ジョーンズとの関連はともかく、これはまさにとてつもない瞬間だった。もともと注意深く保存されていた儀式用の遺跡ではなく、産業遺跡、つまり一般のエジプト人が働いていたはずの場所が発見されることはごく珍しい。しかもこんなふうにたくさんの作業用品がおそらく四〇〇〇年以上もしっかりした状態で残っている遺跡が見つかるのは、エジプトではまったく前例のないことだ。驚いたチームがつぎつぎ洞窟を開けていくと、巻きそろえられたおそろしく古いロープ、船の部品、水差し、木皿、日常用のリネンなどが見つかった。どれもごく実用的な、古代エジプトの航海の様子を生き生きと描き出す品ばかりだった。これまでに研究チームが発見したのは、八つの洞窟からなる複合施設で、それぞれの部屋に詰まっていた四〇〇〇年以上前の人工遺物は、エジプト人が高度な船舶技術をマスターしていたことを示すものだった。何十もの海洋遺物があった。石灰岩の碇、結び目のあるロープが八〇巻き、船の木材、湾曲した杉の板が二本――これは長さ二一メートルの船の舵取り用オールだと思われる。

バードと同僚たちは現在、このワディの衛星画像を調べたところ、ファラオ時代の港とされる場所の下にも斜路やドックといった別の古い構造物があるかもしれないので、さらに調査の要ありと考えている。

この港を造ったときのエジプトは、ほぼまちがいなく、有名なプント国の富を活用するのが目的だったのだろう。この伝説的な土地の実際の場所がどこだったのかは不明だが、バードは現在のスーダンにあったのではないかと考えている。ファラオたちは組織的で秩序立っていて、長期的な視野があった。こうした遠征はおそらくよくあることではなくても、大きな威信をかけた機会だったはずだ。エジプトの記録では、プントは Ta netjer すなわち「神々の国」と記されている。よほどこの土地を高く見ていたにちがいない。いまの私たちにわかるのは、謎のプント国が数々の貴重でぜいたくな品々、たとえば野生動物や香水、アフリカンブラックウッド、黒檀、象牙、奴隷、黄金などで名高かったことだけだ。あるいはアフリカの角と呼ばれる、現在のソマリアかエチオピアあたりだったのかもしれない。だがどこであろうとそこは、さらに広大なアフリカの途方もなく魅力的な天然の富への入り口だった。

古代エジプトで最も名高い遠征とされるプントへの航海は、非凡なエジプト女王ハトシェプスト個人が行ったことがわかっている。ハトシェプストは華々しいエジプト史において唯一の女性統治者というのではないが、髭があるように描かれている唯一の女性なのはまちがいない。ハトシェプストは船団を組織して紅海を航行させ、ヌビアの黄金と交換した埋葬用の品をカルナックへ持ち帰らせた。ハトシェプストの五隻の船によるプントへの航海の詳細は、10章で触れたデイル・エル・バフリにある女王の葬祭殿を飾るレリーフで語られている。こういった航海は巨大規模のロジスティクスを要する事業で、船員のほかに書記や操舵手、荷運びの動物、作業員、船大工なども必要になる。ここは女王の片道分の航海の準備場所だったのかもしれない。それでも今回のワディ・ガワシスでの発見は、冒険心あふれるハトシェプストも決して、神の国の富に初めて狙いを定めたエジプトの支配者ではなかったことを示している。

考古学者たちの考えによると、ワディ・ガワシスの港はエジプト人たちに何世紀ものあいだ使われていたのではないかという――おそらく古王国時代（前二六八六～前二一二五年）から前一五〇〇年ごろまでだろう。彼らは洞窟のうちひとつの入り口を仕切っているくぼみに石灰岩の銘板を見つけた。その多くは解読不能だったが、ひとつの銘板にはあきらかに、初期に少なくとも二回行われた――一回はプントへの、もう一回はプントを経由しての――遠征について記されていた。派遣したのは第一二王朝のアメンエムハト三世（在位は前一八六〇～前一八一四年）で、遠征隊を率いたのはネブスとアメンホテプという名の二人の兄弟だった。またこの場所で発見された別の銘板は、兄弟が乗り出していった海を「大いなる緑」とロマンティックに表現していた。

船は長さ二一メートルにも及び、オールと帆を併用するタイプだったと見られる。船の建造に用いられる杉材は、予想どおりというか、レバノンで伐採され寝かされたあと、エジプトまで運ばれた。そしてナイル川流域の、現在のキフトに近い港で船に組み立てられたあと、いったんばらばらにされ、ロバの背の上で一〇日間揺られて砂漠を越え、ワディ・ガワシスで組み立てなおされた可能性が高い。ワディ・ガワシスは当時は礁湖のほとりにあったが、いまは沈泥の底に埋もれて久しい。海洋研究開発研究所は現在、〝メルサ／ワディ・ガワシスへの探検〟に航海の専門家たちが加わるよう支援を行っている。

この謎めいた洞窟が目の前に開けたときは、考古学者たちにはさぞ格別な瞬間だっただろう。そこにはきれいに巻かれた結び目のあるロープが、三八〇〇年以上前の几帳面な船乗りたちが残したままの姿で待っていたのだ。調査チームはさらに別の貯蔵部屋で、四〇個の大きな空の木箱を見つけた――異国の品々を詰めるための荷箱だった。そのうちの二つには色のついた銘が、まるで宣伝用のコピーのように刻んであった――「プントの驚異」と。

13　古代世界と新世界

考えるだにとんでもないことだが、いま私には確信が生まれていた。青銅器時代は薄闇に閉ざされた、狩猟や捕獲やちょっとした農耕以外何もない暗い時代、というどころの話ではなかった。私が見つけたのは、華やかな国際間移動を続けるエリートたちの世界だった。きらびやかな芸術の世界に、金属やぜいたく品の洗練された世界市場だ。アバリスは思いがけない啓示となった。エジプト人はまちがいなく自国の海岸から海へ乗り出していた。そしてその船では、現代のリース契約に似た形で、クレタ島からの賓客が船長や乗組員を務めていたのではないか。ミノア人とその航海の技術はエジプトで高く評価され、現地に前哨基地を置いてよいという特別な許可を得た。芸術やデザイン、冶金にも目をみはる技術をもった「ケフティウ」は、この国際社会のまさに中心的な位置を占めていたのだ。

最後にもうひとつだけ、エジプトにいるうちに自分なりに納得できるよう解いておかねばならない謎があった。あの細かくささいな点――あれからずっと私を悩ませ、私をティーラの壁に引き戻しつづけている、ちっぽけなアメリカのタバコシバンムシのことだ。

一九九二年に著名な病理学者スヴェトラーナ・バラバノワ博士が、ある実験を行った。エジプトのミイラ九体から毛髪、骨、軟組織を採取したあと、ドイツの科学雑誌『ナトゥールヴィッセンシャフテン』に掲載した一ページの論文で驚くべき発見を報告した。すべてのミイラにコカインとハシッシュが使用されていたのだ。さらに八体からはニコチンの使用も認められた。

バラバノワ博士の報告はたちまち集中砲火を浴びた。三〇〇〇年近く前のミイラの内部で発見された物質のうち二つは、アメリカ原産の植物に由来するものだったためだ。コカインはErythroxylon cocaから、ニコチンはNicotiana tabacumから抽出される。ニコチンが含まれる植物のたばこはアメリカ原産なのだ。アメリカとエジプトのあいだで大西洋を越えた接触があった――それもコロンブス以前どころか、キリストの誕生よりも前に――などというのはあまりにばかげた話ではないか。だから実際の科学的調査による知見は無視していい、と専門家たちはみなした。

バラバノワのチームは自らの主張を貫き通した。博士はこう言っている。「……この結果はまったく新しい研究分野を切り開くものだ。過去の人類の生活様式のある側面を、基本的な生物学的復元をはるかに超えた次元で解明してみせている……」

バラバノワ博士は一九九二年以来、古代エジプトのミイラを何体も調べてきた。ニコチンはいたるところから検出された――たとえば、マンチェスター博物館収蔵の三つの検体からも、カイロ近くの遺跡から直接採取した一四の検体からも。

病理学者による調査結果が示しているのは、アメリカ原産のたばこが古代エジプトで当然のように吸われていたということだ。だとすれば、いったい誰が持ち込んだのか？

私はクレタ島のある特殊な墓のことをよく覚えている。アヤ・トリアダの石棺と呼ばれている、後期青銅器時代の小さな石灰岩の棺。その石棺とクレタ島の他の石棺とのちがいは、それ自体が物語を語っている点だ。石棺を飾る石膏の上に描かれた、魅力的なストーリーの場面の数々。フリーズにあるのは何かの神聖な儀式だ。興味深いことに、クレタ島の他の地域での発掘では、同様の絵が描かれた石棺は見つかっていない。喜びにあふれ生を謳歌するミノア人は通常、フレスコ画は死者のためではなく、生きている者の楽しみとして描いていたようだ。だとするとこれは、遠く旅をしてきて、他の場所の――とくに墓を描く伝統のあるエジプトの――習慣を知っている人物の墓なのではないか。

この難題は美術史家たちを大いに悩ませるものだ。墓には、墓所へ運ばれていこうとする人物の姿がごく明瞭に描かれている。そして運ばれながら、複雑なパイプのようなものをくわえている（これを楽器と解釈する向きもあるが、私はありえないという気がする）。少なくとも私にはどう見ても、この人物がおそらく儀式の一部として、あるいはこちらのほうが可能性が高そうだが、自分が患った病の痛みをやわらげるために、たばこか薬物を吸っているように思える。

これは私の実り多いエジプト探検の、なかなか楽しいささやかな幕切れだと感じた。スヴェトラーナ・バラバノワ博士は高貴な生まれのエジプト人たちがアメリカ産のたばこを好んでいたことを証明した。ティーラの埋もれた街の遺跡で見つかったタバコシバンムシは、ミノア人がエジプトにたばこをもたらしていたことを示す強力な証左となる。そのせいかミノア人はエジプトで特別な地位を与えられた。そうしたなかにはおそらく、人生の大半を異国の地で過ごし、現地の習慣を取り入れ、現地の衣服を着て、おおむね「土着化」した者たちもいただろう。アヤ・トリアダの石棺に描かれた人物には、それはエジプト人特有の麻薬を吸うという習慣を取り入れ、最後はクレタ島に帰って死ぬということを意味していたのかもしれない。

　アヤ・トリアダの石棺は最近になって推定年代が改められ、紀元前一三七〇年から前一三二〇年ごろ、つまりエジプト第一八王朝の終わりごろのものとされた。

14 豊かな異国の地

私はいまマリへ向かっている。ユーフラテス川西岸の、かつてきわめて重要だった交易都市。地中海の東部沿岸をつぎつぎ訪れ、この地域でのミノア人の影響力をさらに物語る証拠を――交易品や壺、あるいは麻薬なども含めて――探そうとしているのだ。マリは現在、シリアとの国境のテル・ハリリというごくふつうの街になっている。かつてここにはジムリ・リム王の魅力的な首都があった。この古代シュメールの都市はやがて、都市国家バビロニアの王ハンムラビに滅ぼされることになる。

マリの街は豊かだった。バビロン、エブラ、アレッポのあいだに位置し、東西を結ぶ主要な交易ルートを支配した。そしてシリア－メソポタミア間をユーフラテス川に沿って行き来する商品すべてから税を取りたてた。古アッシリアの商人たちは大切なロバの隊商を守るために、地元の統治者に税金を払っていた。その見返りとして統治者は、彼らが道中で賊に襲われないように取り計らう必要があり、それができなかった場合は商人たちにいくらかの補償を行った。マリはまた、北メソポタミアから南シリアへ向けて砂漠を横断する陸路の要衝でもあった。

ハンムラビの攻撃を受けたあと、ジムリ・リムは記録から消えた。おそらく殺されたのだろう。

何世紀もたつうちに、マリの街の存在はすっかり忘れ去られ、ジムリ・リムの豊かで壮大な宮殿も跡形もなくなってしまった。

それでも紀元前二〇〇〇年期の初めには、マリの壮麗さはメソポタミア全土に響き渡っていた。自分でここまで足を運び、マリの玉座の間を描いた絵を見てみると、実際にクレタ島のフレスコ画と――祭司が牛を生贄にするために曳いていく場面も含め――きわめてよく似ている。

メソポタミアの失われた都市は、ユーフラテス川西岸のテル・ハリリで首のない大きな像が出土したことで、ようやく日の目を見た。マリの初期の発掘を担ったフランス人考古学者アンドレ・パロットは、まず最初に大量の雪花石膏《アラバスター》の彫像を掘り出した。パロットは、自分がこの土地から掘り出しているものにはクレタ島との強い結びつきがあるという確信をもっていた。とくに自ら発見した、石に似せて描かれた絵と、クノッソスから出た玉座の間のディドー（壁の下部の修飾）に描かれている絵を比較してみた。これは世界で初めてのだまし絵の技法の例ではないだろうか。[20]フレスコ画の原画の多くは現在パリのルーブル美術館にあるが、ジムリ・リムの二・五ヘクタール、部屋数二六〇に及ぶ宮殿のうち、「椰子の王宮」の南面全体がシリアのデリゾール博物館に復元されていて、じつに見応えがある。[21]

マリの書庫にあった書簡を見れば、国際的な謀略や外交が行われていた実例が数限りなく出てくる。外交官に工作員やスパイたちが青銅器時代の各地を広く飛び回っていたのだ。とりあえず私は、ジムリ・リム王の足跡をたどり、この時代を王室外交官の視点から眺めてみようと決めていた。王は外交を非常に重視し、八人いた娘をできるだけ多く各地の支配者と結婚させることで、影響力のネットワークを確保しようとした。また一九三〇年代に発見され、フランスの考古学者たちが翻訳したマリの公的な記録には、中東の外交使節団に関する――少なくとも青銅器時代に派遣されたものとしては――世界で唯一の詳細な歴史的記述が見られる。

ジムリ・リムの目覚ましい旅の記録は、交易がいかに当時の芸術と科学の振興に重要な役割を果たしたかを物語るものだ。この人好きのする享楽家は四〇〇〇人以上の配下を引き連れ、贈り物や錫のインゴットを入れた金庫をたずさえて六カ月間も旅をした。記録には、王がミノアの美術品や陶器の熱心な収家だったことが示されている。出発から三カ月後、ジムリ・リムはミノアの影響の色濃い地中海沿岸のウガリットに到着し、一カ月間滞在して、地元の踊り子たちと親交を深めた――現代のサウジの王子がベイルートでやっていることと大差がない！

私はこの王の進んだ跡をたどり、マリで見つかった遺物を追って、収蔵先のアレッポやダマスカスの博物館にも行くつもりでいる。

ジムリ・リムの旅はマリ暦の一二月初め、おそらく現代でいう四月中旬に始まった。王はユーフラテス川を北上しながら、現地の統治者たちに贈り物を配った。錫は最も需要の高い商品だった。

私の旅の予定は一週間ほどしかないが、四〇〇〇年近く前のジムリ・リムの時代と同じ光景（踊り子をのぞけば……）を見られるのではと期待できる。道中ではその青銅器時代の世界についてのジャック・M・サッソンの記述を読み返した[22]。

「グローバル」や「多文化」は、西暦二〇〇〇年期を終えたばかりの現代社会でよく使われる決まり文句だ。ところが驚いたことに、紀元前二〇〇〇年期にも、それ以前の数千年にわたる大きな発展の上にそうした概念が成り立っていた——ここから都市の誕生、文字の発明が起こった。拡大する社会エリート層は青銅器を必要とし、遠い国からの希少なぜいたく品を求めた。こうした需要が外国との活発な交流の時代を生み出し、ガラスの発明や移動手段の革命といった新たな技術上のブレイクスルーをもたらしたのだ。

このグローバルな文化は驚異的だった。サッソンの研究は、王たちが並外れて美しく精巧な品々を贈り合っていた世界をあらわにしてみせる——ライオンや子牛の形の塩入れ、黄金の鷲やラピスラズリを象嵌した馬型の酒瓶、さらにはウルブルンの沈没船にあったような英雄のための黄金のカリスを。

マリの公式記録には、商人の生活がいかに豊かで洗練されたものだったかが表れている。基本的な物品、たとえば家畜や穀物、油、ワイン、羊毛、皮革、木材、葦、貴石、金属のほか、クレタの船の模型、砂漠のトリュフ、熊や象や山猫などの希少な野生動物といった珍品も取引されていたのだ。また文明の発展において重要なのは、地中海東部とメソポタミアの国々が知的なアイデア、つまり哲学や科学、宗教などの観念を交換し合ったことである。

こうした文化的な環境では、貴重で専門的な技量をもった人たち——天文家や医者、翻訳家、体操選手、料理人、お針子などが自由にいろいろな場所へ移動できた。旅する芸術家はとくに大事にされた。音楽家もカトナやアレッポ、カルケミシュからやってきた。

モルディブ産のコヤスガイが通貨として使われていた。モルディブはインド洋のずっと遠くにある島なのに、その貝殻がどうやってマリまで来たのか？　アフガニスタン産のラピスラズリやインド産のトルコ石、翡翠《ひすい》輝石、紅玉髄《ぎょくずい》、水晶で装身具が作られた。紀元前二六八〇年にはレバノンから杉が、インドの川からはガラスビーズが何千何万と輸入されていた。マリから出た宝物でおそらく最も有名なものは、現在ルーブル美術館にある堂々とした青銅のライオンだ。

何よりもミノア人が推進したのは、国際的開発のプロセスだった――彼らは船をもっていて、猛ペースで発展する青銅器文明になくてはならない原材料をもたらした――銅と錫を。

メソポタミアを横断する旅には、ほとんどの場合、河川が使われた。ジムリ・リムの時代のユーフラテス川は、船やはしけや筏が、おそらくいま以上の数で行きかっていただろう。レバントの都市では、いろいろなプログラムが目白押しのコンサートが開かれた――火噴き男や剣呑み男、曲芸師にレスラー、軽業師たちが観衆の前でパフォーマンスをした。俳優たちも仮面をつけて芝居をしてみせた。新しいアイデアや発明品がこの重要な幹線を行き来していたのだ。私もこの旅をじっくり楽しんだ。

つぎに立ち寄るのはベイルートだ。一九七〇～八〇年代の内戦前、私の知るベイルートは、杉の木に覆われた山々に囲まれた魅惑的な街だった。そしてサウジアラビアの実業家たちがよく羽根を伸ばしにきていた場所でもあった。豪華なカジノでギャンブルに興じ、崖道沿いに並んだ華やかなレストランでハト料理を食べ、気に入った地元の踊り子を一晩指名することもできた。同じ一日のうちに穏やかな海での水上スキー、雪山でのスキーができた。

だが悲しいことに、今日のベイルートは一部が破壊されたままだ。かつての幸せな記憶はもうない。あまり急いで街から遠ざかるのが惜しかったので、ミニバスの運転手と掛け合い、山越えでダマスカスまで送ってもらうことにした。料金は夕方には半額になることが多い。この場合、運転手はベカーの渓谷で穫れた野菜をバンに積み込み、夜明けまでにベイルートまで戻ってきて市場で売ることができる。

そういえばミノア人も、レバノン人と同じく交易の達人だった。私もこのやり方について考えてみた――ある場所へ向かうのに、行きは人間を乗せていき、帰りは何か別のものを持ってくることで、儲けを最大にする。ミノア人も同じことをしたのかもしれない。

シリアとの国境で、ミニバスの運転手アフマドは、シリアの税関職員の前に私たちのパスポートを突き出した。太っちょで元気にあふれ、興奮気味のアフマドは、ずっと食べつづけていた。服のポケットが何かの種で膨らんでいて、それをかじっている。

このミニバスにはどこかおかしな感じがあった。そのせいだろうか、税関の係官の態度はあまり協力的でない。アフマドがシリア・ポンド札の束を取り出すと、係官はいっさい表情を変えることなく、礼も言わず領収書も出さずにふところに収める。これでなんとか出発できる。人気のないあたりまで来ると、アフマドはバンを止め、スペアタイヤ入れに隠していた八個の黒いビニール袋を取り出す。中身が麻薬でなければいいのだが。何もないのなら、すんなり通れたはずだ。

ダマスカスは世界最古の都市を名乗っている――この称号をめぐる争いに加わるのは、サマルカンド、ブハラ、アレッポ、カイロなどだ。一一月下旬から三月上旬にかけて、バラダ川に運ばれてきた雨水が平たい土地まで届き、「グータ」という広大で豊かなオアシスをつくりだす。この街は良い気候、肥沃な土壌、豊富な水に恵まれていただけでなく、古代の交易ルートの交差点にあった（地図4を参照）。ひとつがエジプトから北上し、ダマスカスを通ってメソポタミアにいたるルート。それとは反対の方角、東から来る商人は、インドからユーフラテス川河口に上陸し、川をさかのぼってメソポタミアを通り、肥沃な大地を南下して山を越え、エジプトにいたる。私はあちこちの博物館を回って、五〇〇〇年前の交易と文明の一端を知るつもりでいた。

ダマスカスは何千年もの昔から、優秀な工芸家や木の象嵌細工師――紫檀やクルミ、アプリコットに真珠をはめ込む――美しい女性、貴重なダマスクで有名だった。ダマスカス博物館にはおそらく世界で最も豪華な、五〇〇〇年以上も前のメソポタミア美術のコレクションが収蔵されているのだが、実際に行ってみるとがっかりした。有益な情報はほとんど得られず、調査の展望も開けなかったのだ。少しだけあったガイドブックは、神経を疑いたくなるほどのへつらいぶりだった。ある冒頭の文はこうだ。「アサド大統領に捧げる。偽史訂正主義を掲げるその進軍は、胸のすく刺激である」！

個人的に興味深いものはいろいろ見つかったものの、アレッポの青銅器の遺物に関してはもっと正確な情報を得たかった。バスターミナルまで行くと、私を待ち受けてでもいたようにシリア人の少女が寄ってきた。「ここに座ってて――切符を買ってきてあげる」。少女は私の金を取ってミニバスとつぎつぎに掛け合い、二〇〇シリア・ポンドでアレッポまで行くというバスを見つけると、お釣りを自分のポケットに突っ込む。ほどなく私は、快適なメルセデス403で北東へ向かっていく。道路は地形の境目の上を走っている。西側は山地と海、東側はバラダ川の水でうるおされる緑豊かな平原だ。

ダマスカスから七時間後、バスはアレッポの中心街に着き、バロン通りの向かいに止まる。日が暮れるまでまだ四時間ある——市場《スーク》を訪れるのにちょうど間に合う。バロンズ・ホテルに荷物を放り出し、急いで市場へ。やたら広いその空間を行けば、現在でも最後には銅の市場にいたる。なんと格別な経験だろう——五〇〇〇年前からほぼ何も変わっていない。大きな石のアーチに覆われた道がおよそ三〇キロも続いている。まず最初に肉屋の露店が並び、売り物は羊の睾丸（一個九〇ペンスほど）ばかりで他は何もない。睾丸はばかでかく、一個がオレンジをつぶしたくらいの大きさだ。どの肉屋も動物のいろいろな部位を専門に扱っているのに気づいた。最初に膵臓、つぎに肝臓……そのあとに固まった店は蹄や尻尾を売っている。もう一キロ半も歩いたのに、見たのは羊の体だけだ！　私はこの場所をたっぷり四時間も探検した。露店や屋台の列は八〇キロは続いているにちがいない。このまとまった商業地区は「カーン」と呼ばれる。カーン・アル・ナハシン（銅細工師のカーン）にはアレッポで最古の、いまでも人の住む家があって、四世紀前とほぼ同じように保たれている。かつてこの家に住んでいたのは、アドルフ・ポッシュというベネツィア人とベルギー人の血を引く人物だった。ポッシュはこの家で生まれ、一九三七年に在シリア・ベルギー領事となった。アレッポならさもありなん、と思う。何千年ものあいだ、世界で最も重要な交易都市のひとつだったのだから。地中海からわずか数百キロしか離れていないこの古都は、人類が知る最も古い二つの陸上の交易ルートが交わる場所なのだ。

　バロンズ・ホテルは一九〇九年、バロン氏がカモ猟のあとでくつろぐロッジとして造られた。以来ほとんど何も、おそらく寝具すら変更されていない。このホテルに泊まるのはすばらしい経験だ。ちょっとあやしげなバーのなかは、一九七〇年代のハイスツールもあるが、他はすべて四〇年代風のものばかり。かすかに変色したポスターが、オリエント急行のアレッポ開通を祝している。バーカウンターの上に掲げられているのはアラビアのロレンスの請求書――額はとてつもなく高い、七二・〇九ポンド。バーの客は若いフランス人考古学者の女性と私しかいない。

　ミステリー作家のアガサ・クリスティは、考古学者の夫マローワン教授とともにこのホテルに数カ月滞在した。マローワン教授はホテルに手書きの地図を残していった。アレッポの東に向かって延びているその地図は、ユーフラテス川の中・上流域にある多数の不思議な遺跡群を示すものだった。五〇〇〇年前の遺跡が五〇から一〇〇カ所あるのだ。青銅器時代が始まったばかりの時期には、この地域は世界で最も人口が多かった。

　朝食をとるのは夜明けごろ。フランス人考古学者は黒っぽい髪にやつれた顔の若い女性で、ゆで卵とチーズを私に回してくれるが、話しかけてこないようにと念を押す。

　やがて私たちはミニバンに乗り込み、昇ってくる朝日に向かって出発する。土地はパンケーキのように平らで、ゆらめく地平線はどこまでも果てしがない。アレッポの外れまで来ると、熟したイチジクとアプリコットが見える。さらに行くとポプラの森になり、やがてどこまでも豊かな耕作地が広がる。耕された赤土、青々とした稲や秋まき大麦の細い葉、綿花の収穫がすべて終わったあとの濃い黄土色の刈り株。

　農家のそばには花を穫ったあとの綿の茎が、冬場の焚き付けにするために高く積まれている。尻尾のふくらんだ羊と黒い細身の七面鳥の群が畑をあさっている。どの家にもハト小屋がある。空高く舞い上がったカモの群が南へ渡っていく。いまはカモ撃ち猟の人間はいない。アレッポについてはまだまだ探せば出てくるだろうが、ひとまずは博物館で見つけたもので満足しておこう。マックス・マローワンが発見したマリについての楔形文字の粘土板もそのひとつだ。道路脇に山と積み上げられたマルメロやスイカが点々と見える。

15　高慢なニネベ

バビロニアの中心だったニネベはそこから一日足らずの行程で、ベイルートに戻る前に最後に訪れるつもりでいた。ミノア人の跡を追って再びここまで来たのは、この大都市がかつては世界の知識の中心地だったからだ。ミノア人が天体についての理解を神聖なレベルにいたるまで追求できたのもこの場所だった。今回私は、ある「聖なる兆し」の跡をたどろうとしていた。古バビロニア時代（前一九五〇～前一六五一年）にバビロニアのまっとうな神官が書き残した兆しである。これは何世代もかけて苦労して集めた情報を、粘土板に書きとめたものだったのだろう。

古代の墳墓と廃墟は、現在のイラクの街モスル近郊、ティグリス川とホスル川の交わる地点にある。聖書のヨナ書で「並々ならぬ大きな都市」と呼ばれている街は、古代アッシリアのティグリス川の東岸にあった。いまでは墳墓と壊れた城壁がどこまでも続く場所で、ところどころで現代の騒々しい郊外地区と重なってもいる。

かつてのニネベは穏やかで落ち着いた空気に包まれ、いまでいうオックスフォードやサラマンカ、ボローニャなどの大学都市のようだったにちがいない。だがここに、現在のイラクの砂漠に残るのは、瓦礫とむき出しの土の山ばかりだ。ふと、聖書のなかの「高慢なニネベ」に対する預言を思い出した。「主は手を北に差し伸べ、アッシリアを滅ぼし、ニネベを荒れ果てた地とし、荒野のようにし、砂漠とする」[23]。まさにそのとおりのことが起きたようだ。

だが、アッシリアの偉大な王アッシュルバニパルが宮殿を構え、世界的に有名な図書館を建設したのもこのニネベだった。彼の統治下でアッシリア王国は、西はガザ地区、北はアルメニア（黒海の方向）、東はカスピ海、南はペルシャ湾にまで版図を広げた。

アッシュルバニパルが君臨した時期は、ミノアの時代よりもずっとあとの紀元前七世紀だ。このアッシリアの天才が生まれる基盤には、きわめて強大な軍事力、民衆への容赦ない規律の強制、征服した人々への極端に残虐な処遇などがあった。アッシリアがバビロニアを占領したのは紀元前八世紀のことである。それでもこの接触は少なくとも教化をもたらすものだったらしく、アッシリア人が自ら学ぼうとするきっかけになった。アッシュルバニパルは統治者として、最終的に不可能なことを可能にした。メソポタミアの二つの伝統――戦争と言葉――をひとつの文化の内に統合したのだ。私にとってアッシュルバニパルのもつ意義は、先見の明をもって古い天文学や科学のテキストをまとめて収集したことにある。これは神聖な知識だった。すべて王が命じて、バビロン、ウルク、ニップールといった古代都市をはじめ、メソポタミア全土から集めさせたものだ。アッシュルバニパルのコレクションはシュメール人の業績から始まっているが、私たち現代人の文化は、一二時間と六時間という時間の区切りを始めとして、その多くをシュメールに負っている。アレキサンダー大王がアケメネス朝のダレイオス三世に勝ってメソポタミアを征服した時点でも、アッシュルバニパルの図書館は利用されていた。

発掘されたときの図書館は、暴力にさらされた過去を鮮明に描き出していた。そこには聖書に描かれたあの大洪水の物語もあった。アッシュルバニパルのコレクションは、人類が有史以来ずっと天体に取り憑かれていたことを証明するものでもある。四季が人々の生活を支配していた。農民たちは夜明け時にどの星座が昇りどの星座が沈んでいるかを見て、いつ、どんな作業をしなくてはならないかを判断していた。神秘と驚異に満ちていたあの時代には、空をめぐる天体の動きは神々の戦いさながらに思えたにちがいない。星座は奇跡のような存在とみられていたのだ。実際に、現在でも驚異の念をかきたてている。ホメロスの英雄オデュッセウスが、星々に導かれてゆっくり帰港していった数千年あとにも。

星座を見つめる彼のまぶたに、眠りは落ちてこなかった――
プレアデス、遅れて昇ってくる牛飼い、
ウェインと呼ばれ、いつもひとところを回っている大熊、
その大熊にずっと見守られているオリオン――海に浸かることのない唯一の星。
美しい女神カリプソは彼に告げた、
この星をいつも左手に見て海を渡っていくようにと。(24)

私がここまで来たのには、ひとつの問題があったからだ。ミノアの船が大西洋を横断できたという私の説は、あるものに大きく依拠していた――航海術である。

海の上で緯度を求めるのは、そう難しくはない。ひとつの方法は正午に、水平線に対する太陽の角度を計算するというもの。これはごく基本的な四分儀を使うだけですむ。三つの木片と少しの運（雲や雨があってはならない！）があれば、かなりの精度で緯度を算出できる。夜空を利用してもいいし、何よりも簡単な道具――自分の腕を使うこともできる。北半球では、ただ北極星のポラリスを指さし、もう片方の腕を水平線に向けて伸ばせばいいのだ。その角度が三〇度なら、あなたは北緯三〇度にいることになる。赤道――緯度〇度――では、北極星は水平線上にあるように見える。

だが経度となると、話はまったく別だ。経度の算出はずっとずっと難しい。ヨーロッパでは一八世紀まで、これが航海士の最大の難問だった。けれども私は初期の調査で古代の記録を探したときに、ある強い印象をもった。バビロニア人が紀元前一三〇〇年ごろには、経度を定める方法を見つけていたのではないか。そして交易の相手であるミノア人もその知識を共有していた。

ミノア人はほんとうに航海術に長《た》けた、世界を股にかける商人だったのか？　もしそうなら、どのようにやってのけたのか？

西洋では、地球と惑星が太陽の周囲を回っているという事実を最初に認識したのはコペルニクスだとされている。だが私がつきとめた真相は、これ以上はないというほど異なるものだった。あきらかにバビロニア人はこの事実を知っていたのだ――だが、どのようにしてこれほど目覚ましいレベルの知識を得るにいたったのか？

その答えは、天体観測にかける彼らの並々ならぬ情熱にある。初めは航海術とは何も関係がなかった。バビロニア人は、神々は地上の人々が未来を読むのを助けるために星の動きをつくりだしたと考えた。そして星々をホロスコープのように使って、将来の出来事を予言し——大災厄を回避しようとしたのだ。こうした予言の例がある。

アジャルの月、薄暮当直のあいだ、月が欠けるときに、王は死ぬだろう。
王の息子らは父の玉座をめぐって争うが、その上に座ることはないだろう。(25)

察するに、こういった災厄が起こると予測されると、王はその直前に一時的に王位を退くのだろう。そして代わりの誰かが位につく。もしその災厄が死だったとすれば、不運な身代わりの人間が殺される。これは自己実現的予言と呼ばれるもの……もしくは、ケーキを手にしていながら食べずにおく、ということだ。

ニネベのアッシュルバニパルが後世に残した粘土板「エヌマ・アヌ・エンリル」には、歴代のバビロニアの人々や王たちが何世代にもわたって図示し、引証し、収集してきた天文学上の事象が詰まっている。天文学者は何世紀も、たとえばある日にどの星が何時にどの角度で昇ったかを——さらに星と星のあいだの距離を正確に記録してきた。たとえば、日の入りの時に必ずちがう星が東の地平線から昇ることを四年という期間にわたって観察し、そのあとも同じサイクルがくり返されることを知ったのだ。

粘土板の一部は欠けていて、判読が難しいものもある。それでも多くの板に、月の出と月の入りの時刻、惑星の出と入りの時刻、日食と月食のパターンがはっきりと記されている。粘土板1～22（年代は前一六四六年ごろ）にあるのは月の動き、粘土板23～36は太陽の食やコロナや幻日、粘土板50～70は惑星の位置、粘土板63は金星の動きだ。

バビロニア天文学が最終的に数学的段階にいたるころには、膨大なデータが集められ、書記官はそうした記録を見返すだけで、日中の空でも夜間の空でもこれから何が起こるかを計算できた。航海には天体位置表（太陽と星の両方を用いる表）と恒星表（星だけを用いる表）が不可欠になる。こうした表には太陽、月、水星、金星、火星、木星、土星の一日ごとの位置が記号と度数で表されている。オックスフォード英語辞典の定義によれば、「ある期間中の、日ごとの天体の予測された（まれに、観測された）位置を示す表」。要するに、暦のことだ。

かりにミノア人が信頼する交易の相手を頼って、天文航法、とくに海上での緯度を正確に把握するのに役立つ確かな星座表を手にしていたとしよう。彼らはその貴重な知識をもとに、自分たちの故郷の近くで使える独自の星表を作る方法を編み出していたのではないか。それをつきとめなくてはならない。

私は潜水艦の航海士として何十年も緯度・経度を計算しつづけ、ときには月の南中を利用することもあった。だから青銅器時代の航海士が実地に直面したはずの問題も予想がついた。大事なポイントは二つある。基準点となる固定点、つまり天文台をもつこと。そして——これが難しいのだが——正確な時刻を知ることだ。

航海術では、時間は距離に変換される。大半の船乗りには周知のこんな格言がある。「西経はグリニッジ時間が先にきて、東経はグリニッジ時間が後にくる」。つまり、東へ向かえばグリニッジ標準時より前に進むことになる。西へ向かえば、グリニッジ標準時より後ろへ進む——言い換えれば遅れることになる。だから、もしあなたがロンドンのグリニッジ近郊に住んでいるなら、ニューヨーク州グリニッチの友人に朝の九時に電話をかけてはいけない。とんでもなく不機嫌になった相手が出てくる可能性が高いだろう。

航海をするときは、なおさらこれをまちがえるわけにはいかない。緯度なら一分の誤差があってもほんの二キロずれるだけですむが、経度では一度の大きさがいろいろに変化し、子午線が収束する北極点と南極点へ向かうほど小さくなる。海の上で自分の経度を割り出そうとするときに時間を適当に決めると、知らないうちに一五〇〇キロもずれていることが容易に起こりうるのだ。

現在なら、ほんの数秒であらかじめ計算された天体位置表をコンピュータにダウンロードできる。しかし月はどうにも移ろいやすいものだ。こうした月の暦の計算はあまりに複雑なため、バビロニアの暦表に関する知識はすべて歴史の陰に消えることになった。そして一八世紀には、新しい計算法を見つけた人たちの前に巨万の富が待っていた。エヌマ・アヌ・エンリルの表20と表21についての私の理解が正しいとすれば、なんとバビロニア人たちは、一八・六一年周期の皆既月食まで予測できていたことになる。それで経度の計算が可能になったかどうかは定かではない。だが古代ギリシャ文明より一五〇〇年も前、コペルニクスやガリレオより三〇〇〇年以上も前に、人間がすでにこれだけの知識をもっていたというのは不思議どころの話ではない。

16　インドにいたる鍵？

ベイルートに戻ってからも、たえずマリを、ユーフラテス川の中流域、ダマスカスの北東にあった街のことを思い出していた。ミノアの外交使節団はいくつも国境を越え、商人たちはこの一帯で手広く交易を行った。興味深いことに、紀元前二六八〇年ごろには、インド産の何千何万ものガラスビーズやモルディブ産のコヤスガイが通貨として使われていた。

ミノアはいま、私をどこに導こうとしているのか？　マリで発見され、現在アレッポの博物館に収蔵されている多くの品々は、その起源がインドにあったようだ。私が博物館で見たコヤスガイやビーズはどうやってマリまで来たのか――モルディブはインド洋のはるか遠くだというのに？　テル・エル・ダバアにあった基地から、ミノア人はインドにまで到達していたのだろうか？　そう考えるには、いささか想像力の飛躍が必要だった。私はここまではるばる旅をしてきた。そのために何週間も何カ月もかけて計画したのだ。青銅器時代の旅人の苦労がどれほどだったか、想像してみてほしい。

クレタ島のイラクリオンで見たインドゾウの牙のことを思い出した。発掘チームが古代都市ザクロスで発見したものだ。ウルブルン沈没船の船倉にも同様の象牙が収まっていた。イエメンからインドまでは、六月から吹きはじめる南西季節風に乗って四週間ほどの航海だ。私たちもミノア船団の亡霊のあとを追って、このままインドまで行ってみよう。もしかすると、伝説のプント国へたしかに到達していたらしいエジプト人のように、ミノア人も実際にエジプトを経由したあと、インド亜大陸までたどり着いていたという証拠があるかもしれない。

するとと驚いたことに、北インドの多くの場所で、意図して地中に隠された青銅器がたくさん見つかっていることがわかった。その数はいまの時点では一二九で、ガンジス川近くのジュンナ川流域で最も多く発見されている。こうした遺跡の大半では、管理された発掘調査は行われておらず、地元の農民が土地を耕しているときに見つけたものなので、年代を特定するのは容易ではない。それでもいくつかの遺跡では、独特の黄土色の陶器が発見され、年代特定が容易になった――やはり紀元前二〇〇〇年期のものだった。これはあらゆる証拠が示すように、クレタの最盛期にあたる時期であり、テル・エル・ダバアのミノアの宮殿と同じ時代だった。

こうしたインドの青銅器時代の遺物には、主として銛、剣、指輪、のみ、斧などで、ミノアのクレタ島で出たものに似た双斧も含まれていた。遺物にはいくつか特筆すべき特徴がある。第一に、インドの村人たちが使っていた道具類――たとえばナイフ、掘削具、矢じりなど、紀元前二〇〇〇年期か三〇〇〇年期のインド人の日常生活で使われていただろうと思われるものがほぼ含まれていない。

第二に、道具類の刃の部分がすり減ったり欠けたりしているものがほとんどない――どうやら実際に使用されていたものではなさそうだ。売り込み用の見本もしくは在庫品の可能性が高いように思える。

青銅器時代に旅をしたセールスマンとは、いったい何者なのか？　考えられる答えはやはり、エジプトの基地から船団で活動していたミノアの商人たちだ。もちろん、インドで出土した銅製の遺物が偶然に同じ時代（前二〇〇〇年期）のものだったということはありうる。またそのなかに、ミノアの特徴的な双斧とまったく同じデザインの未使用の双斧が含まれていること、こうした道具がインドでは異質なものである（地元の人々に道具として使われていたものではないという意味で）ことも、やはり偶然の一致かもしれない。

しかしこの偶然の一致という見方は、もし前二〇〇〇年期にインド、エジプト、ミノア間で交易が行われていたという証拠があれば、大きくゆらぐだろう。調査の原点に戻ってみなくてはならない。まだつきとめるべきことがたくさんある。私はさらに意気込みを増して取り組んだ。

紅海とナイル川を結ぶ運河を探して

それでもし、ミノア人がインドに到達していたとして、そのあとは？　鍵はクレタ島とエジプトとの濃密な戦略的関係にある。テル・エル・ダバアを拠点とすることで、ミノア人はインドや東洋への遠征に備えて、ナツメヤシや新鮮な野菜、塩漬け魚を船に積み込むことができた。紀元前一四九三年の夏、女王ハトシェプストによるプント国遠征は、たしかにこうした方法で準備がなされたことがよく知られている。女王は紅海沿いのクセイルから五隻の船と三〇人の漕ぎ手を送り込んだのだ。テル・エル・ダバアからミノア人はどこに行くのだろうか。その答えは、紅海とナイルを結ぶ運河の近くにあるのではないか、と私は考えた。

一九九八年にイエメン（地図5を参照）のティハーマの海岸平野で、巨石の一群が発見された。カナダのロイヤル・オンタリオ博物館とイエメン政府が調査にあたった。立石群の下から見つかったものは、紀元前二四〇〇年から前一八〇〇年ごろの銅や青銅の手工品や道具類だった。ロイヤル・オンタリオ博物館のエドワード・キールは当時こう語っている。

私たちには何がいったい人々をこのひどい辺境の砂漠地帯に留めているのかがわからなかった……何かの天然資源か、あるいは戦略上の地理的重要性が、そうした人々を促してこの驚くべきモニュメントを造り出す努力に注力させたのだろうか？

決まっている、と私はひそかに思った。紅海とナイル川を結ぶ運河があったから、というほかにどんな理由がある？「キング・スコルピオン」、つまりスコルピオン二世はエジプト初の運河を造った人物だとされる。このファラオの見事な戦棍頭は、現在オックスフォードのアシュモレアン博物館に収蔵中だ。ここには他にも青銅器時代の魅力的な遺物がたくさん収められていて、そのなかには物議をかもしたアララハのフレスコ画の断片もある。博物館は大規模な改修工事を終えたばかりで、いわば新しい光にまばたきをしている状態だ。かつてはそれ自体が迷宮のような場所で、アラビアのロレンスのマントといった名高い珍品以外は見つけるのも大変だった。ここのミノアのコレクションは魅力にあふれている——紀元前一四〇〇年ごろの六本の触角をもつタコの形の保存壺、クノッソスの倉庫にあった装飾つきの大きなピトス、いわゆる「戦士の墓」にあった武器など。

アーサー・エヴァンズがここで仕事をしていたとわかったとたん、私は情報のみならずインスピレーションも得られないかと思って探索を始めた。エヴァンズの資料のなかに、クノッソスの東の支柱礼拝室で発掘中の支柱の写真がある。柱の全面に描かれているのは、ラブリュスのシンボル——「双斧」だ。

その一方で、「キング・スコルピオン」の巨大な洋梨型の戦棍頭には、宙に浮かんだサソリが描かれている。上エジプトの丈高い白の王冠をかぶった王が、紅海–ナイル運河の堤に立ち、手には掘削の道具を持っている。下のほうには運河の堤の最終仕上げをする王の職人たちの姿が見える。石灰岩の戦棍は紀元前四〇〇〇年期のものだ。

このファラオについては、デルタ地帯の一部を征服したということ以外ほとんど知られていない。「スコルピオン」以降の、年代がそこそこ正確に定められる最初の王は、紀元前三〇〇〇年ごろにメンフィスの宮殿にいたメネス王だ。ヘロドトスによると、この王はメンフィスの南一九キロほどの場所でナイル川を堰き止め、ちがう場所に湖を造ってまた運河で下流につなげるように命じた。第六王朝（前二三〇〇〜前二一八〇年ごろ）ではペピ一世が第一瀑布を制御するためにその滝を通る運河を計画した。運河は上エジプト総督ウニによって開削された。中王国時代（前二〇四〇〜前一六四〇年）には、紅海とナイル・デルタの東の支流のあいだに運河が掘られた[26]。捕虜にした敵を奴隷労働者として使い、エジプトは国の様相を一変させるほどの大がかりな水路作りに熱を入れはじめた。

……エジプトはなべて平坦な地である。だがこのとき以降、無数の運河が四方八方に延びて国土が細かく分断されたため、馬や荷車の行き来には適さなくなった。ナイルから距離のある内陸の街々に水をもたらすことは、王のかねてからの望みだった。以前には川の水位が下がると、人々は飲み水に窮し、井戸から出る黒っぽい水を飲んでいたのだ。土地を細かく分割して万民に大きさが同じ正方形の区画を与え、その生産物から年ごとの租税を取り立てたのもこの王だった……おそらくこのようにして幾何学は生み出されたのだろう……[27]

ヘロドトスはエジプトの司祭から、かつて紅海と地中海がつながっていたことを知らされたという。それから数千年後、ナポレオンは一七九八年にエジプトを征服したあとで地籍測量を行った。ナポレオンのデルタと紅海－ナイル運河の地図は、ルーブル美術館で見ることができる。紅海―ナイル運河は一八八二年の英国の地籍測量にも示されている。この一八八二年の地図とナポレオンの地図、Google Earth を比較することで、現在でもこの古代の水路のルートを確認できる。とくに大雨のあとでは、衛星写真でもよく見える。ラムセス二世通りの下を通ってカイロ北東部で地上に現れ、ナイル・デルタ東部のザガジグへ向かうコースだ。そのかすかな輪郭は紅海までずっとたどっていくことができる。

ミノア人が紅海－ナイル運河を、おそらくはエジプト人の船員や船といっしょに利用していたとするなら、彼らは紅海の北部へ入っただろう――プントやインドへ向かう冒険者のルートだ。もしミノア人がこの運河を頻繁に通っていたのなら、その具体的な証拠がまだ残っているのではないか。そうした痕跡を何かしら、たとえば青銅器時代の港や建造物といった形で、エジプトやアラビア、イエメンの紅海沿岸の地域で発見できるだろうか、と私は考えた。

ティハーマの巨石遺構の近くで見つかった青銅の遺物は、交易があったことを示している。それだけでなく、巨石自体も独自のストーリーを物語っているのだが、そのことには本書の後半でまた触れよう。

重要なのはつぎの事実だ。プント国があったとされるイエメンからインドまでは、六月に吹きはじめる南西季節風に乗って航行すれば、四週間ほどで着くことができる。

17　青銅器時代のインド洋交易

インド洋の航海は、季節風《モンスーン》に左右される。この風は広大なヒマラヤ高原と海との温度差によって生じる。毎年の夏にはアジアの陸塊が海より高温になり、海から風と水蒸気を吸い上げるのだ。四月になるとインド洋で西風が吹きはじめ、南西季節風の先触れとなる。五月には南西季節風がインドシナに達し、七月のピークには絶えまなく吹きつけ、南シナ海では風速三〇ノットにも及ぶ。そのころにはインドに季節風による雨がたっぷり降り注ぐ。九月に入ると気温が下がり、一一月にはヒマラヤの寒さがきびしくなって、高い山から空気が暖かい海のほうへ抜けていく。

北東季節風は一二月下旬に吹きはじめ、その後は徐々に弱まって、四月になるとまた同じサイクルが始まる。エジプト、アフリカ、インド、中国間を航行する帆船は、追い風を受けるにはこの季節風を利用し、つぎの季節風でそれぞれの国へ戻っていかなくてはならない。そして風向きが変化するのを風や波から守られる港で待った。だからインド洋沿岸には、ある季節風の時季からつぎの時季まで物資を保管できる広い港が必要だった。

季節風はきわめて予測可能性が高く、またきわめて重要なために、のちには暦にも組み込まれた。こうした暦は、エジプト、東アフリカ、インド、ペルシャ湾を結ぶ高度に調整された定期航路のシステムの存在を示すものだ。たとえば、ある暦では六八日目（三月一六日）にこうある。「インド船のインドからアデンへの航海が終了：この日以降は誰も出航しない」。「一〇〇日目（四月二五日）にインドからの最後の船団がアデンに到着する予定……八月一四日（二二〇日目）にエジプトからの最後の船がアデンに到着。その六日後、スリランカとコロマンデルから来た船が帰国の航海に出る」[28]。季節風を利用するアデンからの最後の出港は二五〇日目（九月一三日）だった。

つまり、エジプトからインドへ向かう船は南西季節風に乗っていくが、これは九月に終わる。そのあとは一二月までインドで交易を行い、この時季に吹きはじめる北東季節風に乗ってエジプトへ戻り、紅海－ナイル運河を経由して地中海まで戻っていける。どちらのほうへ行くのもただ乗りということだ。インドの西海岸には山地の雪解け水を運んでくる大河がたくさんある。その河口が絶好の場所を提供してくれる。河口のほとんどにある避難場所にすばらしい港を建設し、そこからインドの富を輸出することができるのだ。ちょうど海軍兵学校での行事で講演をするよう招かれた私とマーセラは、その機会を利用することにした。インドの海岸が手招きしている。誰がこの誘いに逆らえるだろう？

インド北部のカラチからずっと南のケララにいたる海岸沿いには、きっと青銅器時代の港がある。私はそう考えて調査にとりかかり、青銅器時代にはロータル、カンベイ、ムジリスの三つが重要な港で、輸出に特化していたことがわかった。

ロータル――インド青銅器時代の港

インドの海洋考古学者S・R・ラーオ教授は、一九五五年から六二年にかけて発表した一連の論文で、北西インドのカンベイ湾の内奥にある港ロータルの発掘調査について記している。当時のロータルは、現在よりもずっと海に近かった（地図5を参照）。

その七年間でラーオ教授のチームは、川から大きな長方形の港湾地域まで通じる水路や閘門を発掘した。造船所の敷地には造りの良いレンガが敷きつめられ、川から水門を通って造船所へ向かう水の流れを制御できる設計になっていた。ロータルには世界初の閘門システムがあったのだ。

造船所を取り巻く街は、紀元前二五〇〇年から前一九〇〇年にかけて造られた。造船所そのものは奥まった港のなかでさらに守られた係留場所になっていた。二一四×三六メートルと、四五〇〇年前にはおそろしく巨大なものだった。入植地全体は二つの区域に分けられていた。統治層と裕福な商人たちが住む城塞、つまりアクロポリスと、労働者たちが住む下町だ。アクロポリスの家々は高さ三メートルのレンガでできた基壇の上に建っていて、温水と冷水が引かれ、飲料水用の井戸があり、水洗で廃棄物を外に流すよう設計された下水道システムも備わっていた。アクロポリスの南西の隅にあった大きな倉庫は、やはり高さ三メートルの基壇の上に建てられていた。地面より高い位置に造り、四方を木製の壁で囲み、木製の屋根で覆うことで、保存される品物は洪水や盗難から守られた。

周囲の土地は水に恵まれ、質の高いインド綿や米を生産していた。海岸では貝類が、川ではビーズの材料が豊富に採れた。

こうして真水がたっぷり手に入り、海へ出られる川もあるロータルは、インドで最も重要な港となった——考古学的な発見物という点から見ても、亜大陸で最も豊かな遺跡のひとつだ。こうした発掘品はいまロータルの、一九七六年に設立された近代的な考古学博物館で展示されている。公式の説明を要約してみよう。

館内には三つの展示室がある。正面の展示室には、ある画家が街全体のレイアウトを描いたカンバスが見える。ロータルの重要性を説明する地図や説明文もある。左手の展示室にあるのは、ビーズ、テラコッタの装飾品、印章、貝殻、象牙、銅・青銅製品、青銅器、陶器などを収めた展示ケース。右手の展示室には、ゲーム、人体模型、錘、彩色陶器、副葬品や儀式の用具、遺跡全体の縮尺模型。

世界に知られるインドビーズは、紅玉髄や瑪瑙《めのう》、アメジスト、オニキス、半貴石、ファイアンス焼などでできていて、それらが現地の川で見つかった。拡大鏡で見られるようなごく小さなマイクロビーズもある。

印章はステアタイトにインド文字を彫りつけ、表面に動物の立像が描いてある。貝殻は腕輪や首飾り、ゲームや楽器に加工されている。

純度九九・八％の銅インゴットが、錫インゴットとともに輸入されていた。これを製錬して、武器や道具、調理器具などが作られた。陶器も貯蔵用の大甕（ピトス）をはじめ、あらゆる形や大きさのものがあった。骨や貝殻や象牙で作られたゲーム、ゴリラや人間などをかたどった粘土の小立像もあった。金細工はきわめて精巧で、顕微鏡でないとよく見えないほど細かな黄金の玉が使われていた。手工品の製作者たちは統一された重量の単位をもち、分銅には珊瑚や碧玉、瑪瑙、象牙などを使っていた。

これらのロータルから出土した古代の遺物と、ミノアの遺跡や沈没船で見つかったものとの類似性は際立っている――それどころか驚嘆するほどだ。街のレイアウトや構造にも同じことが言える。ひとつずつ挙げて比較してみよう。

ロータルで出土した四六点の遺物を同時代、つまり紀元前三〇〇〇年期から二〇〇〇年期のミノアの遺跡や沈没船で回収されたものと比較したところ、四六点ともきわめてよく似ているか、まったく同一だとわかった。こうした手工品が別々に発展するということがありうるだろうか？ミノア文明とインド文明はちょうど同じ時期に発展し、同じ品物が必要になって作り出したのか？　この議論は主に三つの理由から破綻している、と私は思う。第一に、ロータルは銅と青銅を輸入していた。その理由についてはあとでくわしく述べるが、ロータルで見つかった銅インゴットは純度九九・八％以上だった。紀元前二五〇〇年にそんな高純度の銅を産出できたのは、アイル・ロイヤル島とスペリオル湖の銅鉱しかなかった。だから船が大西洋を渡って銅を運んだにちがいない。ミノア人はそれだけの旅ができる船をもっていた。第二に、インドにしかない品、たとえば象牙やインドの川から出たインドビーズなどがミノアの宮殿や沈没船（ウルブルン）から見つかっている。だから私は、ミノアの船はインドまで航行してそうした品を持ってきたのだと主張したい。第三に、偶然の一致だというなら、その規模に注目したほうがいい——出土した手工品が十数個だったのであれば、偶然のせいにすることもできるかもしれない。しかし四六個となると、どうだろう？

ひとつ可能性というか、実際にあったと思えるのは、物資と知識を実質的に交換することだ。ミノアの船は銅や錫をインドへ運んだあと、象牙や綿花、それにおそらく都市計画や市民工学、天文学に関するインドの知識を多く持ち帰ったのだろう。インドの船主たちも遅かれ早かれ、自分たちもミノア船といっしょに世界を航海し、インド人にとって価値のある品々を持ち帰りたいと思ったのではないか。

そろそろロータルを離れ、あらためてインドの美しい海岸線を南へ下っていこうと決めた。私たちはボンベイの北にあるカンベイを訪れるつもりでいた。カンベイは青銅器時代に大きな国際港だったと聞いたからだ。ところがこの街はいま、大陸プレートの移動のために海に沈んでいるとわかった。となると南インドにある港についてはほとんど何も知らないまま、さらに南へ向かうしかない。

紀元前二〇〇〇年期に栄えた港を探す調査の幅を、どうすれば狭められるだろうか？　私のプランとしては、まず先史時代の交易について著名な著述家が記した内容を調べるという手段があった。それについてはA・スリーダラ・メノン教授の『ケララ史の概観』にすばらしく有益な要約が見つかった。ケララの沿岸とローマ帝国とあいだで盛んだった香辛料貿易のことを生き生きと物語る古典的な著述家たちを紹介してくれていたのだ。ケララの沿岸の港とはムジリス（南インド）、ティンディス、バラス――古典的な著述家とは、ギリシャ大使のメガステネス（前四世紀）、『エリュトレア海ペリプラス』の匿名の著者（紀元一世紀）、そしてプトレマイオス（紀元二世紀）である。また「ポイティンガー図」という、ローマにあったフレスコ画を写したとされる西暦二二六年ごろの地図では、ムジリスの近くにアウグストゥスの神殿があり、ローマ軍がムジリスに駐屯してインドとの香辛料貿易を保護していることが示されているといわれる。このムジリスの位置についてはまたあとで検討しよう。

これらローマやギリシャの記述がある一方で、メノン教授はサンスクリット語の著作も引用している。『マハーバーラタ』にはケララの王が食料品を提供したことが触れられていた。紀元前四世紀の『アルタシャストラ』は真珠が採れるケララの川のひとつにペリヤル川を挙げている。ヒンドゥー教の聖典プラーナにもケララのことが出てくる。サンスクリット語（北インドの言語）のほかに、南インドの言語であるタミル語の著作も重要な情報源だ。古代タミル文学には、ケララの土地、その支配者と人々、発達した文明についての言及が数多くある。『パティトゥパトゥ』（十の十の意）は、古代ケララの歴史とその交易を再現した一〇〇篇の詩からなるアンソロジーだ。

こうした古典的な、タミル語およびサンスクリット語の記述に、中国の記述も付け加えることができる。七世紀の玄奘《げんじょう》、『島夷誌略』（一三三〇～一三四九年）を著した汪《おう》大淵、鄭和提督に同行してコーチンとカリカットの様子をじつに生き生きと描き出している馬歓などだ。

アラブの作家たちも、アル・イドリーシー（一一五四年）とヤクート・アル・ハマーウィ（一一八九〜一二二九年）がケララ沿岸の街とその交易について記述しているし、アル・カズウィーニー（一二三六〜一二七五年）がキロンとディミシュキー（一三二五年）の情報を伝え、マラバル沿岸のことも書いている。またイブン・バットゥータによる記述には、本人がカリカットを六回訪れたことや、キロンの港を拠点に行われている胡椒貿易、港に出入りする巨大な中国船のことも出てくる。

最後に見つかったのは、初期ヨーロッパの旅行者たちによる、ケララとアラブ、地中海、中国のあいだで非常に古くから行われていた香辛料貿易についての記述だ。ポルデノーネのオドリコ修道士は、中国へ向かう途中の一三二二年にキロンに到着し、セヴラックのヨルダヌス修道士は一三二四年にキロンへ来ている。ニコロ・ダ・コンティ（一四二〇〜三〇年代）は、キロンの生姜や胡椒、シナモンの取引と、沿岸に見えるジャックフルーツとマンゴーの木について書いた。ペルシャ大使アブドゥル・アル・ラザク（一四四二年）は、アラブ世界とのマラバルの豊かな交易について証言し、ロシア人アタナシウス・ニキーチン（一四六八〜一四七四年）も同じような報告をしている。

要するに、何百年も前までさかのぼるたくさんの資料から、ケララのマラバル海岸とその港のカリカット、コーチン、キロン、ムジリスがアラブ世界、地中海、アフリカ、中国とのあいだで貴重な香辛料を取引していたという証言が得られるのだ。

ムジリスの位置をつきとめる

とくに何度も、くり返し登場する港の名前がムジリスだ。ムジリスはローマ時代よりずっと以前から香辛料の重要な交易港だった。だから私たちはその位置を特定し、ミノア人の船がそこで交易していた証拠があるかどうかをつきとめるつもりでいた。

ムジリスの場所は天然の良港で、最も貴重な香辛料が育つ場所の近くだと考えるのが自然だろう。つまり、胡椒とカルダモンだ。この二つが育つのに最適なところを探していけば、調査の範囲をぐっとしぼり込める。

南インドは特異な地形をしている。赤道に近いために気候的には酷暑になりそうなものだが、それをやわらげているのが西ガーツ山脈という、海岸と平行に南北に約一五〇〇キロ走っている山の連なりだ。平均の標高は九〇〇メートルある。ガーツには広い谷がたくさん点在していて、そこを季節風が集中して吹き抜ける。結果として三つの季節ができる――夏、雨季、冬だ。沿岸部は高温多湿だが、丘陵地帯は涼しく快適で、山麓には海風が吹く。モンスーン前の雨は「マンゴーシャワー」と呼ばれ、コーヒーやマンゴーを育ててくれる。五月末には南西季節風が到来し、沿岸部一帯に二～四メートルの雨を降らせる。この多雨と高湿度、そして長い雨季がつくりだす豊かな常緑の植生は椰子の木にとっても最適だ――ケララとはケラ（椰子）とラ（土地）を意味している。ガーツの涼しく湿った丘の斜面は、紅茶、コーヒー、香辛料の栽培に理想的な条件だ。ケララは世界最大のカルダモンの産地で、このきわめて価値の高い香辛料は、現在では黒胡椒の四倍の値段で取引されている。北はカリカットから南はキロンまで、ケララ州の海岸にはバックウォーターと呼ばれる礁湖があちこちにあり、内陸水路――砂州で海から守られた天然の運河――がいくつもできているおかげで、すばらしい天然の港も豊富だ。しかもその港には、西ガーツ山脈に源を発する四四もの川が流れ込んでいる。つまり、英国の統治者がかつて「マラバル海岸」と名づけたこの海岸には、自然に保護されたすばらしい港がどこまでも連なっているのだ。川は探検家たちをすみやかに、胡椒とカルダモンが生い茂る西ガーツ山麓へと導いていく。幻の港ムジリスは、シンクリなど多くの古代名で知られているが、この約一〇〇〇キロメートルの海岸沿いにあったと思われる（地図5を参照）。このいちおうの結論は、ケララ中部のパルガットに近い内陸部で大量に見つかったローマ硬貨によって裏づけられるようだ。

ムジリスの位置

二〇〇六年にケララ歴史研究評議会（ＫＣＨＲ）は、コチ（コーチン）の北四〇キロにある、ケララ州最大の川ペリヤル川の河口近くのパッタナムで、先史の青銅器時代の遺跡を発見した。主任のＰ・Ｊ・チェリアン博士が率いる調査チームは、以前にローマ時代の陶器アンフォラが見つかった場所の近くで発掘を開始した。以前のチームは、ローマの硬貨やビーズの首飾りといったあの時代の遺物を掘り出していた。ＫＣＨＲから抜粋で引用しよう。

……パッタナムの第三期考古学発掘調査（二〇〇九年）では、以下の仮定が再確認された。すなわちパッタナムが、環インド洋あるいはそれ以遠で……ローマ人との接触を示す広範な証拠をもった最古の港湾遺跡ではないかという仮定だ。

……現場からの当初の推定は、［陶器の］サンプルの大半が、火山性の成分を含む南イタリア起源のカンパニアのタイプであるということだ。コス島、ロードス島などギリシャ起源のもの、またエジプト、メソポタミアのアンフォラの破片も発見された。

……今回は小さな発見物が大量にあり、その内容は地元産でない（外国の）陶磁器、多数の半貴石とガラスのビーズ（三〇〇〇個超）、ほぼ腐食した状態の銅貨、鉄や銅や黄金や錫の手工品、カメオ、紡錘車、テラコッタのランプなどだった。

パッタナムはコドゥンガルールの南九キロに位置するが、紀元前一〇〇〇年ごろに最初の定住者が現れ、紀元一〇世紀まで続いたといわれる。

……証拠の示すところでは、この場所が大勢の職人や技術者の有益なサービスを受けていた可能性があるが、それはこの場所の居住者とは限らない。多量の手工品や構造物から、この場所は熟練した労働力なしには存続できなかったことがわかる。

……労働力の内訳は、鍛冶師（釘や道具などの大量の鉄製品）、銅細工師（銅製品）、金細工師（黄金の装飾品）、陶工（大量の家庭用容器、ランプ、オーブン、その他テラコッタ製のもの）、レンガ職人に屋根ふき工（大量のレンガ、三重溝のついた瓦）、石ビーズ職人、宝石細工師（さまざまな半貴石のビーズ、カメオ、石の削片）、織工（紡錘車、しびん）だった。

つまりここにあるのは、紀元前一〇〇〇年——古典ギリシャ・ローマの全盛期よりはるか以前——にまでさかのぼる遺跡で、そこから地中海中部地域の手工品が出土したのだ。しかもそうした品々のなかには、黄金の装飾品、テラコッタのオブジェ、ランプ、ストーンビーズなど、ウルブルンの船で見つかった遺物に驚くほど似ているものもある。これはあとでさらにくわしく検討しなくてはならない。

タミル大学の副学長M・ラジェンドラン氏は、KCHRのプレスリリースでこう述べている。

私は個人として、パッタナムの膨大な量のガラスや半貴石のビーズを見て驚きを禁じえない。これらはタミル大学が発掘したコドゥマナル遺跡のビーズとよく似ている。パッタナムで発掘された証拠はあきらかに、この地域と地中海世界、東南アジア、スリランカとのつながりを示すものだ。

この時点で付け加えておくべきだろうが、メソポタミアの都市ウルの遺跡からはケララ産のチーク材が見つかっており、その年代は暫定的に紀元前二〇〇〇年ごろとされている。

コーチン(コチ)を訪れる

私たちはコーチンを遠征拠点に選んだ。ケララ州中部にあるペリヤル川河口の淀んだ礁湖に位置しているからだ。それに古代のムジリスがあった場所とされているパッタナムにも近い。ここから海岸沿いと、ペリヤル川をさかのぼった内陸部の両方を調査することができる。

熱帯の暖かい一日の夕暮れどき、コーチンのオールドハーバー・ホテルに着いたときのことは忘れられない。このホテルはかつてはポルトガル総督の豪華な邸だった。どの寝室も元からあるチーク材が床に張られていて、床板一枚の長さが一〇メートル、幅が一メートルある。

寝室からは古い港が見渡せ、海岸には端から端まで中国製の漁網が設置されている。網は大型のクモに似た形で、前脚をぐっと前に踏み出すようにして砂に食い込ませると、網(クモの腹の下にある)が海のなかへ下ろされる。そのまま五分ほどしてから、釣り合い錘がクモの後脚のあいだに下げられる。これで前脚と網が上がってくる――なかは魚でいっぱいだ。私たちは急いで降りていき、大きなマナガツオと新鮮なタイを買うと、ホテルの料理人がそれを夕食に焼いて出してくれる。

夕食は中庭で食べる。庭を取り囲むように大きなプールがあり、水面には紫色の睡蓮が浮かんでいる。空気にはフランジパニの香りが馥郁と漂う。BGMに流れるシタールとインドフルートの調べ。中庭にはレインツリーの巨木が木陰をつくり、そこから巨大なコウモリたちが空へ飛び出してくる。マンゴーの木にはピンクがかった薄紫色の花が芽吹き、竹は海風に揺れ、ジャスミンやジャックフルーツ、スパイダーリリー、ヘリコニアの花に囲まれて、私たちはチョタ・ペグ（ハイボールのシングル）を飲む。しばらくあとには、川を下って遠くの地へ向かう船のホーンに誘われて眠りにつく――これ以上の日常がどこにあるだろうか。こんな一日を経験できたのは願ってもないほどの幸運だ。

二日目の夜は、一晩だけ隣に移らせてもらい、コーダー・ハウスでの寝泊まりを体験する。有名なユダヤ系のコーダー一族が建てた家で、その祖先ははるか昔にケララで交易を行っていた。寝室は長さ二〇メートルもあり、オールドハーバー・ホテルで使われているのと同じ、チーク材の巨大な床板が張られている。一族の長サミュエル・コーダーは、かつてポルトガルの宮殿の真上にこの家を建てた。そして各国の大統領や首相、総督、大使をもてなした。金曜日ごとのサム・コーダー主催の「オープン・ハウス」は、インドの統治者グループが毎週集う社交界の焦点だった。当時を知る八一歳のケイ・ハイドは、このオープン・ハウスのことをこう語っている。

> そこで私はじつに多くの大物たちと出会った。コーダー一家のおかげで、有名作曲家のベンジャミン・ブリテン、歌手のピーター・ピアーズ、エディンバラ公の妹君であるヘッセンのマーガレット王女、マハラニ・ガヤトリ・デヴィなどに会えたのだ。当時のコーチンのユダヤ街区はユダヤ人でいっぱいだった――だが一九四八年のイスラエル建国で、ほぼ全員が移住していった。

英国のインド総督カーゾン卿は、ユダヤ人コミュニティにあてたご機嫌うかがいの公開書簡を書いている。

コーチンと住民のあなたがたには大きな恩義がある。皆さんとこの国との関わりの記憶は、当初からつねに胸温まるものだった。歴史家の記録によれば、あなたがたの祖先はソロモン王の時代［紀元前一〇世紀］にはすでにこの海岸を訪れ、東洋と西洋を結ぶ最初期からの絆をすみやかに形づくっていたのだ。

私が興味をひかれたのは細かな部分、彼らが暮らした街のユダヤ名だった。ユダヤ人は彼らの古い入植地を「シングリー」と呼んだが、これはムジリスの古い呼び名にちなんでいる。ユダヤの王が治めるこの入植地の名声は遠く大きく広がっていた。一四世紀の詩人、ラビ・ニシムの言葉を引いてみよう。

私はスペインから旅してきた、
シングリーの街のことは聞き及んでいた
ぜがひでもイスラエルの王にまみえたかった
そして王を、この目で見ることができた

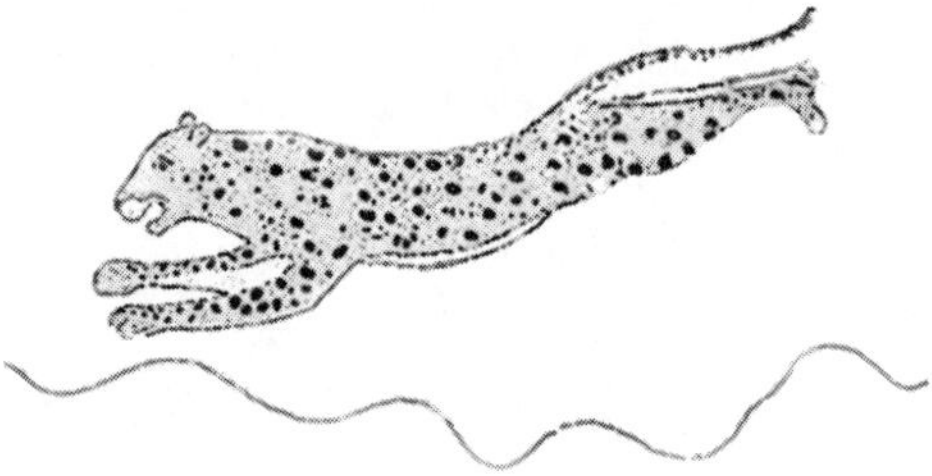

シングリーはユダヤ人の避難所となった。彼らの愛着はきわめて強く、比較的最近まで、棺には必ずシングリーの砂を一握り、そして聖地の土を一握り入れるのが、世界中のユダヤ人の習慣だった。

礁湖の港

いまではマーセラも私も、コーチンのことはそれなりに理解したと感じていた。そろそろ内陸に向かって旅を続け、西ガーツ山麓の伝説の香辛料を探しにいくときだが、その前にペリヤル川の河口域にある礁湖を調べてみることにした。ここはムジリスを始めとする先史時代の港が生まれたところだ。コーチン観光局が手配してくれた、パントという小舟に乗り込んだ。まず最初に浮かんだのは、単調という印象だった——どの方角を見ても、形も高さも同じココヤシの木が何キロにもわたって続くばかりだ。航海士が季節風に乗って海岸へ近づいていくときに、港がどこにあるかを特定するのは非常に難しい仕事になる——その場所の正確な緯度を知らなくてはならず、さもないと完全に見逃してしまいかねない。

外国からペリヤル川の河口に着いた船乗りたちは歓声をあげなが

ら、碇を下ろせる礁湖を海から守るように連なった砂州を、礁湖に注ぐ真水の小川を、あらゆる種類の魚や果物を、そしてマガモやキジやウズラを目にしただろう。

奥地への旅

いよいよペリヤル川をさかのぼり、西ガーツ山麓まで旅をする。現在この川には、コーチンとパッタナム（ムジリス）でインド洋へ注ぐ水路がある。何世紀にもわたってペリヤル川は、雨季に降った雨が運んでくる沈泥によって河口付近で向きを変えてきた。いま大きな河口はコーチンにあるが、二〇〇〇年前にはパッタナムにあった。川が流れの向きを変えれば、海が川と出会う港の位置も変わる。アルウィ（現在のアルバ）へ来るまでは、川幅はロンドンのテムズ川やニューヨークのハドソン川並みに広い。パッタナム／ムジリスはビーピン島の北の端にあり、コーチンからはオールドハーバー・ホテルの向かいから出るフェリーで簡単に行くことができる――船賃は三ルピー（四セントほど）。アルウィを越えると川は驚くほどまっすぐに、椰子の木に縁取られて伸びている――まさしくティーラのフレスコ画（2章を参照）に描かれた川のように。

最初の二時間は、川に沿って移動していく。このあたりはペリヤル自然保護区に指定され、森には虎やヒョウのほかに野生の象もいる。マンゴーやバナナ、パパイヤ、ザクロ、タマリロ、パッションフルーツ、サポジラといった果物も豊富な土地だ。ローマ帝国時代の文書によると、この川では真珠も豊富に採れるという。森は野鶏やシャコ、クジャク、野生の鹿などで有名で、やはり川を上って移動する船乗りたちは食料には苦労しなかった。
いまは雨季が終わりを告げようとする一〇月の中旬、ディワリという灯明の祭りが行われる時期だ。西ガーツ山脈のふもとにたどり着いたころには雨になっている。いや、雨というよりは湿った霧が、高い木や灌木の枝から滴り落ちている。腕のいい運転手のジョージーが急に車を止め、私たちは車を降りる。彼が指し示したのは木に巻きついたつる性の植物で、そこに緑色の小さな実がなっている――胡椒だ！　広さ四平方メートルばかりの森のなかに、野生のコーヒーやカカオ、胡椒、カルダモンなどの木が生えている。野生のカルダモンを見るのも生まれて初めてだ――竹に似た形で肉厚の葉をもった低木の、根元のほうについた小さな茎の上になっている。西ガーツの山麓は胡椒やカルダモンにとって完璧な条件を備えた場所だ――適度な日陰と水分、六〇〇～一五〇〇メートルの標高、理想的な土壌条件、一年を通じて快適な気温。『ラフ・ガイド・トゥ・ケララ』に載ったじつに適切な要約は、ケララが冒険心あふれる異国の商人にとってどれほど魅力的かを端的に示している。

香り高い香辛料は、ケララでは何千年もの昔から、料理の香りづけや薬として、また宗教的儀式にも使われてきた。シュメールの商人がシナモンとカルダモンを求め、初めてアラビア海を渡ってきたのは紀元前三〇〇〇年期――ローマ人が季節風の扱い方をマスターしてマラバルの胡椒にたどり着くのはその何世紀もあとのことだ。胡椒はヨーロッパでは「黒い黄金」と呼ばれ、調味料および保存料として珍重されていた……ケララの日常生活になんらかの形で香辛料が関わっていない場面はほとんどないだろう。ケララの人々が毎日口にしている香辛料は、いまでも輸出用の資源であり、内陸部の丘陵地帯を行けば広大なプランテーションで栽培されているのが見られる。

四〇〇〇年前にケララの海岸へ到達した船乗りたちは、魚や果物や獲物に、水と建築材料に恵まれた岸辺に上陸したのだろう。ペリヤル川を船でさかのぼれば、象や鷹やヒョウ、そして真珠にも出会っただろう。さらに歩いて移動していけば、足元に世界で最も豊かな香辛料が見つかっただろう――文字どおり同じ重さの黄金に等しい価値をもつ、胡椒とカルダモンだ。ただ摘み取るか、二束三文で買い取ればいい。運んでいくのも容易だし、カイロやメソポタミアの香辛料バザールではケララで払った額の五〇倍の値段で売ることができる。莫大な富が手を伸ばせばそこにあるのだ。伝説のムジリスとその黒い黄金を求め、船乗りたちが何千年ものあいだ貿易風を利用してインド洋を渡ろうとしたのも不思議はない。

ムンナル・タウンを見下ろす位置にある夏季駐在地、ハイレンジ・クラブのクラブハウスに着いてみれば、まるでタイムワープをして一九二〇年代に入り込んだような経験ができる。かつて「男性専用」だったバーの壁には、会員がしとめた人食い虎の写真や、ゴルフコースでホールインワンを達成した会員たちの写真で覆われている。マーセラと私はチョタ・ペグを手にくつろぎながら、ビリヤードを楽しんだ。ゴルフ場は雨で水浸しだったので、スカッシュを選んだ。泊まり客は私たちだけで、昔ながらのクラブのお仕着せに身を固めた古風なスタッフたちにまわりを取り囲まれ、いささか気詰まりだった。昼食《ティフィン》はあらかじめ一時間前に注文しなくてはならず、厳格なドレスコードもあった——土曜の夜はネクタイとディナージャケット着用のこと。自動車は砂利の上に駐めてはいけない。女性従業員《アーヤ》は午後六時までに出ていかなくてはならず、午前一〇時前に客室に入ることは許されない。環境は申し分なかった。周囲を取り巻く山々は茶畑に覆われていて、どこの斜面も均等に切りそろえられ、まるで広大なビリヤード台のようだ。日が暮れるころには、気温は〇度近くまで下がり、私たちは遠くから聞こえる猿の仲間マカクの鳴き声を聞きながら眠りに落ちた。

ミノア人がケララに？

ウルブルン沈没船の積荷には、「バビロンを越えて」展がインド産であると特定したコヤスガイも含めて、インド産と思われるものが多数あった。沈没船から出た象牙も、インドではなくアフリカ産であってもおかしくはないが、ミノアの本拠地ティーラのフレスコ画に描かれた動物の一部はたしかにインド起源のものだ。

ティーラのフレスコ画に見られるヒョウは、インドのものかもしれないしアフリカのものかもしれない。また、フレスコ画の椰子の木が両岸に並ぶまっすぐな川は、ナイル川でもペリヤル川でもありうる。しかしクレタ島の中期ミノアIIの墓の下で見つかった先史時代の象牙はインドゾウだとはっきり特定されている。

紀元前二〇〇〇年期のメソポタミアや地中海で発見された植物標本の一部には、完全にインド独自のものがあり、インドから船で中東に運ばれたとしか考えられない。その最たるものがチークだ。私たちがペリヤル川をさかのぼって内陸部へ向かう旅の途中で目にしたように、ケララ州の西ガーツ山麓に広がる冷涼な熱帯雨林は、チークとビャクダンの木には理想的な生育条件である。ケララと中東とでチーク材の取引が行われていたことは、先史時代のエジプトのベレニス港やメソポタミアの都市ウルの発掘調査で証明されている。

ベレニスで発掘作業をしていたＵＣＬＡ（カリフォルニア大学ロサンゼルス校）とデラウェア大学の考古学者たちが、極東とインド、エジプト間で行われていた海上交易の広範な証拠を発見した。報告にはこうある。

発掘チームは、ローマ統治時代の建造物の埋もれた廃墟からチーク材を大量に発見した。この木はインドや現在のミャンマーが原産で、エジプトやアフリカ、ヨーロッパでは生育できない。

……ベレニスで最も大量に見つかった木材はチークだった……

考古学者たちはかつて紅海沿岸で発見されたなかでも最大量のインド産品を掘り出すことになった。保存されていた古代の黒胡椒も大量に見つかり、合計で七キロあった。

これと同時代の胡椒は、遠くドイツでも掘り出されているという。この発掘チームが発見したなかには、インドのココナッツやろうけつ染めの布、スリランカ産と思われるサファイアやガラスビーズ、ジャワ島かベトナム、タイから来たと思われるビーズなどもあった。さらに興味深いことに、サハラ以南アフリカに固有の穀物や動物の骨も見つかったことで、インド洋を三方向に向かう交易ルート――アフリカ南部からインドへ、インドからエジプトへ、エジプトからアフリカ南部へ――が示されたのだ。ローマ時代のさまざまな輸送方法の費用を記した文献には、陸上での輸送は海上での輸送より少なくとも二〇倍以上高くつくと書かれている。

ベレニスで証拠が見つかったこの国際交易は、ムジリス／パッタナムでのそれを再現するものだ。地中海とインドの港ムジリス間で行われていたこの交易は、最も古くは前一六九三～前五〇九年と特定される（木炭片、トレンチII）もので、タミル・サンガムの詩にもうたわれている。

……ヤバナ（ギリシャ人のこと）の壮麗な船が黄金をもたらし、ペリヤルの水面に泡を立てて胡椒を持ち帰る……

『エリュトゥラー海案内記』のプトレマイオス、ギリシャの歴史家ストラボンは、マラバル海岸と西洋世界との交易についての記述を数多く残した。チェリアン教授らはこう述べている。[29]

発掘調査の結果は、パッタナムが最初期のインド洋交易で果たした重要な役割を示している。

考古学的証拠から地中海、紅海、西アジア、ガンジス・デルタ、コロマンデル海岸、東南アジア地域との文化的つながりが証明され……
……本研究から現れてくる興味深い可能性は、外界との接触はローマ時代以前にまでさかのぼれるのではないかというものだ。非ヨーロッパ、とくにナバテアと西アジアで作られた土器の存在は、ローマ時代以前のパッタナムにおける海洋活動を示唆するもうひとつの証拠と考えうる。

チェリアン教授の調査結果は、ジョン・ソレンソン名誉教授とカール・ジョハネセン名誉教授によって裏づけられた。この二人の教授は四〇〇〇年も前にインドとエジプト間、インドとアメリカ間（綿花の交易）、アメリカとインド間（トウモロコシの交易）で広範な海洋活動があった証拠を丹念にまとめ上げたのだ。その調査によれば、アメリカとインド間の海上交易――ミノア人が切り開き、のちにフェニキア人やローマ人が取り入れた――は、コロンブスより三〇〇〇年前にはありふれたものだったという。

そのころにはもう、私は確信していた。中期青銅器時代のケララにはミノア人がいたのだ。それで彼らの「署名」がないか当たってみた――ガンジス川の支流ジュンマ川の流域で出土した青銅製の武器についてはすでに知っていたが、さらにそれ以外のものを。カマレス陶器、特徴的な宝飾品や琥珀の装身具、フレスコ画、ブル・リーピングといったとくに珍しい習慣など、何か「署名」代わりになるものを探したのだ。

　これまで出土した陶器は破片ばかりで、経験に乏しい私の目からはカマレス陶器と断定することはできない。ブル・リーピングについては興味深い証拠があった。毎年恒例の「ジェリカタ」という儀式で、若者たちが雄牛を「エンセアロ」のために引っぱり出し、その背中に向けて宙返りをするのだ。そのスペイン語らしい響きは印象に残ったが、私は言語学者ではないし、インドの方言となると手も足も出ない。この不思議な慣習はいまも行われていて、ときどき若者たちが牛に突かれるのは、スペインに残る儀礼と同じだ（これについてはあとで触れる）。たしかに、ブル・リーピングは一見奇妙でありえなさそうな習慣だとはいえ、これ自体は偶然の一致ということもありえなくはない。だがインドはヒンドゥー教の社会で、牛が神聖な崇拝の対象であることを考えれば、偶然とはいいづらくなるだろう。この慣習は古代クレタ島の風習とあきらかに類似したものだ。

　ミノア人はきっとペリヤル川をさかのぼり、胡椒やカルダモン、チーク、そしてときにはヒョウや猿といった異国の産品を求めて旅をしたのだろう、と私は確信をもった。けれどもインド発の情報をたえず把握するのは大変なので、イングランドに戻るとある代理店に依頼して、英語圏のヒンディー語やマラヤーラム語の新聞を検索してもらった。

　するとあまり長く待つまでもなく、まったく予想だにしない方向から情報が飛び込んできた。インドの全国紙『ザ・ヒンドゥー』の二〇〇九年六月一〇日付けオンライン版に、「ケララで先史時代の墓地を発見」という見出しが載った。

ティルバナンタプーラム：マラプラム郡クッティプーラム近くのアナカラ［ペリヤル川河口から北へおよそ一五〇キロの地点］で、考古学者のチームが先史時代のネクロポリス（墓地）とともに、二五〇〇年前のものとされる巨石のサークルを発見した……ウッドヘンジに似た儀礼的モニュメントと、原始的な天文学の遺跡である。

報道によるとこの遺跡は、副葬品からおよそ二五〇〇年前のものであることがわかった。

また、未確認の銅製品の破片もいくつか確認できた。これらの人工遺物はこの地域における最初期の交易を示している可能性があり……

さらにこう続いている。

……同様にアナトリア、シリア、ギリシャ、ロンドンなどの埋葬地で発見された柱穴は、二次埋葬の慣行があった新石器時代および青銅器時代の文化に関連にして報告されている。それでもわれわれが実験考古学の知見を用いて、柱が立てられていた穴の跡を調べたところ、きわめて興味深い、意味深長な事実が判明した。柱穴の配置がイングランドのウッドヘンジに酷似しているのだ。大小さまざまなサイズの穴が、すばらしく広々と開けた、星空を眺めるにはうってつけの場所に点在している。これはおそらく天体のパターンを示すものであり、原始的な天文学が存在していたことの証だろう。

これはまったく驚天動地だ。年代的にはミノア人が最も活動的だった時期に一致していると思われる。ヨーロッパ様式の先史時代の儀礼的サークルがインドのケララで見つかるとは、それもミノア人が通ったにちがいないと私が考える川のこれほど近くにあるとは、なんと奇妙な話なのか。頭のなかに、エジプトの紅海－ナイル運河の周辺地域で青銅製の遺物が発見されたという新聞報道が浮かんだ。たしかその記事には、同じ時期に考古学者が発見したストーンサークルのことも書かれていた。

私がとくに注意をひかれたのは、ケララの環状木柱列《ウッドサークル》は星空の観察に使われたという新聞の主張だった。ミノア人はどこまで行ったにしろ、帰りも航海していく必要があったはずだ。そしてホメロスの英雄オデュッセウスと同じく、星々を利用しなくてはならなかっただろう。そのために天文台を頼ったかもしれない。あるいはそういった天文台を造ったのかもしれない。

18　真実は交易のなかに……

私にはずっと以前から、世界をめぐる旅の歴史は専門家たちが認めているよりずっと複雑なものだという確信があった。そしてミノア人がエジプトを通じてインドへ持ち込んだ——さらに持ち帰った——製品や生産物を調べていると、予期せぬ情報がつぎつぎから現れ、そのあまりの多さにどこから手をつければいいかわからなくなるほどだった。

インドではケララ州とタミル・ナードゥ州の境の、ペリヤル川が上っていく地点の近くにある、アメリカバイソンを描いた美しい石壁画に出会っていた。これらの年代は紀元前二〇〇〇年期のものとされている。だったら、こう自分に問いかけないわけにはいかない。四〇〇〇年も昔のケララの芸術家がどうしてアメリカバイソンのことを知っていたのか？

答えはこうとしか考えられない。これらの成長と富に飢えた強力な文化どうしを結びつける役割を果たしたのは、冒険好きで豪胆なミノア人だったということだ。この見解をさらに深めるには、数千年前に大西洋を越えた接触があったという証明を見つけなくてはならない。また机上の調査に戻り、もう一度ジョン・ソレンソン名誉教授とカール・ジョハネセン名誉教授の仕事にあたってみたところ、大当たりが出た。二人の学者はそろって、グンナー・トンプソン博士のように、コロンブス以前の大陸間交易に関する大変な量の証拠を残していた。何十年にもわたって丹念に資料を調査し、紀元前二〇〇〇年期のくわしい情報を驚くほど数多く集めてきたのだ。

そうした資料から、取引されていたという具体的な証拠のある品物は大ざっぱに六つのカテゴリーに分けられることがわかった。女王ハトシェプストの東方遠征の時代、つまり紀元前三〇〇〇年期から前二〇〇〇年期にかけて、インド、エジプト、ミノア、北アメリカ間でやり取りされていたものだ。以下が証拠としてある。（1）アメリカ大陸からエジプト、インドへ運ばれたトウモロコシ、（2）このトウモロコシの起源についてのインドおよびアフリカの人々による記述、（3）インドからアメリカ大陸へ運ばれた綿花、（4）アメリカ大陸からティーラ経由でエジプトへ運ばれた葉たばこや麻薬、（5）アメリカからインドへ運ばれたカボチャや果物、（6）インドからアメリカへ運ばれたひょうたん。当然だが、このことが意味をもつのは、エジプトやインドだけでなくアメリカ大陸とも交易を行っていたのがミノアの船だったということがはっきりと証明された場合だけだ。

「異国の」農産物について現地のインドで知られていたことを明確に示す具体的な材料をいくつか見てみよう。カール・L・ジョハネセン教授とアン・Z・パーカー教授はきわめて詳細な研究を行うなかで、マイソール近郊にあるコロンブス以前のホイサラ王朝時代の石造神殿のうち、少なくとも三つにトウモロコシの石彫りが存在していると主張した。ジョハネセン教授は、やはり新世界の作物であるヒマワリを、コロンブスより前の時代からあるインドの寺院の彫刻のなかに見つけている。(30)

こうした結論は、インド人植物学者であるデリー大学のシャクティ・M・グプタ教授が独自に行った研究プロジェクトによっても裏づけられた。グプタ教授[31]はこう述べている。

カルナタカ州のヒンドゥー教やジャイナ教の寺院には、さまざまな種類のトウモロコシの穂軸（Zea Mays Linn）が広範囲に彫刻されている。ベルールにあるチェナケシェバ寺院の例のように、さまざまな神々がトウモロコシの穂軸を手に持っているところも見られる。

グプタ教授はさらに続ける。

まっすぐに並んだトウモロコシの粒がよく見てとれる。ヌゲハリのラクシュミ・ナラシンハの寺院では、女性モヒニに化身して踊っている八本腕のビシュヌが、左手にトウモロコシの穂軸をもっていて、右手にはビシュヌの通常の紋章がある……一二世紀の、マンゴーが作る天蓋の下の蓮の座に座るアンビカ・クシュマンディニの彫像は、左手にトウモロコシの穂軸をもって……

圧倒的な数の実例があるのだ。グプタ教授は、ヒマワリ、パイナップル、カシュー、バンレイシ、モンステラ――どれもすべて新世界原産の種――がコロンブス以前のインドの美術品に見られるのを確認している。中南米原産のヒマワリの彫刻が、たとえばウダヤギリのラニ・グンパ洞窟（前二世紀）で見つかっている。他にも教授の報告によれば、パイナップルがマディヤ・プラデシュ州ウダヤギリの主要寺院（五世紀）に、カシューがバールフットの仏塔（前二世紀）に、モンステラ——中央アメリカ原産のつる植物——がグジャラート州とラジャスタン州のヒンドゥー教とジャイナ教の寺院（前一三〜前一一世紀）にはっきり描かれているという。
トウモロコシが初めて現れた時代の特定については、グプタ教授は、先に挙げた彫刻に現れるずっと以前から存在していたのではないかと言っている。

……トウモロコシが亜大陸［インド］に、ホイサラ王朝の何世紀も前から存在していたこと［ジョハネセン教授の記述による］、アジア独特の品種が早くから開発されていたということは十分に考えられる。

トウモロコシが初めて自分の国にもたらされたのは、インドの人々はメッカから、アフリカの人々はエジプトからだと思っていた。もしも私が推測しているとおり、ミノア人がほんとうにアメリカへの行き方を知っていたのだとしたら、そうした話もつじつまが合う。だとしたらつぎは、Lasioderma serricorne という小さな甲虫をよりくわしく調べてみるべきだろう。

タバコシバンムシ

もしも状況の示すとおり、ミノア人が葉たばこをアメリカ大陸からエジプトまで運んでいたとすれば、クレタ島そのものか、ミノアの主要な拠点であるティーラ島にアメリカ産たばこの痕跡があるはずだ。どちらの島も火山の噴火で破壊されたために、そうした痕跡を見つけるのは骨が折れるかもしれない。

だがたしかに、その痕跡はあった——タバコシバンムシという形をとって。これは古代エジプトでも見られたのではないかと思う。私が最初に出会った標本は、紀元前一四五〇年の火山噴火で灰の下に埋もれたティーラの街（現在のアクロティリ）の商人の家から出たものだった。

Lasioderma serricorne はアメリカ大陸の固有種だ。そして一六世紀に、女王であり後援者であるエリザベス一世への戦利品として英国にたばこを持ち込んだサー・ウォルター・ローリーならそう証言しただろうが、この植物もヨーロッパ原産ではない。紀元前一四五〇年にたばこがヨーロッパで生育していたということもなかった。

このちっぽけな甲虫の生活環は平均四〇〜九〇日で、気温と食料源に大きく左右される。雌は葉たばこに一〇〜一〇〇個の卵を産みつけ、幼虫は六〜一〇日で出てくる。幼虫は摂氏一七度以下では孵化できず、四度まで下がると死んでしまう。要するに、この甲虫が繁殖できるのは暖かい条件下のみなのだ。温暖な時期なら、ミノア時代の船には暖かい船倉があり、船員たちも非番のときはそのなかで寝たにちがいない。

さらに机上調査を続けてわかったのは、このタバコシバンムシが、あきらかにたばこを吸っていたと見られるファラオの墓からも発見されていたことだ――アナスターゼ・アルフィエリはツタンカーメン王の墓でこの甲虫が見つかったと報告しているし（一九三一年と一九七六年）、J・R・ステファンはラムセス二世の内臓腔で発見している（一九八二年）。またアルフィエリは、アレクサンドリア、カイロ、ナイル・デルタ、ファユム、ルクソール地域――いずれもミノア船団が訪れた場所――から標本を採集した（一九七六年、一九八二年）。それで私は、こうして運ばれた葉たばことタバコシバンムシは、ミノア人がエジプトと地中海に加えてアメリカ大陸まで行って帰ってきたことを示す「署名カード」になるのでは思っている。これはミノアの雄牛信仰に劣らず雄弁なカードだ。それにまた、少なくともミノア人が一部の航海を行っていた時期を、ツタンカーメンからラムセス二世までの時代だと特定するものでもある。つまり前一三三六年（ツタンカーメン）から前一二六〇年（ラムセス二世が三八歳になる年）まで、ティーラでは前一四五〇年（火山噴火があったと考えられる年）から二〇〇〇年前までの時期だ。

けれどもこの説を阻む存在がもうひとつあった。それはまさに文字どおり、アフリカという形をとって現れた。地中海のクレタ島の位置からも、ファラオのエジプトからも、インドからも、どこから見ても同じだった。現代のすべての地図には、際立って大きなアフリカの陸塊が居座っている。エジプトからもインドからも、このいわゆる「暗黒大陸」が、アメリカ大陸へたどり着こうとする者の行く手に立ちはだかるのだ。となると、北アメリカの産物がインドへ達する手段はひとつしかなかったと思える。ミノア人は東ではなく、西へ向かったのだ。大西洋の危険もものともしなかった彼らは、ジブラルタル海峡も越えていたにちがいない。古代ギリシャ人が、二つの壮大な頂は世界の果てに通じる門だと信じて「ヘラクレスの柱」と呼んだ、あのランドマークを通過したのだ。プラトンによれば、その二本の柱の向こうには失われたアトランティスの国があった。

第二部　注

（1）Homer, *Iliad* 16.221-30; 23.196, 219, trans. Robert Eagles. Penguin Classics, 1998

（2）G. F. Bass, ‘Cargo From the Age of Bronze’, in *Beneath the Seven Seas*, Thames & Hudson, 2005

（3）Cathy Gere, *The Tomb of Agamemnon*, Profile Books, 2006

（4）Tim Severin, *The Jason Voyage*, Hutchinson, 1985

（5）Ibid. p. 161

（6）Robert Graves, *The Greek Myths*

（7）D. Grimaldi, ‘Pushing Back Amber Production’ in *Science*, 2009 p 51-52

（8）Hans Peter Duerr, *GEO Magazin*, no. 12/05. Dieneks 8/2008

（9）Joan Aruz, *Beyond Babylon: Art, Trade and Diplomacy in the Second Millennium BC*, Barnes & Noble, 2008

（10）A. Hauptmann, R. Maddin, M. Prange, ‘On the Structure and Composition of Copper and Tin Ingots Excavated from the Shipwreck of Uluburun’ in *Bulletin of the American Schools of Oriental Research*, no. 328, pp. 1-30

（11）William L. Moran, *The Amarna Letters*, John Hopkins University Press, 1992

(12) Joan Aruz, *Beyond Babylon*, p. 167

(13) Bernard Knapp, 'Thalassocracies in Bronze Age Eastern Mediterranean Trade: Making and Breaking a Myth', in *World Archaeology*, vol. 24, No.3, Ancient Trade: New Perspectives, 1993

(14) Rodney Castleden, *Minoans*, p. 32

(15) D. Panagiotopoulos, 'Keftiu in context: Theban tomb-paintings as a historical source', *Oxford Journal of Archaeology* 20, 2001, pp. 263-4

(16) Leonard Woolley, *A Forgotten Kingdom*, Penguin, 1953, pp. 74-75

(17) The Thera Foundation 2006, Heaton 1910; 1911; Forbes 1955, pp. 241-242; Cameron, Jones and Philippakes 1977; Hood 1978, p. 83; Immerwahr 1990a, pp. 14-15. *Aegean Frescoes in Syria-Palestine*

(18) Joan Aruz, *Beyond Babylon: Art, Trade and Diplomacy in the Second Millennium BC*, Barnes & Noble, 2008

(19) USA Today, 5th March, 2006.

(20) Andre Parrot, 1958a, 165 n.2, *Samaria: the Capital of the Kingdom of Israel*, SCM Press, 1958

(21) The Teaching Company User Community Forum Index, Alexis Q. Castor.'Between the Rivers: The History of Ancient Mesopotamia,' Teaching Co. Virginia, USA

(22) Jack M. Sasson, in *Beyond Babylon: Art, Trade and Diplomacy in the Second Millenium B.C.* Yale University Press, 2008

(23) ゼファニヤ書三章十三節

(24) Homer, *Odyssey*, trans. Samuel Butler, Longmans, 1900

(25) Enuma Anu Enlil 17.2

(26) The Canal Builders, Payn, Robert, MacMillan, New York, 1959

(27) Herodotus, *Histories*, trans. George Rawlinson, Penguin Classics, 1858. p. 109

(28) Paul Lunde, *The Navigator Ahmed Ibn Majid*, Saudi Aramco, 2004

(17) The Thera Foundation 2006, Heaton 1910; 1911; Forbes 1955, pp. 241-242; Cameron, Jones and Philippakes

(29) Professor Cherian and colleagues, 'Chronology of Pattanam: a multi-cultural port site on the Malabar coast'

(30) 'Maize Ears Sculptured in 12th and 13th Century A.D. India as Indicators of Pre-Columbian Diffusion', *Economic Botany*, 43

(31) Shakti M. Gupta, *Plants in Indian Temple Art*, B.R. Publishing, 1996

第三部

西へ向かう旅

19 「ここまではいい、この先はない」――一路、大西洋へ

トロイアのヘレネはその美貌ゆえに、一〇〇〇隻の船を出航させたといわれる。一方でプラトンは、伝説のアトランティスの王たちは一二〇〇隻の船を所有していたと言っている。トロイア戦争の時期になっても、ホメロスはまだ、麗しのヘレネを誘拐したパリスへの復讐のために、古代クレタが八〇隻の船を提供してともに戦ったと書くことができた。火山の噴火が起こるまで、ミノア人が強大な海洋国家だったことはすでに立証されている。提督のフレスコ画があった当時のティーラだけで、少なくとも一〇隻か、あるいはそれ以上の船をもっていたようだ。青銅器時代の進展とともに、ミノア人の力と勢力範囲は着実に拡大していった。

私はいま、二つの大きな疑問に対する答えを探していた。タバコシバンムシはなんらかの方法でティーラに持ち込まれたにちがいないが、いったいどんな手段で？　私はまた、ウルブルン船から見つかった高純度の銅の少なくとも一部はスペリオル湖で産出されたものではないかと思っている。これほど毛色の異なるアメリカ産の二つのものが、はるか遠く離れた古代の地中海の島国からどうして出てきたのか？　地理的に見て、北アメリカから何かが自力でエジプト、あるいはインドを経由してミノアのクレタ島にたどり着くのはほぼ不可能だ。答えはこれしかない。船

乗りだ。必ずしもミノア人には限られずとも、船乗りは大西洋を横断していたのだ――そしてそれに負けじと、ミノア人も同様に西へと向かったにちがいない。

それでも未知の世界に向け、天空そのものを支えていると古代ギリシャで信じられていた「ヘラクレスの柱」の先へと航海していくのは、本物の勇気のいることだっただろう。問題の「柱」のあった場所――そして実際にそれが何だったのか――については議論が百出している。学者たちのなかでも、神話の英雄ヘラクレスが奮闘をくりひろげたのはギリシャのペロポネソス半島だ、いや問題の柱があるのはスペインとモロッコのあいだだというように意見が分かれるが、現実にはジブラルタル海峡を支持する証拠が圧倒的に多い。

そもそもミノア人は、何に引きつけられて西へ航海していったのか？　答えはきっと、その存在がひとつの時代を形づくった物質――つまり青銅――を見つけること、あるいはそれを作ることと関係があるのではないか？　ウルブルンの沈没船は、ティーラのフレスコ画に描かれた船よりはるかに小さいが、船倉に一〇トンもの銅を積んでいた。

ミノア文明発祥の地クレタは、青銅器時代の中心地でありながら、銅の供給が不足していた。島の地表から少量の銅は採れたものの、ミノア時代のクレタ島で行われていた製錬と加工の規模には、とくに宮殿で使用されていただけの量にはとうてい足りなかった。興味深いことに、クレタ島北東部の海岸にあるクリソカミノでは、紀元前四五〇〇年ごろにまでさかのぼる製錬作業の痕跡が残っている。クレタ島には錫がない。錫は海を越えて輸入せざるを得なかった(1)。クレタ人が入植した周辺の島々でも製錬は行われていた。なんといっても青銅という魔法の金属は、現代の原油のような、クロイソスを富ませた黄金にも劣らず貴重なものだったのだ。するとミノアに栄光をもたらした青銅の原料はいったいどこから来たのか？

銅、そしてのちには製造された青銅が、海路で輸入されていたにちがいない。[2]最も近い銅山があったのはギリシャ本土のラブリオン、キクラデス諸島のキトス島だった。

かいつまんでいうと、理想的な青銅は銅が八五％ほどを占める。残りの一五％は錫、もしくはヒ素だ。地中海の交易商人たちは、ヒ素を含んだ銅は見つけても、錫は見つけられなかった。銅鉱石はほぼすべて、ある程度のヒ素が含まれている。ヒ素の鉱石は錫の鉱石よりも埋蔵量が多く、一般には西アジアの鉱山で見つかる。そして実際に、紀元前三〇〇〇年以降、クレタ島や地中海西部の青銅器はヒ素銅で作られていた。だとすれば、錫は実際には必要ない――あるいは表面的にはそう見えるかもしれない。しかしヒ素銅を用いることには大きな致命的欠陥があった。中毒で死にいたるリスクだ。青銅器作りに不可解な魅力が伴うのはこの危険も理由の一端としてあったのだろう。

あらゆる証拠が示すように、青銅器時代には、青銅を実際に作ったり細工したりする人間は、魔法使いのように尊敬を集め――ほとんど名士扱いされていた。文化によっては青銅を作る過程が最高機密になったりもした。この合金の価値がとにかく高いせいで、その知識も神聖なものとみなされ、王やシャーマンにしか近づけない社会もあったのではないか。もっとも王であれ誰であれ、青銅器時代の銅細工師は不健康な生活を運命づけられていただろう。どんなに地位が高かろうと、ヒ素を含む青銅を熱して鋳造し、鎚で叩いていれば、ヒ素の煙を吸い込むのは避けられない。

鍛冶師の病は伝説を通して現代にも伝わっている——ギリシャ神話のヘパイストスとローマ神話のヴァルカンは、どちらも足が不自由だった。紀元前二六〇〇年ごろにはミノアの金属の主流は錫青銅になっていたが、そのことが少なくとも理由の一端だったのだろう。剣といった需要の大きい物品を作るにあたっては、錫青銅は技術的な強みがある。ヒ素銅の融点が一〇八四度なのに対し、錫青銅は九五〇度で溶けるので、鋳型のなかでひび割れが生じることがはるかに少ないのだ。

クレタ島に近い、交易が定着して行われていた地域にも、この卑金属の供給源が存在した。現在のトルコのタウルス山脈にあるギョルテペには錫鉱山があり、紀元前三二九〇年からかなりの量の鉱石を産出していたが、紀元前一八四〇年に街が略奪され、錫の生産は停止した。[3] つまり前二六〇〇年から前一八四〇年までは、理論的にいえば地中海には容易に手に入る錫の供給元があったということだ。なのにアッカドのサルゴン王の記録には、紀元前二三五〇年以降にミノアの船が大西洋までやってきて、イベリアとブリテンの錫を入手していったとある。ここでもそうだ。ギョルテペで錫の生産が停止する五〇〇年も前に、どうしてわざわざ西のほうに目を向けるのか？

答えは青銅作りに必要な第三の材料——「木」にあると思う。たった一キロの青銅を作るのに、およそ三〇〇キロの木炭を燃やして三〇キロの鉱石を製錬しなくてはならないのだ。青銅器時代は文明が育ち発展するためのほぼ無限の可能性が開けた時代といえるだろうが、それはミノタウロスのように餌食を求める獣でもあり、何エーカーもの樹木を食い尽くした。その証拠はギルガメッシュ叙事詩に見られる。

考古学という学問は、ヴィクトリア朝のロンドンにいた、ジョージ・スミスという控えめな名前をもつ人物に負うところが大きい。ほんの数カ月前、私は近東への旅の際に、アッシュルバニパルの図書館の跡をたどるつもりで大都市のニネベを訪れた。そこで私が見たのは盛り土と壊れた壁だけだったが、ジョージ・スミスは本物の言葉、本物の物語、本物の歴史を発見していた——そしてそれを翻訳するなかで、現代の私たちが古代メソポタミアや中東について、またこの地域で失われた貴重な森林について知っていることの多くを伝えたのだ。

ニネベは一八四〇年代、モスル駐在のフランス総領事ポール・エミール・ボッタによって初めて再発見された。そて英国の冒険家サー・ヘンリー・オースティン・レヤードがのちに伝説の図書館を発掘するまで、ニネベは都市というよりも神秘のベールに包まれた古代の謎だった。考古学はまだ揺籃期にあり、学者たちも途方に暮れた。発見されたものの解釈もできない——ただ少なくとも、ひとつ情報源があるのはわかっていた——聖書だ。ニネベは旧約聖書の創世記一〇：一一で初めて言及されている。だがそこからヨナ書まで進んでいくと、事態はニネベの市民にとって最悪の経過をたどる。神が腐敗した社会に鉄槌を下したのだ。それでもこの都市についての正確な歴史的知識はほぼ完全に欠落していた。そこにスミスという意外な人物が現れ、古代人が残した暗号のような楔形文字——そして物語——を翻訳することで、私たちをアッシリアの街の門のなかへ通してくれたのだ。翻訳者スミスは貧しい家庭の出で、ほとんど教育を受けられず、言語学の背景ももたなかった。それでも彼は意志強固で献身的だった。一八七六年にスミスは、ニネベ周辺で消えた石板を探しているうちに病に倒れ、息を引き取った。だがその前に、歴史上初めて書かれた詩を翻訳していたのだ——複数の粘土板からなる「ギルガメッシュ叙事詩」を。

この叙事詩には、はるか古代の中東には広大な森林が広がっていたとある。今日、私たちが中東といってよく目にするもの、とくにニュースやドキュメンタリー番組で見かけるのは、陽に焼かれて固く乾いた大地の不毛で非情な風景なだけに、にわかには信じがたい話だ。しかし紀元前三〇〇〇年期の初頭、この地域の山の斜面は巨大な杉の森に覆われていた。だがキリスト誕生以前の資源を食い尽くした一〇〇〇年間に、そうした何百万本もの杉の木は、船の建造に不可欠な名高いレバノン杉も含め、完全に消滅してしまった。

実際のギルガメッシュは、紀元前二七〇〇〜前二五〇〇年ごろのウルクにいたシュメール人の王で、戦争で勝利を重ね、メソポタミア南部一帯を支配した。ギルガメッシュ叙事詩の中盤に森林破壊の危険を警告するエピソードがある。(4) およそ四七〇〇年前、メソポタミア南部の都市王国ウルクで、王とその仲間がレバノンの有名な杉を切り倒そうとする。だがそれは森の神フンババの怒りを買い、ギルガメッシュに罰が与えられるのだ。この話はメソポタミアが繁栄する青銅器文明を支えられるだけの木材をもっていなかったことを物語っている。メソポタミアは青銅を使ってたくさんの道路、都市、運河、宮殿を建設し、そのための炉の燃料となる森林が伐採された。

こうした新しい街には公共の建物や宮殿、乾燥する夏に備えて水を貯めておく貯水池が必要だった。それにはセメントや石膏、レンガ、テラコッタもなくてはならず――こうしたすべてが燃料を必要とした。

興味深いのは、プラトンも環境危機を語っていることだ。「対話篇」でプラトンは、アクロポリスの森林伐採の結果について述べている。

土地は世界一すばらしかった……当時のこの国はいまに劣らず美しく、一方で産物ははるかに豊富だった……現在はいうなれば、あの小さな島の場合と同じように、残っているのは衰弱した体の骨ばかりだ。土壌の豊かで柔らかいところはすべて流れ落ち、土地の骨格だけが残された……［かつては］木材が豊かに採れた……痕跡はまだ残っている。

森林破壊の問題は深刻化の一途をたどり、紀元前一七五〇年ごろにメソポタミアのハンムラビ王は、無許可の森林伐採を禁じる法律を制定した[5]。そして私はこう考えはじめていた――ギョルテペが略奪されたあとで錫の採掘が再開されなかった理由は、戦争だけではないのかもしれない。木材の供給を使い果たしたからではないか、と。

木材の補充や植え替えの難しさは、湿潤で木の成長が比較的早い北ヨーロッパよりも、乾燥した地中海の国々のほうがはるかに深刻な問題となる。地中海沿岸では雨は冬に限られ、しかも突然の豪雨になりがちだ。そして皮肉にも、土をつなぎとめる木がないために、土壌そのものがなくなってしまうのだ――実際にプラトンがこう表現しているように。

……伐採された急斜面に冬の雨が降れば、土壌が洗い流され、たちまち劣化していく。苗木で森林を再生するのも簡単にはいかない。とくにきれいに切り払われてしまえば、土壌が劣化し、松の森も回復できないほどになる……キプロスで見られる膨大な量の古代の銅の鉱滓は、あの島の銅産業が西暦三〇〇年ごろ、安価な燃料を使い果たしたせいで崩壊したことを示すものだ。鉱滓の山の規模から見て、おそらく二〇万トンの銅が生産されただろう――それはつまり、この銅産業のために松の木二億本、合計でキプロス島の総面積の一六倍に相当する森林が切り倒されたということだ。[6]

地中海東部の乾燥した気象条件は、問題をさらに悪化させただろう。海岸沿いの都市や近隣のメソポタミア、レバントはどこも急速に、それもたがいに並行して発展を遂げていたからだ。

マリの二ヘクタールに及ぶ壮大な宮殿を基準にすれば、青銅器時代はどう見ても建築的な野心にあふれた時代といえる。その一方でエジプトも、その驚異的で容赦のないピラミッドと神殿の建設計画に必要な道具類を作るのに計り知れない量の青銅が必要だった。そう遠くないあとには、ミケーネ人がぴかぴかの銅や青銅をふんだんに使った壮麗な建造物へと続く道路をゼロから建設することになる。

後世になると、この問題はまたさらに深刻になる。サラミスでペルシャ軍を破ったアテネの艦隊は、ギリシャではなくバルカン半島や南イタリアで採れた木材で建造されていた。アテネが自国の森林を使い果たしてしまったからだ。T・A・ワータイムの概算によると、アテネ近郊のラウリオンの銀鉱のためになんと一〇〇万トンの木炭と一〇〇万ヘクタールの森林が消えたという(7)。鉱山が産出を停止したのはおそらく、鉱石の不足ではなく、輸入燃料のコストが高くなりすぎて採算がとれなくなったせいだろう。

そう考えていくと、地中海西部との交易を発展させ、さらに遠くへ——湿潤なヨーロッパの大西洋岸まで足を延ばすことは完全に理にかなっている。イベリア半島には銅や錫といった資源が豊富なだけでなく、木材もたっぷりあった。ティーラ島の博物館の棚には、少なくとも相互利益的な交易があったという証拠がたくさん並んでいた。ミノア人はできあがった製品を輸出するのと引き換えに、広い意味でのヨーロッパから天然資源を得ていたのだ。これは現在のヨーロッパとアフリカの関係にきわめて似たものだ。たとえば、イベリア半島とフランス、ブリテン諸島の各地で同じタイプの青銅のピンが発見されている。アクロティリの博物館でも、まったく同じデザインのものを見た。これらはティーラから輸出されたのだろうか？

この筋書きに従うなら、ミノアの造船技術がまたぐっと重要なものになってくる。クレタ島には金属の鉱石がなかった。逆説的だが、このマイナスの側面がやがてミノア人の強みとなった。鉱石がないからこそ、後年にはクレタ島で大規模な製錬を行う必要がなくなったのだ。それでもまだ、船を造るための木材はあっただろう——そして移動手段があることで、鉱石と木材がどちらも楽に手に入る場所で鉱石をたっぷり製錬するチャンスが生まれた。青銅を地中海東部に供給するルートもすべて掌握できただろう。彼らは聖杯を手にしたのだ。

初めのうちは、ミノア人が地球を横断するほどの距離を移動していたというのはほとんど夢想じみた考えに思えた。けれども青銅は知られるかぎり最も強力な金属だった。私はコーンウォール産の錫やウェールズ産の銅といった資源がブリテン諸島に豊富にあることは知っていた。そしていま、専門家たちの考えでは、青銅器時代のあいだにブリテンからおよそ半分の「原生林」が消滅していたことがわかった。これは製錬が産業的な規模で行われていたという可能性を示すものだ[8]。

その目的を達するには、ジブラルタル海峡を通り抜け、未知の世界へ出ていかなくてはならない。私はあの不気味なフレーズを思った。古い文献にある、かつてヘラクレスの柱に書かれていたという文句を。

Nec plus ultra（ここまではいい、この先はない）

ミノア人の時代から何百年もたって、ギリシャ人やローマ人はこの海峡を恐れるあまり、そこまで行ってはならないという不吉な勧告をした。海峡の向こうの未知の海には想像を絶する深海の怪物がいるという話も数多くあった。ギリシャに豊かで芸術的な文化を伝えたミノア人も、彼らなりに恐れを抱いていたのだろうか？

それでも私は、船乗りとしての自身の知識をもとに、当時の世界で最も偉大な船乗りとしての古代ミノア人の姿をつくりあげはじめていた。私たちは「進歩」を、人類は永遠に前進を続けるというイメージで考える傾向がある。知識や技術、文化はつねに連携し合って止まることなく進歩しつづける、というように。

青銅器時代を研究することで、その前提はまちがいであることが証明された。歴史という顕微鏡の下で、私は偉大な文明が船の舳先に砕ける波のように現れては消えていくのを見ることができた。知識というものは、たとえ高度な知識でも、帆船の甲板のように滑りやすく、得るときよりもたやすく失われてしまうことを学んだ。

地中海の夏の風は、陸と海の温度差から、夕方に吹くことが多い。日が暮れると、砂漠は驚くほど早く冷え込み、海岸から温かい海に向かって風が吹きはじめる。したがって、クレタ島からジブラルタル海峡まで地中海の海岸沿いを――日暮れ時に船を出して一晩ごとに何時間か航行すれば――まともに帆を張ったガレー船ならオールで漕がなくても、少しずつ進みながらジブラルタル海峡に到達できる、と私は計算した（地中海に吹く風を示している地図2を参照）。

セヴェリンのアルゴー船がスペッツェスからジョージアまでの二四〇〇キロを、風と海流に逆らいながら航行するのに三カ月かかったことに基づけば、ティーラからジブラルタル海峡まではおそらくその三分の一ほどよけいにかかっただろう。つまり四カ月だ。

ミノア人が地中海を西に向かって旅したことを示す確たる証拠がある。ひとつの興味深い名前が物語るもの――ミノアという名前の集落だ。ロドニー・カッスルデンによれば、シチリア島南西部の海岸にはミノアという港があり、ここがクレタの交易拠点だったのかもしれない。ミノア人が西から何をほしがったのか、正確なところは不明だ……ミノア人は青銅を作るのに錫が必要だったが、その原料の供給源はわからない。錫はエトルリアかボヘミア、スペイン、あるいはブリテンからもたらされた可能性もある……。クノッソスで発見された、黄金を張った琥珀の円盤は、南イングランドのウェセックス文化圏からきたものであるかもしれない。(9)

スピリドン・マリナトスがティーラ島で驚異の発見をしてから半世紀、ミノア人の入植を物語る証拠はどんどん増えていて、移動の方向はたしかに西へ向かっているようだ。これらの集落には、名前に「ミノア」という接尾辞がつけられたものもある。このように入植された島や地域は、青銅器時代のクレタ島と共通の特徴をもっている。たとえば街の不規則な道路計画、ミノア独特の建築様式、ミノアの埋葬習慣、ミノア陶器の形状や様式の採用——クレタから輸入されたのでない器もあるが、土地の住民がミノアのデザインを自分たち用に取り入れていたことがわかる。なかには儀式用の杯や小立像といった、ミノアの宗教儀礼が持ち込まれたことを示す証拠もある。(10)

ミノアの交易帝国は、紀元前一七〇〇年から前一五〇〇年にかけて急速な発展を遂げたようだ。キティラ島のカストリの入植地はミノア時代の初期に造られたもので、これは初期のころの西へのささやかな移動といえる。対照的に、シチリア島に残るミノアの痕跡は、ミノア人が地中海中部にまで進出し、バレアレス諸島やスペインへさらに近づいたことを示している。

そこで、私はひとつの疑問をもった。ミノア人は、古代エジプトのアバリス（テル・エル・ダバア）で行ったように、さらに海外に拠点を設けたのだろうか？　もし私の考えのとおりに、ウルブルンの沈没船で見つかった高純度の銅がアメリカからきたものであるのなら、大西洋を渡ろうとする船には、この先の大変な旅に備えて修理や補給、基地が必要だったはずだ。貯蔵施設も、おそらく労働力も必要だっただろう。スペイン南西部やポルトガルに常設の前進基地が造られるということはありえただろうか？

ミノア人がはるばる海峡まで来ていたのだとしたら、と考えてみた。彼らがそこで発見した土地を探検してみるのが理にかなっているだろう。いろいろ読んだ本のなかに、ミノア人はブリテン諸島に興味をもっていたという話もあった。論理的に考えれば、ブリテン諸島に行き着くよりもずっと前に、スペインとの交易を行っていてしかるべきだ。たまたま私には、イベリア半島の鉱物の豊富さについて予備知識があった。後世にローマ帝国がこの半島を征服しようとしたのは、まさにそれが理由だったのだ。今日のスペイン語で川を意味する「アロヨ」は、ラテン語のarrugius――金鉱という意味――に由来している。スペインも隣国のポルトガルも、青銅を求める熱心な商人には文字どおり宝の山だっただろう。私も金鉱を掘り当てることができるだろうか？　つぎに訪れるのは当然、スペインでなくてはならない。

20　故郷の民族的記憶？

　ミノア人が地中海の航海を成し遂げたのだとすれば、世界でも最大級に鉱物の豊富な場所であるイベリア半島を見つけるのは時間の問題だったにちがいない。ジブラルタル海峡を越えた向こうには雄大な二本の川があるが、どちらの川もミノア人を導いて、この土地の奥できらきら光っている宝物——銅だけでなく、金や銀もあった——へと直接連れていったのだろう。

　私も当直士官だったころ、HMSダイアモンドに乗船してグアダルキビル川に入っていったが、あのときのことはいまでも忘れられない。スペインとポルトガルの大西洋岸は、船乗りにはずっと記憶に残る場所だ。とくに魔法の東洋へ向かう途中、サン・ビセンテ岬を通り過ぎるときの干し草の匂い。そして帰港するときにはサグレスを通過して北へ向かいながら、松の香りをいっぱいに吸い込める。

　あれは一九五八年のことだった。リオ・ティント川と同様に、グアダルキビル川はスペインの南の端で大西洋に注いでいる。ミノアの船乗りたちが勇を振るって海峡を越えていたとしたら、ここまで来るのも容易だっただろう。この川はスペインで最も長い川のひとつだ。西へ六五七キロ流れ、カディス湾のサンルカル・デ・バラメダで大西洋に達する。私たち乗組員は、川を一一二キロあまりさかのぼったセビージャの街を親善訪問するよう命じられていた。グアダルキビル川はきわめて底が浅く、HMSダイアモンドほどの規模の船ともなると、サンルカル・デ・バラメダの砂州を通過できるのは春の大潮のときに限られる。毎年ちょうどその時期には、切り立った水の壁が川を猛然と逆行する「ボレ」と呼ばれる現象が起きる。私たちはそのタイミングを見計らう必要があった。

艦の下で大きな震動が起こった。そしてわがHMSダイアモンドは高い潮津波に乗って、その頂の上を運ばれていくはめになった。二〇ノット超の速さで突進していくのだから、身の毛もよだつ体験だった。竹馬に乗ってスキーをするようなものだ。しかも巨艦がこんな速さで移動すれば、それだけでもばかでかい波が起こる。懸命にライトを点滅させ、フォグホーンを鳴らして、川岸をのんびりと買い物にいく農民たちに注意をうながしたが、それもむだだった。波が何度も何度も彼らにかぶさった——幸いにも死傷者は出ず、半分溺れかけて猛烈にいななくロバがいたぐらいだった。

そうしたわけで、グアダルキビル川には特別な思い入れがあった私は、最近になって、この川の河口で青銅器時代の集落が発見されたという雑誌の記事に目を奪われた。ドニャーナという美しい国立公園を作っている途中に、古代人の集落が掘り出されたのだ。さらに青銅器時代の船と思われるものの壊れた木材の残骸も、スペインで「ラス・マリスマス」と呼ばれる沼沢地帯で発見された。考古学者による詳細な調査がすべて終わるのはまだずっと先だが、フランスの発掘チームが最初に行った炭素年代測定では、この遺跡は紀元前二〇〇〇年ごろのものとされた。

私はまた、八〇キロほど北のウエルバという、リオ・ティント川河口の現代的な大きな港にもなじみがあった。ここは一九五〇年代に訪れたことがあり、ただの一七世紀の港町だとずっと思っていたのだが、いまはまったく別の一面が見えた。街の起源はたしかに古く、ローマ時代の遺跡が数多く残っているという。だがここでいちばん興味を引かれるのは、先史人類史の専門家マルティン・アルマグロ・バッシュが、この地域に埋もれている青銅の手工品を調査していたことだ。この地域では考古学的に重要な遺物が他にも見つかっていた。とくに有名なのは、一九七六年にガリシア州のレイロに近いウーリャ川の河口域で漁師が発見した、レイロの人工遺物だ。

この川、スペイン語でいうリオが「ティント」、つまり「赤」と名づけられたのにはもっともな理由がある。川がスペイン中世の街の古い城壁を過ぎて流れるうちに、血を象徴する赤色に染まるのだ。銅。いたるところに銅鉱石がある。緑、黄色、赤と別世界のような風景の広がるこの地域では、遠い昔から鉱物の豊富さゆえに特別な地位を与えられていた。ここは伝説にいう、ソロモン王の鉱山だったのだ。

私は調査を始め、また大英図書館に通いながら、今度はウェブも利用した。もしミノア人がここまで来ていたのなら、少なくとも当初は、きわめて豊かな沖積堆積物を単純にふるい分けることで金属の鉱石を採取していたかもしれない。そのことを示す証拠はあるだろうか？　ミノア人よりもずっと後世の、ストラボン（前六三～後二三年）を始めとする古代ギリシャ・ローマの著述家たちは、イベリア半島の北西部は錫の豊かな産地として知られていた、と書いている。プトレマイオスも同様だ。

スペインの北部から調査を開始し、得られるかぎりの証拠を探した。ビーゴ大学のベアトリス・コメンダドール・レイ教授の考えでは、イベリア半島北西部からは考古学的に貴重な金属製の遺物も豊富に出土するかもしれないが、スペインのこの地域は湿潤な気候のせいで年代の特定や科学的評価が困難になるという。私がこの地域に興味を引かれたのは、ミノア人がバルト海まで行っていたことを示すたくさんの証拠にすでに出会っていたからだった。だとすれば、彼らは海岸線をたどり、ここビーゴの寒冷な岬を北上して、さらに冷たい英仏海峡を通らなくてはならなかったはずだ。

コメンダドール・レイ教授は、アルメイダ近辺で発見された同様の遺物を、近くのグイドール・アレドソ島で見つかった青銅器時代の突き錐と結びつけた。またウーリャ川から回収された、主に中・後期青銅器時代のものとされる剣や槍先などの遺物についても触れている。こうした発見をすべてまとめてみると、中・後期青銅器時代の沈没船にあったものであることは議論の余地がなさそうだ。

そこから南に下ったところの、リオ・ティント川の広大な銅鉱や金鉱、銀鉱は、紀元前三〇〇〇年期のあいだに初めて採掘された。[11] マルク・A・フント・オルティスは、鉱山が最初に稼働した時期を紀元前二九〇〇年ごろと特定している。[12]

この場所に立ち寄ってみる価値はありそうだ。このままグアディアナ川（地図6を参照）をさかのぼれば、エボラに着く。エボラから西に一五キロ行くと、青銅器時代のストーンサークル、アルメンドレスのクロムレック（円形石柱群）がある。私はあるウェブサイトでこのサークルの写真を何枚か見たことがあった。「なんて奇妙なんだ」とそのとき思った。「この写真の立石《メンヒル》のひとつに彫刻がある」。熱心なアマチュア写真家ががんばって、巨石に彫り込まれたものを適切な角度から写していた。私の目には、それは斧に見えた。紅海のほとりで新たに発見されたストーンサークル、そしてケララ州の「ウッドヘンジ」のことが脳裏によみがえり、私はまたエボラに戻ろうと心に決めた。

リオ・ティント川河口から海岸沿いをさらに五〇キロほど北西へ進んだミノア人は、グアディアナ川に、そして現在のポルトガルにたどり着いただろう。そこの水もきっとリオ・ティントのように赤かったと思われる。六五キロほど上流にサン・ドミンゴスの銅山があるためだ（地図6を参照）。今日にいたるまで、川の水は銅で汚染され、この地域の人々と野生生物の健康を脅かしている。この鉱山からは考古学的な発掘調査で先史時代の道具類が見つかっていて、四〇〇〇年以上前にここで採鉱が行われていたことがうかがえる。

グアディアナ川はエボラを過ぎてからも、一五〇キロ以上内陸まで航行が可能だ。川はバダホス、さらにシウダー・レアルを過ぎ、ロマンティックで荒涼とした美しさのあるラ・マンチャの地へと続いている。

過去三五年間にスペインの考古学者たちがラ・マンチャで行った調査からあきらかにされた青銅器時代の集落跡は、おそらくヨーロッパで最も密に集中したものだったろう。大規模な常設の、防備を固めた青銅器時代の集落を示す巨石の複合施設が数多くある。その広さは一九七三年にグラナダ大学が行った発掘調査のあとで初めてあきらかになった。アルバセテでの調査では、少なくとも四三カ所の青銅器時代の集落と、さらに三〇〇カ所の青銅器時代の居住地が記録されている。コンセプシオン・マルティン博士によると、

ラ・マンチャ地方に残る、紀元前二〇〇〇年期初頭の青銅器時代に造られた集落の集中度合いは、西ヨーロッパの他の地域にはほとんど見られないものだ。青銅器時代のラ・マンチャについてのわれわれの知識はほぼすべて、最近の発掘調査からきている……ラ・マンチャはあきらかに、ヨーロッパ青銅器時代の研究における最重要な疑問の多くに取り組むのに適した地域だろう。(13)

青銅器時代のラ・マンチャの集落は、年代的には紀元前二二五〇年から前一五〇〇年ごろのもので、これはミノアによる交易のパターンと一致している。リオ・ティント鉱山は数百年にわたって稼働したが、のちに鉱夫たちは上流へ移り住むとメシタで農業を始め、この地域には防護を固めた集落が点在することになった。マルティン博士が説明するように、ラ・マンチャの入植者たちは、比較的集約的な農業を行うことで不安定な気候に対処していた。

ラ・マンチャの遺跡から出た青銅器を分光分析にかけると、ほぼすべてが純度九六・九%の合金ではない銅で、ヒ素の含有量は平均一・八一%だとわかった。錫青銅はほとんどない。含有さ

れたこのヒ素は製錬工たちに深刻な肺の病気を引き起こしただろう。

この議論の鍵となるのは、ラ・マンチャ南部の発掘現場から象牙が発見されたことだ――元をたどればアフリカもしくはインドのものにちがいない。およそ四〇〇グラムのこの物質は、ほとんどがボタンとブレスレットという形をとって、どちらも生のままか半加工か、完成された装身具として出てきた。加工はラ・マンチャの工房で行われていたようだ――定期的な遠隔地交易の証拠である。堅固に防御された大規模な集落は、より近代的で地中海の特徴をもった新しいレベルの集約的農業とも関連していた。

イベリア半島で採鉱を行うか、その防御のための施設のあった初期の集落を挙げれば、ロス・ミラレス（銅）、アルミサラケ（銀）、エル・バランケテ（金）、エル・タラハル（金・銀）、ラス・ピラス（金）（地図を参照）。この段階での作業は原始的で、銅は高純度のものだった。

W・シェパード・ベアードの調査結果のおかげで、私がとくに目をとめることになったのは、「ロス・ミラレス」の採鉱社会だった。この名前は、大規模な銅の採鉱を行っていたおそらく一〇〇〇人ほどの集落からきたもので、その跡は一八九〇年代に当局がアルメリアに鉄道を建設中に発見された。ミラレス文化についてはほとんど知られていないが、スペインの南東部一帯に広がり、おそらくずっと西に赤い四肢を伸ばすリオ・ティントにまで到達していたようだ。W・シェパード・ベアードはこう書いている。

……彼ら［ミノア人］はスペイン南東部のアルメリアの河川流域を調査したときに、探していたものをすべて見つけた。そしておそらく数世紀のあいだ、川の沖積堆積物をふるいにかけて金属を見つけることで満足し、流域のどこかに入植地を築いた。やがては内陸部の沖積金属が採れる場所へ移動し、常設の採鉱集落をつくったのだろう。紀元前三二〇〇年には、エーゲ海のミノア入植地（ロス・ミラレス文化）の街が数多く建設されていた。(14)

私個人の見方から興味深いのは、紀元前一八〇〇年ごろにまったく新しい文化の影響がイベリアに及んだことだ。ミラレスの人々が突然、銅の冶金学で大きな飛躍を遂げた。ヒ素銅の製錬を始めたのだ。私としては、ミラレスの人々がこんなに早い時期にこれほど早くそれを学んだのは、早々にミノア人との直接的な接触があった結果だと考えたいところだ。

そのあと、今度はエル・アルガルという謎の新民族が忽然と現れ、ミラレスのあとを継いだ。面白いことにエル・アルガルの影響は非常に早い時期、紀元前一八〇〇年ごろには始まっていたが、その後に発展を遂げた。紀元前一五〇〇年にエル・アルガルの人々はいわゆるB期に入り、この時点ではっきりとわかるエーゲ海の要素が文化に入り込んできた。新たに導入されたなかには、巨大な「ピトイ」もあった——私が最初にクレタ島とティーラ島で見たような甕だ。

私の見方として重要なのは、エル・アルガルは外の世界との強固なつながりをもつ人々だったということだ。私の確信をいうなら、エル・アルガルは実際にはミノア人で、スペイン南部と中部の広大な土地や豊かな鉱山地帯は彼らの数ある植民地のひとつだった。

ロス・ミラレスには、ミノア人入植の歴史――そしてその後のミケーネ人の影響を示す多くの手がかりがある。たとえば墓地にはトロスという、クレタ島南部にもメサラ平原中央部にも見られるミノアの蜂の巣型の墓と同じものがある。陶器や象牙、ダチョウの卵の殻といった遺物からも、この文化が――ごく控えめにみても――地中海の交易商人たちと多く接触していたことがうかがえる。

象牙、青銅、ダチョウの卵――すべてが突然、頭のなかでつながった。リスボンはおそらく私が世界でいちばん好きな港で、何度も訪れたことがある。そのあいだに、これと同じような宝物がテージョ川河口のサン・ペドロの要塞でも見つかったという話を聞いたことはなかっただろうか？

テージョ川の河口に入っていくのは、船乗りには忘れられない経験だ――誇張でなく壮大な、天然の港なのだ。テージョ川自体は国境を越えて流れる雄大な川である。スペインとポルトガル両国の真ん中を貫いていて、さかのぼればマドリッドの南、壮麗で孤独な光輝に包まれたトレドにたどり着く。

ビラ・ノバ・デ・サン・ペドロは大きな青銅器時代の要塞だった。考古学者の考えでは、同心円状の建築だったという。テージョ川の河口を見下ろす位置にあり、人類学者H・N・セイヴォリーとド・パソ大佐の手で初めて発掘された。

私にとってうれしいのは、サン・ペドロがロス・ミラレスとまったく同時代の遺跡だとわかったことだ。セイヴォリーは調査報告のなかで、ロス・ミラレス後期の金属加工文化との類似性に言及している。特定された年代は紀元前二四三〇年。サン・ペドロで見つかった墓からは、なんと象牙や雪花石膏《アラバスター》、ダチョウの卵などが出てきた——ミノア人との交易と影響を示す典型的な品々だ。また女性神を崇拝していた証拠もあった——こちらはミノアの宗教の決め手となる要素である。

セイヴォリーは、紀元前二五〇〇年ごろのビラ・ノバ・デ・サン・ペドロⅡに独特な同心円状の要塞があったことを印象深く説明している。やはりミノア人の地中海の基地であるシロス島のカランドリアとの類似性を取り上げたのだ。セイヴォリーは直感的に、初期青銅器時代のこの地域に入植した者たちは地中海から来たと考えたようだ。

私はある計画を温めていた。ある時期にサラマンカ大学で講義をする予定があった。そのための旅程を活用して、テージョ川とその流域のスペインで調査をするのだ。

グアディアナ川（地図6を参照）をさかのぼればエボラに達する。そこからすぐ西側のサン・ドミンゴス銅山の近くに、私のお目当てがある。青銅器時代の天文遺跡、アルメンドレスのクロムレックだ。イングランドのストーンヘンジの姉妹にあたるアルメンドレスは、決して唯一無二とはいえないだけに、私にはなおさら魅力的だった。悪魔もやはり、細部に宿るのだ。

アルメンドレスが今回の調査に関連した部分で興味深いのは、主としてつぎの一点にある。月の子午線高度が、この遺跡の緯度と同じ北緯三八度三三分で最大になるということ。つまり、月が最も高くなるとき、その軌道がこの場所にいる観測者の真上にくる。

他にこうしたことが起こる緯度は、ストーンヘンジと、アウター・ヘブリディーズ諸島のルイス島西岸にあるカラニッシュに限られる。

学者たちの見解はすでに一致していて、アルメンドレスの石柱群はストーンヘンジと同様に、春分・秋分のときに太陽が昇る位置と沈む位置を示すものだ。初めてアルメンドレスを調査したのはフランス人考古学者ルイ・シレだった。シレは自分の見た証拠からこう確信した。イベリア半島に新しく入植した「エル・アルガル」は、進んだ文明社会から航海してきた商人たちだった。彼らは鉱石を探しながら、自分たちの取引する物質の莫大な価値については現地民に知らせずにいた。シレはまた初期の報告で、入植者たちが赤、黒、緑の顔料で彩色した東洋風の絵入りの壺を取引し、製造したことに触れている。周知のとおり、ミノアの究極の特産品は彩り豊かな陶器だった。黒と緑は銅に由来する色だ。また雪花石膏や大理石の杯、エジプト式のフラスコ、バルト海の琥珀、ブリテンの黒大理石なども持ち込まれた。

これで、ある新しい文化が、金、錫、銅、銀などの資源に関心のある人々がイベリア半島にやってきたという有力な証拠ができた。その人々がミノア人だったという証拠もどんどん重みを増してきている。

これは決定的なつながりだった。ミノア人は星を読む必要があった。そうしなくては航海ができない。天文観測のためのストーンサークルは、緯度と経度、春分と秋分の日を決定し、太陽と月の位置、そして将来の日食と月食を予測するのに利用されただろう。もしサン・ドミンゴスや、スペインの他の場所の銅鉱の採掘に従事し監督もしていたミノア人が、アルメンドレスの天文観測用のストーンサークルにも関わっていたのだとしたら？

だが、当面の計画を立てる必要があった。私たちは飛行機でマドリッドに飛んだ。そこからアビラ、サモラを経てリスボンに向かうつもりだった。その途中で現地の博物館か遺跡に立ち寄り、テージョ川に沿ってミノア人が訪れた痕跡を探ってみよう。サラマンカ大学の教授たちのひとりに電話をして相談したところ、アルメンドレスを見てみたらどうかと勧められた。ある興味深い事実も教えてもらった――ラ・マンチャの青銅器時代は突然に終わったのだという。防御を堅固にして数多く造られていた集落が、紀元前一五〇〇年ごろ、比較的短期間に終焉を迎えた――ミノアのクレタ島がティーラ島の津波で急激に壊滅したのと同じころだ。

ラ・マンチャ地方のモーラ、モティリャ、カスティリェホといった集落が突然、放棄された――放射性炭素年代測定が行われた遺跡は、実質的にすべてが一世紀のうちにつぎつぎ消えていた。そしてこのあと私は、ブリテン、アイルランド、アメリカでも、青銅器時代の採掘が同じように突然、停止されたことを知ることになる。それもほぼ同時期――紀元前一五〇〇年に。

21　スペインとラ・タウロマキア

だが、マドリッドではまだ時間があまっていた。それで例の教授に訊いてみた。何をすればいいでしょうか？

「ああ、プラドへ行くといい。あれは見逃せませんよ」

たしかに見逃せないものだった。プラド美術館にはヨーロッパ有数の美術品のコレクションがある。かつてはスペイン王室が所有していたものだ。私たちは何列も続くギャラリーに展示された精巧きわまりない絵画を見て回った――ヒエロニムス・ボスの「地上の喜びの園」からルーベンスの「三人の女神」まで――教授が推薦したとおり、たしかに見応えたっぷりだった。これ以上のものはもうないだろうと思えるほど堪能したころには足が痛み、ぜひとも喉をうるおして活を入れる必要に迫られ、お茶を飲んで一休みした。

マーセラはお茶菓子もいっしょに食べて、エネルギーになる糖分を補充した。私がまだ両足の痛みと、スペイン王家の名だたる宮殿の圧倒的広さに呆然としているうちに、彼女は残りの見どころを熱心に調べはじめた。

「もうこれ以上の文化を吸収するのは無理じゃないかな」と私はこぼした。

マーセラにしっかり手綱を握られ、静かだが広い部屋に入っていくと、木炭を手にした大勢の生徒たちが黙々とスケッチに没頭していた。ギャラリーが静寂と敬虔な雰囲気に包まれている理由がすぐにわかった。ロマンティックなスペインの天才画家、フランシスコ・ホセ・デ・ゴヤ・イ・ルシエンテスのすばらしいスケッチの連作が展示されていたのだ。

ゴヤによる一九世紀の銅版画シリーズ「ラ・タウロマキア」は、当時の闘牛のスタントや技術を記録した魅惑的な連作だった。絵のなかの闘牛士はテーブルの上や、椅子の上に立っていたりもする。犬が雄牛のおとりに使われている。雄牛を解き放って街なかを走らせる「エンシエロ」も見られる。ある絵では闘牛士が仁王立ちし……また別の絵ではポールを使って雄牛の上を飛び越えている。

スケッチNo.90の題名はこうだ。「マドリッド闘牛場でのファニート・アピニャーニの敏捷さと大胆さ」。闘牛士アピニャーニはポールの助けを借りて、大胆にも雄牛の角をかわしながら後方へ宙返りしている。そして牛の背を越え、雄牛の後脚の後ろに着地しようとするのだ。

この驚くべきスペクタクルにはすごく見覚えがある。でもどこで？　そのとき不意に、以前同じものを見た場所に思い当たった――ミノアのクノッソス宮殿だ。その場面が描かれたフレスコ画は、もともと紀元前一七世紀から前一五世紀のいつかから奇跡的にいままで生き延びてきたものだけに、なおのこと驚かされる。

これは偶然の一致なのか？

そうではないだろう。遠い昔にメディナで、聖母被昇天祭の前夜、ブル・リーピングというとてつもなく華々しいスポーツを目の当たりにしたことがある。最近になってまたクレタ島、南インドのケララでもその証拠を見た。私が目の当たりにしているのは——あらためて考えてみれば——名刺のようなものだった。この名刺は何世紀ものあいだ、そこにあったのだ。ミノアの色あざやかな筆致で描かれて。このスポーツはきっと、後世の私たちが読めるように残された「署名」だったにちがいない。このミノア人はおそらく、最初にアナトリア南部のチャタル・ヒュユクから現れたのと同じ人々だ。チャタル・ヒュユクはおそらく世界初の都市であり、ミノア人が初めて建設した場所と考えられる。ここから出た証拠は、住民たちが雄牛を崇拝していたことを示している。論理的に考えるなら、やがて彼らがクレタ島にまた現れたとき、その雄牛が神聖な祭りの中心となったのだろう。

ミノア人が訪れていたと私が見当をつけた場所には必ず、ブル・リーピングを示す絵が見つかった。クレタ島のクノッソス宮殿から始まって、船で近東へ行き、エジプトのナイル・デルタ、そしてシリアへ、さらにエーゲ海を越えて遠く南下し、南インドのケララ州南岸にいたるまで。この慣行はここスペインにも生き残っていた。紀元前三〇〇〇年期あるいは二〇〇〇年期初頭から現代までずっと、民衆のなかに受け継がれてきた遺産なのだ。

雄牛崇拝の広がりは、考古学的な人工遺物にも裏づけられていた。メトロポリタン美術館の「バビロンを越えて」展のおかげで、バビロニアで雄牛を飛び越える人物の絵を見ていたし、そうした場面が粘土の印章にもはっきり刻まれていた。アテネの国立考古学博物館にある青銅の指輪には、ミノア流に腰布を巻いた髭のないブル・リーパーが雄牛の背の上で宙を跳び、長い髪を後ろになびかせる姿が描かれていた。さらにエジプトのカフンでも、木製の箱に描かれた絵には死と闘うブル・リーパーの勇壮なダンスが見える。トルコのコルムでは、ヒッタイトの古い集落から出土した甕に雄牛のまわりに集まった一三人の人物の装飾があり、またしても踊り手が雄牛を相手に危険なゲームを演じている。アンタキヤではある白黒のシンプルな絵に同じような場面が見られる。

弾むような感じが足取りに戻ってきた。疲れもすっかり忘れていた。だが忘れてはならないのは、脳裏にまだ息づいているイメージだった。クレタ島の考古学博物館で見つけた、私の自説のすべてをほぼ証明してくれる、小さくとも雄弁なもの。ミノアの、幅六センチほどの大メダルが、展示品の列の端にあるキャビネットに収められていた。そこには曳かれて船に乗せられる雄牛の絵柄があった。

「ギャラリー膝になってしまったよ」マドリッドの広い通りと熱気のなかに出ると、私はやれやれとばかりに言った。「それにミュージアム脚にも」。それでもいま見たばかりの絵は、何があろうと見逃せるものではなかった。

22 ドーバーへの道を開く

二〇世紀のイングランド南部。一九九二年、イングランドのターミナル港ドーバーでは、現代交通技術の驚異ともいえる英仏海峡トンネルに連絡する地下道の掘削工事が行われていた。

かつての中世の街の残骸を下に向かって掘り——さらに深いローマ時代の地層を掘り進めていったとき——あるものにぶつかった。完璧に保存された先史時代の船だ。全員が道具を下ろし、驚愕の目で見つめた。作業中の場所の深さから、いま見ているものの途方もなさがわかった。タングステン照明の細い光線に照らされているのは、ひねこびて黒ずんだかつての木造船だったのだ。

考古学者たちは船材の記録と回収のための救出作業に入り、船を三二片に切断して、それぞれの断片を慎重に写真に撮って記録した。何千年ものあいだ湿った粘土のなかで保存されていた船だけに、乾燥した空気に触れると分解して煙になってしまうのではないかという懸念があった。そのためにクレーンで三二の断片を吊り上げてから、防腐剤を満たした特別な容器に入れて細かな情報を記入し、発見された順にしたがって各断片を入れ替えられるよう配慮した。

この驚くべき救出作業には二二日しかかからず、関係者は大いに称賛された。現在の総意では、

「ドーバー・ボート」は大いに敬意をもって扱われる価値のあるものだ。材料のオーク材が伐採されたのは紀元前一五〇〇年ごろ。この船はツタンカーメンがエジプトを支配するはるか以前、古代ブリトン人がまだストーンヘンジを使っていた時代に海の上にいたのだ。しかし注目すべきなのはそのとてつもない古さだけではない。青銅器時代の複雑な技術がほぼ無傷のまま残っている数少ない例のひとつとして、この船は当時のこと、そしてブリテンそのものについて多くを教えてくれる。

ドーバー・ボートは世界最古の建造物のひとつである。見る者をたちまち圧倒するのはこの船の荒削りな強靭さだ。木材は黒く変色しているが、保存状態は完璧で、ジェット機の表面のような光沢がある。船体を形づくる板は、木の幹からのこぎりで切り出したのではなく、丸ごと彫り出したものだ。「縫合船」と呼ばれるタイプで、板と板をひもでつなぎ合わせ、苔と蜜蠟で隙間をふさいである。

その日はヴィクトリア駅発の列車が遅れていて、他の旅行客たちは、待ち合わせに遅れる、港での乗り継ぎに間に合わないとそわそわしていた。幸い私には、そうした時間的な制約は何もなかった。空から降りてきた淡い霧を眺めながら、頭をはるか遠い過去へ向けようとした。紀元前五五年八月二六日、ユリウス・カエサルがローマ帝国の侵略艦隊を率いて現れた。彼は来た、見た、だが征服はしなかった。それでも紀元三世紀、ドーバーのいわゆる「ペインテッド・ハウス」（あるいは娼館とも呼ばれる）が建てられたころには、この街は本格的なローマの入植地になっていた。古代にあった草の道も、ワトリング通りと呼ばれるようになり、舗装されてカンタベリーまで延ばされた。

私は往復二ポンドの料金を払ってバスに乗り込み、「ドゥブリス」を見にいくことにした。ローマ人がブリテンでの権益を守るために、ドゥア川のほとりに築いた街だ。それにしても、考えるだに驚いてしまう。この地面の下にまだどれだけのものが発見されないまま眠っているのだろうか。ドーバーのローマ時代の地層の上には、ジョージ王朝や中世の建築物までもがぎっしりと詰まっている。一九八〇年代に町議会が駐車場を掘り起こしたときにローマ時代の砦が見つかるまで、ここにどれほどのものがあるか誰ひとり知らずにいたのだ。丘の上にそびえ立つドーバー城に見下ろされながら、私は立ち込める霧を透かしてファロスを、つまりローマ灯台を見ようと苦労した。

市場の立つ広場まで戻り、例の船のある場所へゆっくり歩いていきながら、何を見つけることになるのだろうかと考えていた。そして実際に見たものは、いくつかの意味で衝撃的だった。

否応なく思い出したのは、ティーラのフレスコ画に描かれた、空気のように軽やかな船と、出迎えるようにその周囲を飛び回るツバメ、そして大航海から無事に帰還した船団を見ようと集まってくる群衆だった。そのあとにはウルブルンの沈没船という駿馬がいた。それに比べるとこのブリテンの船は、関節炎にかかった老馬だ。ドーバー・ボートは舵もなければマストも帆もなく、動力を得るにはオールかパドルで漕ぐしかない。しかもきわめて重そうに——外海よりも蛇行する穏やかな川に向いているように見えた。

それでも古代の船の専門家ピーター・クラークは言っている。

初期青銅器時代に［ヨーロッパとの］接触が起こったという考古学的な証拠があり、その点からおおむね認められるとおり、海峡を渡ったり大西洋の海岸線沿いを移動したりしながら、イベリア半島からブルターニュを経てイングランド西部にいたるような航海を行うことは可能だったはずだ……初期青銅器時代以降は状況が変わり、木板船が英国沿岸に広く分布していたことを示す証拠が見つかっている。そうしたなかには、海岸沿いを移動したり、条件がよければ短い距離なら海を渡ることが十分に可能だったと思われる例もある。⑮

この船を保存するイングリッシュ・ヘリテッジによると、

……ドーバー港のすぐ東でダイバーたちが発見した、ラングドン湾の青銅製の遺物は、主としてフランス起源であり――あきらかに難破した外洋船とともに失われたもので、年代的には中期青銅器時代にあたる――この時期にブリテンとヨーロッパ本土のあいだで定期的な行き来があったことを示す十分な証拠だ。ドーバー・ボートは実際に船として十分な機能を備えていたという説得力のある証拠になる。

もちろん私も、青銅器時代に海峡を越えた交易が行われていたことにはみじんも疑いをもっていない。ドーバー―ブーローニュ間は英仏海峡の最短コースだし、海を越えたさまざまな形の商取引に言及している歴史的史料も数多い。ギリシャの航海士ピュテアスはコーンウォールの錫取引のことをかなりくわしく述べている。ピュテアスは潮の干満の原因が月にあると初めて気づいた人物で、紀元前四世紀にはブリテンに渡っている——だが、交易についての書き方からすると、すでに何世紀も前から行われていたものであることはあきらかだ。コーンウォール産の錫は貴重なものだっただろう。それは錫石で、他の形で採れる錫よりも硬く、二倍の光沢をもっている。コンゴでは錫石のおかげでいまだに戦争が起こる。古代のブリテンはこの錫石が豊富で、フェニキア人がこの地方を「カッシテリデス」（ギリシャ語で錫の意）と名づけたほどだった[16]。

錫取引の隆盛を示す証拠はまだまだある。青銅器時代の専門家バリー・カンリフ教授は、ビッグベリー湾に注ぐエルメ川の河口で発見された沈没船から、ダイバーが錫インゴット四〇個を回収したことを説明している。すべて二六メートル以内で見つかったこれらの錫インゴットは、あきらかに沈没した船の積荷だった——おそらく、英仏海峡のホーン岬と呼ばれるポートランド・ビル付近で遭難したのだろう。これと同じ場所から回収され古代の木材数片は、炭素年代測定で紀元前四〇〇〇年以上前のものとされた——「錫が取引されるにはあまりに時期が早すぎる」とカンリフは言っている。しかし紀元前四〇〇〇年はほんとうに早すぎるのか？　国際的な海上交易が行われていたと考えられる時期は、たえず早い時代のほうへ向かっているのだ。

青銅器時代がブリテンに達したのが紀元前四〇〇〇年だろうと、あるいは一般にいわれている紀元前二三〇〇年だろうと、ドーバー・ボートが造られた紀元前一五〇〇年には、こうした船がブリテンからヨーロッパまで錫を運んでいた可能性があるというのは確かだ。ところがこの船は、ティーラのフレスコ画にある地中海の船のように洗練され、強さと復元力のある船ではなかった。またドーバー船の重量と柔軟性のなさから、ウルブルン沈没船やティーラの船より積載量がはるかに少ないことがわかり、外洋交易には向いていなかったにちがいない。

英仏海峡《チャネル》の潮流は強く、それがフランスの海岸のファンネル効果と相まって、風が吹くと短い急峻な波が生まれ、二～二・五メートルもの高さになることがある。「チャネル・チョップ」と呼ばれる現象だが、ドーバー・ボートがこれにうまく対処できたとは私には思えない。

簡単な計算をすると、全体像が見えてきた。三トンの銅や錫を積んだドーバー・ボートを想像してみる。一六人の屈強な船乗りが二ノットの速度で五時間も漕ぎつづけて英仏海峡を渡っていく――そのあいだ四人の男が必死になって水をかい出しつづける。それだけの量の血と汗と涙を流していたら、一日に五時間漕ぐのが精いっぱいだったろう。ウルブルン船のような船なら、何日もずっと漕ぎつづけられただろうし、同一条件下の貨物積載能力は四倍以上だ。しかも水漏れも起きない。

ウルブルン船の船乗りたちはまた、銅や錫のインゴットをバラストとして船倉の底、竜骨の横に配置することで、船の重心を下げ、安定性を高めもしただろう。そうすれば船の横揺れや縦揺れ、縦曲げを抑えることができる。ドーバー・ボートでは船体の低い位置にインゴットを置いたても、同じ効果は得られない。船体上部の板材の重さのせいで、相対的にトップヘビーになってしまうのだ。

交易の点でいうなら、青銅器時代の英国人は激しい国際競争にさらされていた。ミノア人はその機会を、彼らが神と崇める雄牛の角で捉えたのだろうか？

手近な〈グリーシー・スプーン〉というカフェに落ち着くと、美味いベーコンエッグを味わいつつ、本に鼻を埋めた。ローマ時代の街ドーバーで、ローマ帝国の海軍司令官や著述家の書いた本を読むのもおつなものだ。私はおざなりにしていた古典教育に追いつこうとしていたのだが、急がなくてはならない理由があった。大プリニウスの書いたなかに、英国の歴史に関する有名な、だが大いに物議をかもした一節がある。

> つぎに考えるべきは鉛の特性だが、鉛には黒と白の二種類がある。とくに価値が高いのは白だ。ギリシャ人は「カッシテロス」と呼んでいるが、これには信じられないような話がある。あちこち探したあと、アトランティス［傍点は筆者］の島々から鉛に覆われた樹皮に包んで運ばれ……
>
> それはたしかに、ルシタニア［イベリア］やガラエキア［ブルターニュ］では地表の黒い色の砂のなかから採れる。発見されるのはその重さによってであり、水が激しく流れたあとの干上がった川床で小さな小石と混ざり合っている。鉱夫たちはそうした砂を洗って沈殿したものを取り出し、炉で熱する。[17]

と、またしても「アトランティス」が出てきた。しかし今回はギリシャ人ではなくローマ人だ。

紀元一世紀初頭のころ、プリニウスは「アトランティス」を過去から現在にいたるまで、船で地中海まで運ばれてくる錫の供給元として認識していたらしい。

ミノアの船乗りたちは、青銅器時代の貴重な金属を探して北のブリテンのほうへ向かい、その際立って優れた船で難所のビスケー湾を渡らなくてはならなかっただろう。五〇〇キロもの海岸線が続くビスケー湾は、スペインの北岸からフランスの西岸まで延々と延びている。かつて帆船の乗組員たちは、ここで強い西風を受けて岸へ流されたり、へまをして難破したりするのを心底恐れていた。ビスケーは悪天候で悪名高い。多くの船乗りが大西洋の強い流れと猛烈な風に追い立てられ、この湾のたちの悪い岩礁と浅くなった大陸棚にぶつかって沈没の憂き目にあってきた。ここを渡るのに最適なのは六月と七月だ。私たち船乗りにとっては秋一番の嵐を避けるために、八月中旬までに渡り終えるのが重要になる。

比較的穏やかな地中海を航行するときでも、五月初旬より前に出航するのは無謀だ。それよりあとなら地中海の冬の強風も収まっているだろう。だとしたらジブラルタル海峡に着くのは八月下旬ごろになる。そしてミノアの船団はサンルカルで冬を越すあいだ、壊れたオールや帆を修理したり、船を傾けて船体にくっついたフジツボを取り除いたりできる。

ミノアの船乗りという先進的な旅人たちを想像してみよう。いかにも魅力的で果断なたくましい集団で、狡猾さもあって旅慣れている。フレスコ画で見るかぎりでは生き生きとした人たちで、そのうえじつに容姿端麗だ。何にもまして金属を、そして魔法を重んじる社会にあって、冶金の技術は他の追随を許さない。

彼らが秘めた目的はただひとつ、富を得ること。貴重な金属を見つけ、交易を成功させ、当時の最先端技術を駆動する原料、つまり銅と錫とともに、富豪となってファイストスやクノッソス、ティーラへ帰還すること。

乗組員みんなが英雄だ。ひとりひとりが世界の驚異を目の当たりにし、未来をその手に——あるいは船倉のなかに——たずさえ、故郷の人々のもとへ帰っていく。

23　銀の流れる土地

古代ギリシャ初期の歴史家シケリアのディオドロスは、ブリテンを「輝く国」と呼んだ。そして実際、ポルトガルからフランスを経てきた船乗りが十中八九最初に見つけるであろうブリテンの土地、つまりコーンウォールは、並外れた光の質をもっている。だが私の考えをいうなら、ディオドロスの記述は、むしろこの国の豊富な金属の輝きを指しているのではないだろうか。ここはかつて、光り輝く錫や銅、金のなかに日が沈んでいく島だった。

ドーバー・ボートを見にいき、海外から来た商人たちが地元民との競争に脅かされることがほとんどなかったと知って満足すると、マーセラと私はこの場所で一週間を過ごすことにした。セントモースに近いコーンウォールの海岸にコテージを借りた。ここからカーノン川を探検できる。青銅器時代には銀色に光る錫の鉱石が流れていた川だ。

今回ばかりは物議をかもすことのないテーマだとわかった。イングランド人は総じて、とくにコーンウォール人たちは、青銅器時代に地中海東部から外国の船乗りたちが錫を採掘しにやってきたことを進んで認めている。年代的には紀元前二〇〇〇年ごろとされることが多い。

実のところ、この鉱石の輸出をめぐっては、ありとあらゆる民間伝承が生まれ育っている。ソロモン王の神殿の真鍮細工はコーンウォールの錫で作られていたともいわれるし、古い伝説ではキリストその人が、商人の叔父であるアリマタヤのヨセフが貴重な鉱石を買い付けるのに伴ってコーンウォールを訪れたとされている。

コーンウォール地方の岩盤はその多くが花崗岩だ。何百万年も前、花崗岩がまだ溶けているときに割れ目や裂け目ができ、地球の核の部分から熱いマグマがそうした隙間を通って湧き上がってきた。この新しい岩石が結晶化するとき、さまざまな鉱床——錫、銅、亜鉛、鉛、鉄、そして少量の銀——が形成されたのだ。鉱石を含んだ岩は垂直の割れ目に沿ってできているので、掘り出すには垂直に——地面をまっすぐ下へ掘っていかなくてはならない。

川はしばしば、錫の鉱床を横切って流れるか、ときには寸断されたりもした。錫は非常に重いので、川底に残されることも多かった。コーンウォールのこの地域では、青銅器時代の採掘の証拠がいたるところに見られ、ペラナーワーサルでは青銅器時代の貧しい鉱夫の遺体も見つかっているほどだ。

なかでも当時、最も豊富だったのはファル川の河口地域（地図7を参照）と、とくにその西側を流れる支流である。とりわけカーノン川は、青銅器時代を通じて船が航行可能で、上流のトウェルブヘッズまでも行くことができた。

もうひとつ、ブリテンがミノア人にとってきわめて魅力的なのは、その見事な森林が——加えて生育している木の種類が豊富なことが大事な要因としてあっただろう。空から見ると、ブリテンはほぼ現在のアマゾンの密林のような、生命力にあふれた緑の塊で、そのなかにときどき、点々と散った錫の鉱石で光り輝く川の流れが見えていただろう。

ブリテンの巨大なシデ、すばらしく軽いオーク、堂々たるブナやヤナギはどれも、下枝を刈り込むことや、コピシング（若い木の幹を地面近くで切り落とすこと）によい反応を示す。人間の適切なヘアカットと同じで、木を短く切るのには二つの効果がある。ひとつは、木をより健康にし、長持ちさせること。もうひとつは、よりたくさんの枝を伸ばし、よりたくさんの薪が採れるようにすること。周知のとおり、薪は製錬には不可欠なものだ。ギルガメッシュ叙事詩にもあるように、木はすでに地中海全体で希少な資源となっていた。

ブリテンまで来て資源開発を始めたのはミノア人で、後世のフェニキア人ではないと信じられる理由はどこにあるのか？　そのひとつは、紀元前二三三三年から前二二七九年ごろのアッカド王国の偉大な王、サルゴン一世にまつわるものだ。サルゴン一世は自身の広大なメソポタミアの王国内にある道路の走行距離と配置を記録した「道路表」を作らせた。紀元前八世紀に官吏が作成したその写しが、アッシリアの首都アッシュルで発見されている。

この粘土板には、「グティウムの地」と「上の海（つまり地中海）の向こうにある錫の地の国」のことがくわしく記されている。[18]

このうち後者のほうの言及は、オックスフォード大学の元教授でアッシリア研究の第一人者アーチボルド・セイス教授が少しちがった翻訳をした。内容はこうだ。「錫の地（クガ・キ）とカプタラ（カプトル、クレタ島）、上の海（地中海）の向こうにある国々へ」。つまりセイス教授の翻訳は、「錫の地」と古代クレタ島を結びつけているのだ。[19]

この証拠にはもうひとつ、心にとめておくべき点がある。紀元前二八〇〇年から前二五〇〇年のあいだのブリテンで、銅製の斧が青銅製の斧に突然切り替わったのはなぜなのか？　また紀元前二二〇〇年ごろ、ブリテンの斧の錫含有量が、ほぼゼロから一〇～一一％まで急に跳ね上がった理由は？　この年代は、私がいま存在を唱えているミノアの交易帝国の最盛期とぴったり一致する。サイラス・ゴードン教授が書いているように、「地中海を中核とする古代の驚異的な商業ネットワークの存在があきらかになろうとしている」のだ。[20]ミノア人には技術があった。高速の外洋帆船と、それを操る知識。発掘したものを製錬・加工するときに必須のノウハウ、金属を美しい形に作り上げる高度な技術とデザインの能力もあった。この青銅というすばらしい物質へのあくなき欲求に突き動かされて、彼らの文化は世界一進んだものとなり、その過程で古代の地中海にいたミノア人は、世界で最も裕福で強力な市民へと成長していったのだ。

ミノア人は、錫の流れる川の魅力に引きつけられてブリテンまで来たのだろう。土地の住人からの抵抗はまずなかったはずだ。そしてこの場所にあるもうひとつの大きな幸運、つまり銅を見つけたときの彼らの喜びようを想像してみてほしい。

24　ドラゴンの国の迷宮

コーンウォールの錫鉱山からセント・ジョージ海峡を北へ向かう船は、ウェールズの北西部にさしかかったとき、いまはカーナーボンと呼ばれているあたりの美しい山頂の連なりに目をとめていただろう。好奇心旺盛な船乗りなら、そのあと針路を東へ転じてコルウィン湾に入り、調査のためにカーメル・ヘッド（地図7を参照）に上陸したかもしれない。私の考えでは、これが紀元前二五〇〇年ごろの中期青銅器時代に実際にあったことだ。初めてやってきたミノア人探検家たちが、コーンウォールの錫をたんまり採掘したあとで、さらに北へ探索に向かったのだろう。

恐竜の時代以前には、この岩だらけの浜辺は熱帯の海底だった。いまある石炭紀の石灰岩でできた巨大な岬は三億年ほど前に形成されはじめた。石器時代の人間がオームと呼ばれるこの一帯で、マンモスやライオンやケブカサイとともに暮らしていたのはほぼまちがいないが、ホモ・サピエンスがいつ最初にこの岬までやってきたのか、考古学者にも確かなことはわからない。

それから何千年もたったあと、二人の熱心な鉱山業の愛好家が一九世紀の鉱山跡を調査していた。ウェールズではこの世紀に鉱物の開発が一大産業となっていたことで知られる。ところがアンディ・ルイスとエリック・ロバーツが出くわしたのは、一八世紀や一九世紀の採鉱慣行とはまるで一致しない、目をみはるごたまぜのような銅山だった。

安全のための予防策もなしに地下深くまで探検するのは問題があると感じ、ルイスたちは地元の評議会にかけあって調査の許可を取りつけた。その調査で見つかったものは、当のルイスたちも含めて全員に衝撃をもたらした。迷路だ。

彼らの足の下にあったのは、迷路さながらに延びる先史時代の採掘跡で、ごたごたと密集する縦穴や坑道、側室につながっていた。暗く埋もれた通路や部屋は計り知れないほど古く、二人のウェールズ人が予期していたヴィクトリア朝以前の浅く掘られた鉱山とは似ても似つかなかった。ルイスとロバーツはまったくの偶然から、青銅器時代の巨大なグレート・オーム銅山を掘り当てたのだ。

グレート・オーム探検協会は毎週木曜日の夜、ランディドノーのキングズ・ヘッドというパブで会合をもっている。そこで今日は彼らのもとを訪れ、ビールのパイントグラスをルイスとロバーツに、そしてこの土地を切り開いた古代の開拓者たちに向けて掲げるのもいい。彼らは世界中の目を輝かしい過去に向けさせたのだ。私たちがほとんど想像だにしなかった技術の時代に。

私がこの場所を訪れたのは春も深まったころだった。ロンドンからは簡単な道のりだ。まずまっすぐウォリントンまで出て、そこからのんびりしたローカル線で西へ、美しいフリントとデンビーの海岸沿いを一時間半ほど行けばいい。南にはあのミノアの船乗りたちも見たであろう雪をかぶった山々がそびえ、北には浅い湾が続いていて、彼らが船を岸辺に引き上げることができただろう。いまの海岸線はオートキャンプ場に石油精製所、そしてウェールズのどこででも見られる羊の牧場だらけだ。

私の旅の終着点は優雅なヨットの街、ランディドノーだった。グレート・オーム銅山はランディドノーの「山頂」に向かう途中にあり、街と山の頂を結んでいるケーブルカーとトラムを乗り継いで行くことができるが、歩いていけば雄大な景色と健康的なハイキングが楽しめるだろう。頂上にあるテレグラフ・インは、かつてはホリーヘッドとにぎやかな世界的交易港のリバプールをつなぐ重要な通信リンクで、貴重な貨物を積んだ船がもうすぐ到着することを知らせていた。このとき私は楽をしようと、ずんぐりして可愛らしい青く塗られた小さなトラムに乗り、控えめに集まって立つ低い白壁の建物のそばで降りた結果――砂利と泥の水たまりの上を歩くはめになった。

グレート・オーム鉱山の内部に入ると、誰もがまず信じられないという反応を示す。この場所の断面図を描いたとしたら、坑道は山全体を貫いて延びる、ばかでかく広がったオークの枝のように見えるだろう。その施設はこれまで見た何にも似ていない――巨大な地下の海綿か蟻の巣にでも入り込んだようだ。人間はそのトンネルや割れ目、裂け目、急な縦穴、側室に這って入ったのだろう。なかには何千年も前の子どもにしか掘れなかったと思えるほど狭いトンネルもある。きっととてつもなく大変な作業だったはずだ。

考古学的証拠から判断するに、最初の鉱夫たちは鹿の角や大腿の骨を使って鉱石をすくい取ると、梯子と巻き上げ装置を使って地表まで運び上げたのだろう。地上に出された銅鉱石は、石で細かく砕かれた。鉱石はダチョウの卵に似た形と大きさだった。通常はあざやかなコバルトブルーの銅鉱石は、粉々にされてからるつぼに入れられ、積み上げた木炭とふいごで熱せられた。やがて溶けた銅は、必要に応じて鋳型に流し込まれる——それだけの簡単な工程だ。そうして冷え固まった銅はそのまま加工するか、溶かしたコーンウォール産の錫と混ぜ合わせれば青銅というきわめて有用な合金ができあがる。そして最終製品は、斧でもナイフでも剣でも、ハンマーで打つか粘土の鋳型に入れて作られた。鋭利な武器や道具は、最初に成型してから叩くことで、より強く柔軟にすることができた。

つまり、ここ北ウェールズで四五〇〇年も前に、ブリテン初の工業プロセスが始まっていたのだ——四五〇〇年前とは、この場所にあった木炭の残留物に含まれていた炭素から決定された年代である。こうしたプロセスが外部から来た人間の助けもなく、これほど早く高度なレベルに達することがありうるだろうか？

「オーム」という古い言葉の語源は不明だが、何世紀もあとで古代スカンジナビア人がドラゴン、あるいは「虫《ワーム》」を指すのにこの言葉をよく使っていたことはわかっている。海の上からだとこの大きな岬はたしかに、こちらに向かって首を伸ばしている海蛇のように見えたのだろう。そう思うこと自体、まさにこの土地の内部にどれだけの宝が護られているかの反映だったのではないか。

そしてここはたしかに宝物庫だった。鉱山技師が計算したところだと、この一帯の古代の鉱山から採掘された銅は一七〇〇トンになるという。これは斧を一〇〇〇万本以上作れるだけの量だ——当時のグレートブリテン島に住んでいた老若男女一人につき三本にあたる。

あるいはこんな見方もできる。ここの銅はのこぎり三〇〇万本分の青銅をまかなうことができた。三〇〇〇キロ離れた古代エジプトのサッカラのピラミッドを造るのに十分な量だ。

青銅と銅に関する技術

ダラム大学のR・F・タイルコート教授が、溶けた銅や青銅を鋳型に流し込んで青銅製の道具や武器を作る工程について説明している。最初はまず、鋳造の基本的な問題からだ。ひとつめに、固体燃料を使った炉で熱せられた金属は、その燃料——青銅器時代の場合は木だ——から気体を吸収する。もちろんそうした気体、とくにやっかいなのは断トツで水蒸気なのだが、金属に触れると酸化銅と水素に分解される。この水素は溶けた金属のなかに入り込んで溶けずにとどまり、金属が冷えて固まりはじめるときに気泡となって現れ、鋳物をだめにしてしまうのだ。

この問題は、気体が溶けた金属の表面まで上がってくる時間を十分にとる——つまり溶けた金属をゆっくりと冷やすことで軽減できる。一度に大量の合金を作るという場合には、そのほうが簡単でもある。

もうひとつの問題は「引け巣」といって、金属が冷えて収縮したときに鋳物に亀裂や空洞が生じることだ。こうした亀裂はさらにフィーダーから溶けた金属を流し込むことで埋められる。剣や差し込み型の斧のように薄い部分では、金属が冷えるときに座金を外し、鋳型の側面を少しだけいっしょに動かすようにする。青銅器時代の鋳物は大多数がこのタイプだった。鋳造のあとにハンマーで叩くことで密度を高め、亀裂を減らすこともできる——これは平らな銅の斧の場合には、主として刃先を硬くするために行われた。

鋳型の出来がよいほど、斧は鋭くなる。初期青銅器時代には石の鋳型が使われるようになっていた。このタイプの製造はほぼ決まった手順だった。鋳型は石の塊から切り出され、二つないしそれ以上の斧のための空洞が作られる。鋳型どうしを平らな取り外しできる座金やガスケットをあいだに挟み、閉じ合わせる。そして金属が冷えはじめると取り外す。初期青銅器時代には、鋳型に使う石のほとんどが、イングランド北部のペニン山脈からきたものだった。(21)

ホテルに戻り、軽くシャワーを浴びて身づくろいをしたあと、バーで軽く一杯やるうちに、これまで経験したことすべてが頭のなかで共鳴しはじめた。先史時代のブリテンの胸躍る光景があざやかに浮かび上がる。驚異的なレベルの工業化、組織化を遂げた社会。これは私たちが古代のブリテンに抱きがちなイメージとはまるでちがう。おそらく再考の必要がありそうだ。

銅はウェールズで、錫はコーンウォールで採掘される。斧はウェールズ北部で、地元の木炭を使って製錬した金属から作られる。鋳型にはイングランド北部の硬い石灰岩が用いられる。大勢の青銅器作りの職人たちは、地元ウェールズで飼われている牛や羊を食べ、服や靴を作る職人はその皮革を使う。こうした労働者たちにはパンが必要で、トウモロコシを育てるのに最適なのは乾燥して日当たりのよいイングランド東部だ。そこでウェールズ製の新品の斧を使って森や林を切り開く。イングランド東部の木は風をまともに浴びるウェールズより高く太く育つので、そこから雑に取った板材で船を造り、穀物を乗せて川上へ運んでいく。

鉱山そのものから出た木炭を年輪年代測定法で調べたところ、鉱夫たちは標準的な大きさの、木の幹から切り払われた枝を使っていた。そしていま、グレート・オームではまたはるかに大勢の働き手が、鉱夫だけでなく木を切ったり木炭を作ったりする職人たちや商売人の一団もいっしょに働いていたことがわかっている。鉱夫は鉱石を掘るのに角や骨を使った――そうした動物は狩らなくてはならない。その皮は伸ばして乾燥させ、革の衣服や靴の材料となった――つまり皮革職人に服職人、靴職人もいるということだ。すると青銅のカミソリで髪を整え、髭を剃る男もどんどん増えてくる。そして地元民が次第に豊かになると、銅山で採れた銅をハンマーで叩いて装飾品や装身具も作られるようになった。

ミノア人およびその新興の帝国には、ブリテンは宝物庫のようなものだっただろう。しかもその宝物庫は彼らにとって、北ヨーロッパ全体へ向かう出発点となった。そしてさらにその先へと。

またしても体じゅうにふつふつと血がたぎっていた。もし可能なら、青銅器時代の開拓者たちの足取りをもっともっと追いかけていきたい。また私なりの船旅を始めるときが来た。

25　奇妙な獣とアストロラーベ

一九九九年のある真夜中。ドイツ北部のザクセン＝アンハルト州。ここから三〇〇キロあまり離れた琥珀交易の街ルングホルトは、まさにハンス・ペーター・デュアーが青銅器時代のミノアの調理鍋を発見し、ミノア人がこの周辺を船で、それも定期的に行き来していたと結論づけた場所だ。

三つの黒ずくめの人影が、ネブラのある深い森の地面を違法な金属探知機で調べていた。寒くて暗い森のなかを何時間もかけて探したあと、とある丘の近くの小さな空き地にたどり着いた。すると不意に、探知機が動き出した。その甲高い音は金属があることを示している――それも大量の。三人はつるはしを地面に打ち込んだ。少しの抵抗のあとで地面が割れ――やがて三〇〇〇年以上にわたって無事に保たれてきた宝物が掘り起こされた。

三人のうちのひとりが慎重に、穴のなかから奇妙な平たい物体を拾いあげ、こびりついている森の土を慎重に払い落とした。これは何なのか？　彼の手に握られた、緑の青銅の光沢に覆われている穴だらけのそれは、奇妙な、ほとんど魔法じみた代物に見えた。

直径三〇センチほどの、青銅製の円盤。表面には金がちりばめられている。月明かりの下でも男たちには、特別な何かを見つけてしまったことがわかった。天空の図を信じられないほどあざやかに描き出したもの。

三日月に向かい合う太陽、あるいは満月。星とおぼしきものでそのあいだが区切られている。太陽も月も表面には金属の腐食で穴がうがたれ、まるで本物のクレーターを望遠鏡で観察したときのように不気味にリアルに見える。その下を船が進んでいく。ある旅人の目には、エジプトの太陽神ラーの船と同じデザインのようだ。

この物体は唯一無二だ。こんなものはいままで見たこともない。現在では「ネブラ・スカイ・ディスク」と呼ばれているもの。

何年かして、ネブラの円盤《ディスク》に二五万ポンドの値札がついて闇市場に出回っているといううわさが流れた。ドイツでは考古学的遺物を無許可で掘り出すのは犯罪にあたる。ハラルド・メラーという、近隣にあるハレの博物館で主任考古学者になったばかりの人物が考えた緻密なおとり捜査で、盗掘者の一味はホテルで捕まり——円盤は救い出された。

メラーは一躍、時の人となった。ネブラ・ディスクを後世の人々のために取り返したのだ——そして自身の博物館のためにも。貴重な遺物をようやく静かで安全な自室に持ち込んだときには、ほっとした笑みを浮かべて、こう思ったにちがいない。「これを手に入れるのにどれほど苦労したか——で、どうする？」

彼らが手にしたものはいったい何なのか？　天文学的装置なのか？　謎の円盤の表面は記号だらけだった。これはただのまとまりのない絵なのか、それとももっと深い意味があるのか？　ルール大学の天文学者ヴォルフハルト・シュロッサー教授が依頼を受け、こうした記号がほんとうに天体を――星座を表しているのかどうかを確かめることになった。

青銅器時代の北ヨーロッパの住人は、星表を描けるほど進んだ人たちだったのか？　もしそうでないなら、この円盤の存在は私の考えを――ミノア人がこの場所に来ていたこと、彼らが少なくともバビロニア人と同等の知識をもっていたという説を裏づけることになる。シュロッサー教授が最初に取り組んだのは、「星」の最も大きなグループをつきとめることだった。

「星」のマークは円盤の表面にあるパターンを描いて広がっていた。教授はそれを既知のコンピュータプログラムにかけて、実際の夜空の星と一致するかどうかを見た。最初は北半球、つぎに南半球と。だが一致するものはなかった。これらの点はただの飾りなのだろうか？

そのあと教授は、円盤の真ん中、太陽と月を表すと思われる円のあいだにある小さな七つの星の集まりに目を向けた。それははっきりとパターンをなしているように見えた。これが星座ということはありうるだろうか？

シュロッサー教授はすぐに、この星の集まりが他の何よりもあるものに似ていると気づいた――プレアデス星団だ。古代の人々は、プレアデスにある星は七つだけだと考えていた。彼らにとっては夜空に見える最も美しいもののひとつだった。注目すべきなのは、偉大な存在が文字どおり星となる古代世界の神話で、偉大な巨人の息子たちのひとりがもうけた七姉妹でもある。その巨人の名をアトラスという。

現在、プレアデス星団は一一の主星から構成されているとわかっているが、肉眼で容易に見えるのは一部に限られる。そこでシュロッサーは、最も古い時代にプレアデスを描いた図像に目を向け、中近東の粘土板や巻物を探した。そしてひとつの驚異を見つけた。七つの星だけで描かれたプレアデス。ネブラ・ディスクにあるのとそっくりな図だった。(22)

ネブラ・ディスクが発見された場所には、他の青銅製の遺物もいっしょに埋もれていた。青銅の剣二本、手斧二丁、のみ一丁、それに金属をねじって作った腕輪の破片。剣そのものはドイツらしいデザインだが、金属の成分量はちがった。分析によって黄金は、マーセラと私がコーンウォールで滞在していたカーノン川で採れたものだとわかった。青銅に含まれる錫もコーンウォール産だった。もし剣も同じ時期に作られたのだとしたら、ディスクの年代は紀元前一六〇〇年ごろということになる。

ネブラ・ディスクの側面には、二本の金色の線が弧の形に入っている。これはどうもあとで付け加えられたもののようだ。この謎めいた円弧はもうひとつの物語を語っているのだが、それを説明するにはさらに数キロ先のザール渓谷まで足を延ばさなくてはならない。

その谷を見下ろす高い台地の上、ネブラ・ディスクが最初に見つかった場所からわずか二五キロのところに、ゴーゼックという小さな集落がある。ここにはもうひとつの隠された宝があり、一九九一年に偶然、偵察の飛行機によって発見された。それは巨大な、二重の同心円状の柱穴だった。そこを貫くようにいくつかの門が造られ、周囲を円形の溝が取り囲んでいる。このときもまた、天文考古学の専門家ヴォルフハルト・シュロッサーに調査の依頼がいった。

新たに発見されたこの場所にどんな機能があったのか、それをつきとめる最初の手がかりは、ゴーゼック・サークルの木製の柵に開いた門が正確に北の方角と一致していたことだった。この場所は太陽、月、星の動きを観察し、時間を把握するために置かれていたのだ。南側の門は冬至と夏至のときの日の出と日の入りを示すものだった。

シュロッサーの考えでは、ネブラ・ディスクとこのサークルにはつながりがあり、円盤に描かれた星座のパターンは過去の、おそらくゴーゼックである時期のあいだ行われた天文学的観察に基づいたものだ。そして円盤に付け加えられた二つの金色の円弧は、冬至と夏至を表しているにちがいない、と推論した。この円弧の角度は八二度で、この地域、つまりミッテルベルクの緯度（北緯五一・三度）で夏至の日の入りの位置と冬至の日の入りの位置がなす角度と同じだ。

思うにネブラ・ディスクは、太陽と月の動きをリンクさせる装置なのだろう。ここザクセンの人々は――地元民か遠くから訪れた旅行者か、どちらにしろ――その知識を何に使ったのだろうか？　ちなみに「プレアデス」という名前自体が、ギリシャ語の pleio、つまり「航海する」と同じ語源からきたものだ。古代には、地中海から船が出港できる時期を予測するのに、プレアデスの日出前出現《ヘリアカル・ライジング》が五月初めから一一月初めまで用いられていたことがいまではわかっている。[23]

いうまでもないが、この装置をここへ持ち込んだのは、こうした高度な天体の知識を把握していたミノア人でしかありえないと私は考えている。ハンス・ペーター・デュアーが経験したことは、青銅器時代のミノア人がこの地域まで旅してきたという証拠だ。こんなところまで来る動機――この場合は自分たちの貴重な青銅をバルト海の琥珀という高価な品と交換すること――をもつ人々は、ミノア人しかいない。

ミノア人はどんな理由から、ネブラ・ディスクを作らなくてはならなかったのか？　たとえばなぜ、星々との位置をそろえた古代のウッドサークルの近くで発見されたのか？　これはきっと偶然ではない。この美しく小さな円盤には、クレタ島で見つかったごく精巧な金印のように、きわめて実際的な用途がある。ネブラ・ディスクはきっと、儀式の形をとりながら、航海の補助に使われていたのだ。

いま私の脳裏に、ある大きな疑問が浮かび、正直なところ圧倒されそうになっていた。アルメンドレス、この地のゴーゼック・サークル、紅海近くのサークル、ケララのサークル、そしてストーンヘンジも。石や木のヘンジがなぜ、私の行く先々に現れつづけるのか？　もう避けているわけにはいかない。世界最古のミステリーのひとつを探索することが、いま私に課せられた急務となった――ストーンサークルを。

第三部　注

(1) Philip P. Betancourt, *The Chrysokamino Metallurgy Workshop and its Territory*, A.S.C.S.A, 2006
(2) Gerald Cadogan, *Palaces of Minoan Crete*, Routledge, 1991
(3) K. Aslihan Yener. 'An Early Bronze Age Age Tin Production Site at Goltepe, Turkey', The Oriental Institute and the Department of Near Eastern Languages and Civilizations, University of Chicago, 2007
(4) Richard Cowen, UC Davis
(5) C. H. W. Johns, *Babylonian and Assyrian Laws, Contracts and Letters*, 1904. Project Gutenberg (www.

gutenberg.org/ebooks/28674)
(6) Richard Cowen, UC Davis
(7) Theodore A. Wertime. 'Man's First Encounters with Metallurgy' in *Science* 25, December 1964, vol. 146, no. 3652, p. 1664
(8) Oliver Rackham, *The Illustrated History of the Countryside*, J. M. Dent, 1996
(9) Rodney Castleden, *Minoans*
(10) The Thera Foundation (www.therafoundation.org)
(11) F. Nocete, 'The smelting quarter of Valencia de la Concepción (Seville, Spain): the specialised copper industry in a political centre of the Guadalquivir Valley during the Third millenium B.C. (2750-2500 B.C.)', *Journal of Archaeological Science*, 35:3
(12) Mark A., Hunt Ortiz, *Prehistoric Mining and Metallurgy in South West Iberian Peninsula*, Archaeopress, 2003
(13) Concepcion Martin et al. 'The Bronze Age of La Mancha' JSTOR
(14) W. Sheppard Baird, 2007 (www.minoanatlantis.com)
(15) Edward Wright, in *The Dover Boat*, ed. Peter Clarke, English Heritage, 2004, p.261
(16) Barry Cunliffe, *The Extraordinary Voyage of Pytheas the Greek - The Man Who Discovered Britain*, Walker & Company, 2002
(17) Pliny XXXIV, 47, Harvard Classics
(18) In *Keilschrifttexte aus Assur verschiedenen inhalts* 1920, no. 92, trans. Professor Waddell
(19) A. Sayce, *The Religions of Ancient Egypt and Babylon*, 1902, p. 3. Project Gutenberg (www.gutenberg.org/ebooks/35856)
(20) Cyrus Gordon, *Before Columbus; Links Between the OldWorld and Ancient America*, Crown Publishers, 1971, p. 81

（21）R. F. Tylecote, *The Prehistory of Metallurgy in the British Isles*, Institute of Metals, 1986

（22）Schlosser, W. (2002), 'Sur astronomischen Deutung der Himmelsschiebe von Nebra', *Archäologic in Saschsen-Anhalt* 1/02: 24-29

（23）Theophrastus of Eresus, *On Weather Signs*, Brill, 2006 pp. 29, 43

第四部

天を観ること

26　石のなかに天体を見る……

再びエジプトを訪れる――ミノア人にとっての強大な畏友であり、この時代の文化の主柱だった場所を。世界中の古代の知識の痕跡をたどっている私が、論理的につぎに向かうべき先はエジプトだった。世界最古のストーンサークルは上ナイル地方にあるからだ。

ナブタのストーンサークルは、紀元前五〇〇〇年ごろに造られたとされている。ミノア人はエジプトでは特別な賓客として、ナブタの巨石群も調査できたのではないか、と私は直感した。エルベ川の三〇〇キロ上流にあるヨーロッパ最古の天文台ゴーゼックと、その目と鼻の先で見つかったネブラ・ディスクのことは、ほぼ何も知らない。調査文献も当てにはできないし、専門家の助けについても同じようなものだ。ゴーゼックの研究はまだほとんど行われていない。だがゴーゼックとネブラ・ディスクの存在は、すぐ目の前にあるあきらかな解答へと私を押しやっている気がした。

ひとつのパターンができあがりつつあった。ミノア人が旅した場所には必ず、石や木のサークルが現れてくるようなのだ。これは突飛すぎる考えだろうか？　私は直感に従って、世界最古のストーンサークルを調査することで真相をあきらかにしようと決めた。

ミノア人の旅への意欲を支えていたのは、驚異的な航海術の知識だったという確信が私にはある。しかし航海をするには天体についての確実な計算が必要だ――そしてその情報を地球上の正確な位置と関連づけなくてはならない。彼らはそうした情報をどうやって手に入れたのか？　私も多くの人たちと同じように、ストーンサークルは儀礼のためだけでなく、天文学的な用途もあり、また季節の到来を予測するという以上の目的で使用されていたのではないか、と強く感じていた。ミノア人はバビロニアから得た天文・航海術の知識をさらに発展させる必要があったにちがいない。そのための手段はただひとつ、自分たち独自の天文台をつくりだすこと、あるいは適当な構造物を流用することだったのだろう。つまりストーンサークルを。

カイロから南へ八〇〇キロ行った、現代のエジプトとスーダンの国境近くにあたる西側の砂漠の端に、乾ききって平坦な、干上がった古代の湖底がある。砂漠のなかの温泉地ビル・キセバとナセル湖の湖畔に挟まれた、おそらくどこよりも文明から遠く離れた荒涼たる場所。いたるところ土と砂だ。夏には近くの砂で覆われた尾根を越える風が唸りをあげる。かつてはここも緑豊かな、夏には雨水で湖が現れる場所だった。いまはただ不毛な砂の海で、暑さは圧倒的だ。

エジプト第一王朝の始まりよりさらに一〇〇〇年前、いつもはサハラ一帯を家畜とともに広く動き回っている先住遊牧民が、何より重要な雨の到来と同時にこの場所へ集まってくる。そして大切な牛を何頭か生贄にして感謝を捧げる。

現在ナブタ・プラヤと呼ばれるその場所は、多くのエジプト学者たちに、エジプトの起源に関する従来の説を再考するよう迫っている。それはひとつの謎——まったく予想外の位置に造られたストーンサークルだ。そこはエジプトのニューバレー・プロジェクト用に幹線道路が造られるまで、世界で最も隔絶された場所のひとつだった。ここから西へ一〇〇キロほどのところには、現在は世界遺産となっているアブ・シンベルのヌビア遺跡群がある。その堂々たる巨大な彫刻は一九六〇年代、ナイル川の新しいダム建設に伴い、当局によって移設された。

だがナブタのほうは、いまとまったく同じ位置に、天体と同じくらい古くからありつづけているようだ。トビー・ウィルキンソンが書いているように、あらゆる痕跡が示すところでは、前七〇〇〇〜前六〇〇〇年ごろに最初にこのあたりに住んでいた人々は、同時代のナイル川流域の人々よりずっと進んでいたらしい。地上にも地下にも建物を造り、計画的な集落をもち、東南アジアから家畜を輸入さえしていた。(1)のちにはもちろん、偉大なエジプトに追いつかれることになる。

月面を思わせるナブタの風景のなかには、注意深く配置された巨石群が点在している。地平線を見張る歩哨さながらだ。楕円形に並んだ奇妙な、背を丸めたような石が、高さはおおむねばらばらの、直立した石の一群を取り囲んでいる。中央では二対の石が南と北を指している。もう一対の石が指しているのは真夏の日の出の位置だ。なぜこんな石の群がここに？　答えは、地図を一目見ればわかる。前五〇〇〇年ごろに造られたこのストーンサークルは、ちょうど北回帰線上に位置しているのだ。

北回帰線は地球をぐるりと取り巻く緯線のひとつだ。この緯度では毎年の夏至のころになると、正午の太陽が天頂、つまり完全な真上にくる。すなわちここは地球上の非常に特別な場所であって、そのことを古代エジプト人は完全に理解していたにちがいない。それよりはるかに初歩的なゴーゼックでもそうだが、唯一の合理的な結論は、ナブタがきっと天文台だったということ、毎年六月に雨季への備えと星空の観察のために用いられ――おそらく世界航海の指針にもなっていたということだ。

ナブタのストーンサークルは、後世のストーンヘンジのような天文台と比べてはるかに小さい。ここの建設の第一期が始まったのは紀元前四八〇〇年ごろだった。その後、前四五〇〇年から前三六〇〇年にかけて、巨石が新しい位置まで引きずってこられ――シリウス、アークトゥルス、ケンタウルス座α星、オリオン座の三つ星に一致するように置かれた。天体が変化するにつれて、さらに多くの石が配置換えされ、とくに明るい星々に一致させられた。たとえばこぐま座のコカブのような星に。

直径四メートル弱の環は、比較的背の高い四対の石をたがいに向かい合わせになるよう並べてある。夏至に太陽が昇り、見かけ上最も北寄りの位置にあるとき、突然の前兆のように大きな燃える球体が、歩哨のように立っている二組の石のあいだに現れる。要するにこれらの石は、季節の移り変わりを示す時間の窓なのだ。一致させられている石は、南北と太陽を示す二組だ。青銅器時代のエジプトで一年の経過を示すのに必要なのはこれだけだった。

サークルは北回帰線上に造られているので、夏至の正午にはどの石も影を落とさない。しかもこれが起こるのは、昼と夜の長さがきっかり同じ一二時間になるときだ。ナブタにいた天体観測者たちは、こうした現象が起きるのは地球が二四時間に一度自転しているからであること、そして同じことが一年周期でくり返されることを知っていたにちがいない。また夏至以降の日の入りのときには、その前日とはちがった星が東の地平線に昇ってくることにも気づいていたはずだ。

要するにこの天文台を使うことで、太陽と地球と星が別々の法則に従っていること――地球は二四時間に一回転する一方で、星々は地球や太陽とは独立して動いていることが導き出せるのだ。

石の影をずっと観察していれば、冬至までの六カ月間はその影が次第に長くなることがわかっただろう。そのあと影はまた短くなっていき、夏至のときには消える。そしてまた長くなるにつれ、太陽が冷えはじめる――遠ざかっていくからだ。けれども日が沈めば毎日、東の空にさまざまな星が現れる。このことから、地球と太陽は夏至に最もたがいに近づき、冬至に最も遠ざかるという結論にたどり着いただろう。そして観測者たちは、夏至は日の出が三六六度くり返されたあとに起こること、地球は二四時間ごとに自転していることを導き出し、地球が太陽のまわりを回っているか、太陽が地球のまわりを回っているのだと推論しただろう。

こうした天体の科学的観察から、穀物を植える正確な時期――ナイル川があふれるのが近づいたころ――、そしていつ収穫するか――氾濫が峠を越して終わるころ――を知ることができた。フェラヒンと呼ばれるエジプトの農民は、ただ植えて待てばよかった。このことはたしかに、紀元前四五〇〇年ごろのエジプトの天文学が世界で最も進んでいたことを示している。エジプト人はこぐま座のある星を見れば、正確に真北を定められると知っていた。コカブというその星は、当時の「北極星」だった。なぜそのことがわかるかというと、ギザのピラミッドもコカブの位置と一致しているからだ。

天体物理学者トーマス・G・ブロフィーはこう示唆している。ナブタのストーンサークルを造った先史時代の天体観測者たちは、いま考えられているよりずっと多く天体の情報を知っていたにちがいない。サークルの「出入り口」のひとつが南北と一致している――これはコカブの位置と一致しているだけに合理的だ。また、サークルの内部にある中央の六つの石のうち、南側に並んだ三つはオリオン座の三つ星を、北側に並んだ三つは夜空に現れたオリオンの両肩と頭にあたる三つの星を表している。これらは二つの日付、紀元前四八〇〇年ごろと歳差運動の衝に対応するものだった。

つまり、もしブロフィーが正しければ、エジプト人は紀元前四八〇〇年には、地軸の振れによって、二万六〇〇〇年という長周期で起こる歳差運動のパターンを解明していたにちがいない。この変化のせいで夜空は時とともにちがって見えるようになるし、私たちは古代人が見たのとまったく同じ星空のパターンを見ることができないのだ（また、歳差運動を考慮しない占星術がすべてでたらめだといえる理由でもある）。

膨大な時間――正確にいえば二万六〇〇〇年――をかけて夜空は変化し、新しい魅惑的なパターンをつくりだしていく。これは地球の赤道付近がわずかに膨らんでいるためだ。だから地球は自転しながらおもちゃのコマのような動きを示し、太陽のまわりをゆっくりと楕円を描いて回転していくあいだに姿勢を変える。このダンスが終わるには一万三〇〇〇年かかり、私たち自身の位置も変化するために見える星の位置も変わる。現在、真北は北極星の位置で決まる。だが一万三〇〇〇年たつと、この必然的なプロセスによって、新しい星が真北の位置にくるだろう。それはこと座のひときわ明るい小さな星ベガだ。そして二万六〇〇〇年後にはこのサイクルが終わり、ポラリスが再び北極星となる。そんなことを知ると、自分がちっぽけな存在だと感じずにいられない。ヌビア砂漠にあるこの古代の遺跡は、今どきの一般の大学生より地球についてはるかによく知っていた「原始的な」人々のストーリーを物語るものなのだ。

ナブタの聖域には奇妙な塚もあり、点々と散らばる丸く平たい石でその存在がわかる。そのひとつの地下にある部屋で、巨大な砂岩の石像が見つかった。これはおそらくエジプトで最初に作られたモニュメントの彫刻だ。石はていねいに彫り込まれ、野生の動物のような形に仕上げられている。まぎれもない雄牛の像だ。私としてはミノア人と結びつけないわけにいかない。

テル・エル・ダバアの王宮の例からわかるように、ミノア人はエジプトでは特別な賓客の地位にあったので、もしすでに天文の知識をもっているのでなかったとしても、エジプト人からその知識を授かることができただろう。しかもエジプト人はミノアの青銅と道具に頼っていたため、ミノア人に対して恩義があった。

ミノア人が上ナイルに到達したアメンエムハト二世（前一九一九～前一八八五年）の時代には、彼らもバビロニアの天文知識を多く習得し、その見返りとして完成した青銅の品々をエジプト人と交換する立場にあったかもしれない。

私はこう考えはじめていた。ミノア人はナブタで得た知識を活用し、それまでの航海中に造った初歩的なストーンサークルを変更、改良したのではないか。すでに存在しているこうしたストーンサークルには、おそらく別の目的があったのだろう。

地中海でも大西洋でも、その海岸線周辺の鉱山近くに造られた天文台の場所には、まぎれもないパターンがある。すべて紀元前四〇〇〇年から前二五〇〇年にかけてのものだ。

・マルタ
・シチリア島
・ポルトガル
・ブルターニュ
・アイルランド
・ブリテン
・ヘブリディーズ諸島
・オークニー諸島

石からなるこれらの天文台は、すべて同じ原理に基づき——同じ計測システムを用いていた。さらにその目的も同じだった。春分秋分、夏至冬至のときの日の出入り、月の子午線通過、日食と月食、ときには金星の出入りなどの天文現象を記録することだ。

ナブタという世界初の石からなる天文台にたどり着くのに、ミノア人はナイル川を船でさかのぼる必要があっただろう。往復なら一五〇〇キロほど。これは可能なことだったのか？　エジプトの記録には、中王国時代のファラオたちがアスワンの大滝と急流を制御するために閘門を造ったとあるので、ナブタまで川の上を移動することはできたはずだ。確実にいえるのは、ミノア人はナブタへ行く途中の四分の三の位置にある王家の谷までは行っていることだ。

これがわかるのは、王家の谷にファラオの王宮があった当時、クレタ人がそこまで贈り物を持っていったというエジプトの記録がたくさんあるからだ。さらにミノア人がルクソールや古代のテーベまで旅していたことを示す証拠も、わが友のタバコシバンムシ（アメリカ産）という形で得られた。この昆虫はルクソールでも見つかっている。

マーセラと私はこの説を検証しようと、フェラッカ船を雇って川をさかのぼってみた。エジプトの壁画に描かれているとおり、この基本的な艤装の伝統的木造帆船は何千年も前から使用されていた。ナイルの川面は穏やかで、半ノットほどの速さで北の地中海のほうへ流れていた。地中海から心地よい風が吹きつけ、私たちは流れに逆らって三ノットほどの速度で運ばれていった。このペースでなら、一日八時間の航行で六週間あればアブ・シンベル神殿まで行けるだろう。

船乗りたちがそれよりずっと遠くまで行っていたことを示す、じつに興味深い証拠がある。私たちの数千年前に、ミノア人たちもいったん旅を中断したらしい。トッドに立ち寄っているのだ。この場所にある、鷹の顔をした戦いの神モントゥに捧げられた神殿の地下で、フランス人考古学者たちを魅了する発見があった。文字どおりの宝の山が（地図5を参照）。

この発見で、ミノア人がエジプトの広大な内陸部まで旅していたという私の説の骨格には肉づけがなされた。トッドは私にも大いに驚きだった。あまりに見すぼらしくてあっけにとられたのだ。エジプトの有名な神殿やピラミッドとはちがい、ここはごく日常的な建物で、私の想像するモニュメントにはほど遠いものだった。そして「出産の家」と呼ばれる、女性神に捧げられた礼拝堂があった。

遺跡の西側によく保存された舗装路がある。それはかつてのスフィンクスの通り道と、神殿の主要な部分にまで通じていた。かつてミノアの探検家たちが歩いたまさにその道を、いま私もたどっているのだろうか？

私には彼らが昔、このあたりまで旅をしたという確信があった。フランス人考古学者フェルナン・ビッソン・ド・ラロックが比類ないトッドの宝物という形で掘り出したものは、それを証明するに十分だった。ここトッドにあるセソストリス一世（前一九三四～前一八九八年ごろ）の神殿の床下には、銅製の四つの収納箱が埋まっていた。こうした箱に描かれたカルトゥーシュ（王名を記すための小判状の枠の形）は、第一二王朝のアメンエムハト二世のものだ——ミノアの交易範囲と影響力が絶頂にあったころのファラオである。

収納箱から見つかった異国の宝物は、船の舳先から太陽の敵を倒したといわれる神、モントゥへの神聖な捧げ物だったのではないか。とても興味深いのは、ミノアの貴重な物品がモントゥのために作られていたことだ。というのも歴史上のこの時点で、この神は牛の頭をもつ姿に描かれていた。

現在、パリのルーブル美術館とカイロ博物館に分けて収められているこの宝物には、あきらかにエジプト製ではない金銀の器が含まれていた。最も小さな箱に入っていた銀杯は、クノッソスの原宮殿時代（前一九〇〇～前一七〇〇年ごろ）の陶器に似たデザインだった。[2]うちひとつの銀杯は、取っ手がミノア時代中期の壺と同じものだ。

その他の遺物は主に、レバントとアナトリアのものだった――いまではミノアの交易商人が定期的に訪れていたとわかった地域だ。ネックレスはあきらかにミノアの様式だった。手短に言おう。もしミノア人が中期青銅器時代に王家の谷まで到達していたとしたら、つぎに足を延ばすのはあきらかにナブタだろう。ミノア人は貴重なラピスラズリや銀を入手するのに劣らず、知識もたっぷり吸収していた。そしてさらにそれを求めた。

追い求める真実にさらに近づきつつあるという確信を得て、エジプトとナブタの驚異の立石群をあとにした。いま追いかけるべき手がかりは、私の故国にもっとずっと近いところにある。つまり英国だ。つぎに向かう先はヨーロッパのストーンサークルでなくてはならない。

それでもエジプトへの旅によって、また新たな調査の筋道が生まれた。この確信をさらに飛躍させて、ミノアの交易商人たちがエジプトだけでなく、行った先々に大量の青銅器を持ち込んでいたと仮定してみれば、北のスペイン、それからフランス北西部、ブリテンへと移動していった彼らの足取りをたどることができるはずだ。ミノア人があとに残していったものを探さなくてはならない――地下に隠されたものを。

27　地中海と大西洋の巨石群

卓越した物理学者サー・アイザック・ニュートンはかつて言った。偉大な発見が、最初の段階で思いきった推論を立てずになされたことはない、と。多くの学者たちがこの言葉を肝に銘じつつ、ヨーロッパやそれ以外のストーンサークルを調査してきた。そして、なぜどのサークルもこれほど似た構造をしているのかを見きわめようとした。そうした理由を説明できる共通の要因はあるのか？　どれもある大きな秘密を共有しているから、というのが私の推論だ。すなわち、ミノア人の影響を。

ミノア人がその交易帝国をクレタ島から地中海の先まで拡大し、まずイベリア半島の銅鉱や錫鉱へ、ついでフランス北西部、ブリテン、アイルランドへ進出しながら、エジプトで研究したナブタの設計を基に円形の天文台を造っていった——というよりむしろ改造した——のではないか。

これらのストーンサークルをざっとまとめると、つぎのように分けられる。

マルタ

クレタ島と同様にマルタは、イタリアのつま先と南のアフリカとのあいだという戦略的にすばらしい場所にある。そして西にはイベリア半島の銅鉱と錫鉱、東には青銅の豊かな市場を臨む中間点に位置してもいる。マルタをめぐっては、アラブとキリスト教徒、ついでフランスと英国、そして第二次世界大戦では英国とドイツが争奪戦をくり広げてきた。この島がようやく独立を勝ち取ったのは一九六四年だ。

考古学的な記録があきらかに示しているとおり、この島には紀元前二五〇〇年ごろ、まったく異なる文化をもった新顔の人々が到達していた。この新たな住民は死者を火葬する習慣をもち、青銅製の道具や武器を使っていた。どちらの要素も、同時期にギリシャ、南イタリア、シチリアを支配していた青銅器時代の戦闘的な文化との類縁を示すものだ。これはプラトンの、アトラスとその兄弟たちの物語――兄弟にはそれぞれの王国が与えられた――を強く連想させる。

マルタの二つの島のうち、小さいほうのゴゾ島にあるシャーラという村にかなりの大きさのストーンサークルが出現し、その内部には巨石の構造物が造られていた。一つなのか二つなのかは定かでないが、たしかにあった。そしてその年代は、ミノア人が青銅を持ち込んだパターン――ミノア人による発見の航海のパターンと一致している。

シチリア島――モンタルバーノ・エリコーナの巨石

マルタにいたとき、シチリア島にもまったく同じストーンサークルがあるという話を聞いた。私たちはバレッタからフェリーでシラクーサに着いたが、フェリー降り場からホテルまで二分間乗っただけのタクシーの運転手が七〇米ドル相当の額を要求してきて、おたがいに深刻な見解の相違に陥った。タクシー運転手には有力な友人たちがいたため、私たちは適正な料金を超える額を支払わなかったということで留置所へ連れていかれ、わびしい一晩を過ごした。やっと明け方に解放され、出発した。

モンタルバーノ・エリコーナの荒々しくもロマンティックな風景のなかで、その巨石群は野生の花々や風にたわんだイチイの木に埋もれて見えている。建造は紀元前三〇〇〇年ごろとされ、夏至の日と一致するように配置された。これらの石と空の上の他の星々との位置関係をつきとめようとする試みが行われている。だがマルタのように、このシチリアの有名な遺跡でも、いずれもっと考古学的研究が行われるようになるだろう。形の点ではモンタルバーノ・エリコーナは、ぐっと小さくしたストーンヘンジに似ている。いうなればプロトタイプだ。

ポルトガル――クロメレケ・ドス・アルメンドレス

アルメンドレスのストーンサークルについては前にも言及した。紀元前四〇〇〇年ごろ、青銅器時代の銅山サン・ドミンゴス（20章を参照）から西へ一五キロ行った丘の上にある。この遺跡は二つの環からなり、ひとつずつ順番に造られた。その結果生まれたのが、九二個の直立した石でできた三〇×六〇メートルの楕円形だ。石のなかには装飾的なマークや螺旋や円のついたもの、春分秋分のときの日の出入りを示す石もある。さらに興味深いのはこの場所の緯度だ。北緯三八度三三分。

まさにこの緯度では、月が子午線を最高の高さで通過するときの位置がちょうど真上になる。このとき井戸をのぞいてみれば、水面に映る自分の頭が完全に月の影に入っているのがわかるだろう。これは地球の周囲を回る月の軌道が、太陽の周囲を回る地球の軌道とは異なる平面上にあるためだ。前述したように、他にこの現象が起こる緯度は北緯五一度一〇分、つまりイングランド南部のストーンヘンジと、ヘブリディーズ諸島のカラニッシュの緯度だけである。これは偶然の一致ではありえない――とくにこの三つの遺跡は、同じ天文の知識をもっていた人たちが造ったものにちがいない。推測するに、こういった月が子午線を通ることへの関心には宗教的な理由があったのではないだろうか。

ルイ・シレによるアルメンドレスの発掘品、とくに陶器にはミノアの開拓者たちの刻印がある。彼らはポルトガルのこの場所にどこまで関わっていたのだろう？

ブルターニュ

フランス北西部モルビアン湾の小島エル・ラニックには、半ば海に没した二つのストーンサークルがある。どちらのサークルも六〇個の石からなるが、いまもまだ見えているのは北側のものだけだ。一九二〇年代にこの遺跡を発掘したザシャリー・ル・ルジックの推定では、エル・ラニックが造られたのは紀元前三〇〇〇年ごろ。ル・ルジックはこれらの石からなる線が東西南北の方位点を指していることを発見した。この遺跡は都合のよいことに、先史時代の錫や金の鉱山に近い位置にある。

アイルランド

アイルランドの初期青銅器時代のストーンサークルは、ストーンヘンジ、エイブベリー、カラニッシュといったブリテン諸島のものと比べるとはるかに小さいが、それでも夏至のときの日の出と冬至のときの日の入りを指し示す石がある。アイルランドにはじつに多くのストーンサークルがあるせいで、どれも宗教的な理由で造られたものと考えられていた。しかし近年、専門家たちの見解が変化し、天体を研究するために造られたのだという声が大きくなっている。

北ドイツ

エルベ川沿いのゴーゼックの天文台とその近くで発見された「ネブラ・スカイ・ディスク」についてはすでに言及したとおりだ。ミノア人がゴーゼックに引きつけられた理由は琥珀の取引だったのだろうが、これについてはあとでくわしく説明する。

アウター・ヘブリディーズ諸島――カラニッシュ

この天文台はとくに興味深いもののひとつだ（先ほどのアルメンドレスを参照）。これも別の章でくわしく分析する。

これはL・オーグスティン・ウォッデルの主張を検証する機会でもある。すなわち、西洋世界の各地に石を環状に配置する天文台を造ったのは銅や錫を採掘した人々と同じで、とくにこうした石の天文台はミノア人が広範囲に交易をしていた場所にある、という主張だ。ミノア人はもともとあったサークルを流用し、木の代わりに石を使ったらしい。そんなことができたのは、彼らが紀元前二二〇〇年以降に必要なテクノロジーを手に入れられたからだ――石が削れるほど鋭い青銅の斧やのこぎりを。

私の探しているサークルは西洋世界のさまざまな場所にあり、さらにもっと西のほうへ――北アメリカまで続いているのではないか。これまで言及してきたサークルは、形や大きさはまちまちでも、重要な共通点がたくさんあった。しばしばカーサスが、巨石で区切られた儀式のための通り道が、ストーンサークルそのものへと延びていた。ストーンサークルは「メガリスフィート」という共通の単位を用いて、同じ天文現象を記録するために造られていた——通常は、春分秋分や夏至冬至の太陽の出入り、月の出入り、月食、場合によっては金星の出入り。こうしたストーンサークルはそれぞれちがう緯度にあるため、天文現象を記録するのにさまざまな配置が採られていた。

もうひとつ共通する要素がある。紀元前一四五〇年、ティーラの火山噴火でミノア文明が滅亡すると、ヨーロッパにストーンサークルを造ろうとする動きはすべて止んだのだった。

28 ストーンヘンジ――匠の技

ひとつ前の章でサー・アイザック・ニュートンの、新しい考えは初めに信念に基づく飛躍がなくては発展しない、という意味の言葉を紹介した。ニュートンはまた、月の動きを説明することほど頭が痛くなるものはないとも言っている。

よく晴れた真夏の夜、月だけでなく、夜空全体のすばらしい眺めに夢中になるには、ストーンヘンジはうってつけの場所だ。どこか近くの丘の上に立って、風を顔に感じながら、その景色を一望してみよう。ヘンジの儀式とドラマ、その堅固さと永続性を思いきり吸い込む。さらに目を凝らすと、まだ明るいうちなら、雄大な古代の儀式のための通り道カーサスを、そして何百という墳墓《バロウ》を見ることができる。ストーンヘンジは壮麗かつ神聖で崇高な、ブリテンの先史時代の象徴である。

人々はこの場所を、紀元前七二〇〇年ごろから崇拝していたとされる。ストーンヘンジの名は、おそらくサクソン語で「石」を意味する stafin と、「蝶番」または「吊るすこと」を意味する hencg が語源だ。その建造の過程はおおむね三つの時期に分けられる。第一期はおそらく紀元前三〇〇〇年から前二九二〇年にかけてだろう。おおよそ円形の、直径一〇〇メートルほどの囲い

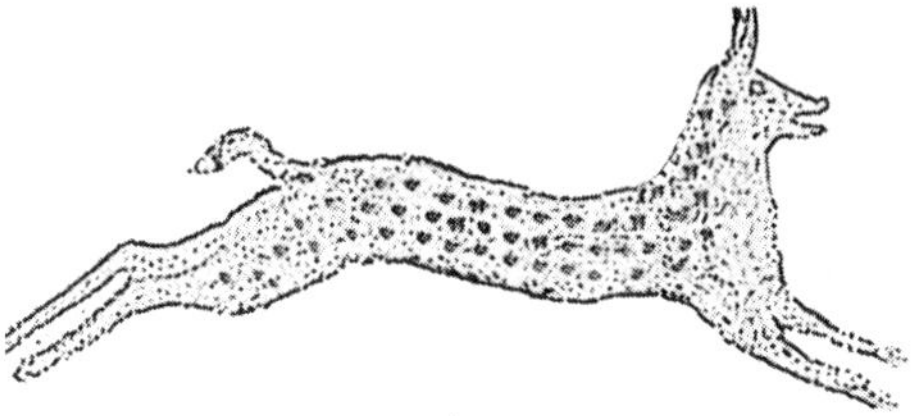

を造り、そのまわりを溝か、あるいはその溝から掘り出した土を盛り上げた内堤で囲んだ。この初期の囲いには、北東と南西に二つの進入口があった。

溝の造りは粗雑だった。一九二〇年代、ストーンヘンジ研究の先駆けとなった考古学者のひとりウィリアム・ホーリー大佐は、この溝を「出来の悪いソーセージの連なり」に喩えたという。アカシカの角で作ったつるはしと、やはりアカシカの広い肩甲骨で作った鋤を使って掘ったものだった――これはグレート・オーム鉱山のときに使われたのと同じ道具だ。こうした骨からこの遺跡の炭素年代測定が行われた。この初期の遺跡が造られた本来の目的は、春の到来を祝って人々の集う場であり、同時に死者のための墓地ではなかったかと思われる。

第二期の建造は、ストーンヘンジの性格を一変させるものだった。石を使って建てられたからだ。それも巨石を。私たちにはよくわからない理由から、紀元前二五〇〇年ごろ、おそらく三七キロ離れたマールボロ・ダウンズから巨大な岩の塊がこの場所に持ち込まれた。サルセン石と呼ばれるこれらの石は、密度と耐久性の高い珪化砂岩から切り出されたものだ。外側の円環に立てられた石は、ひとつひとつが高さ約四・一メートル、重さ約二五トンある。内側の円環にある大きな石は、一〇個の直立石と五個のまぐさ石で、それぞれ五〇トンもの重さがあり、複雑な接合の技術を使ってつなぎ合わされている。ストーンヘンジの建設者たちは、巨大なサルセンをたった数センチの遊びの部分しかあけずに直立させて置いたのだ。まったく驚くしかない。どうすればこんなことができるのだろう？

またさらに大きな謎は、もう少し小さめの、ブルーストーンと総称される石がどうやってここへ持ち込まれたかだ。氷河の作用でこの場所の近くまで運ばれてきたという説もあるが、それは十中八九ありえないだろう。こうした二トンから四トンある石は、南ウェールズのプレセリ・ヒルズ――ストーンヘンジから西にたっぷり二四〇キロ離れている――から来たものと思われる（地図7を参照）。興味深いのは、プレセリから南へ一五〇キロ行ったところに、そのころ本格的に稼働していたグレート・オーム鉱山があることだ。放射性炭素年代測定で裏づけられたある新説は、ヘンジの石造りは前二四〇〇年から二二〇〇年のあいだに始まったとしている。この年代の変更は興味深いものだ。

ティム・ダーヴィル教授とジェフリー・ウェインライト
はこの新たな調査から、小さめの石は古い木製の囲いのなかに、二つの同心円を描く形で置かれたものだと主張している。大きなサルセン石は青銅の斧やちょうな、のこぎりで慎重に鋭い輪郭の長方形の塊に削り出され、ほぞとほぞ穴と溝筋で石どうし固定された。こうした石組みがようやく完成を見たのが、紀元前二二八〇年から前一九三〇年ごろであることはほぼ確かだ。[3]

二一世紀の夏至にここでくり広げられる光景――ヒッピーたちがドラムを打ち鳴らし、ウィルトシャー警察の新しいドローンがライトを点滅させて飛び回りながら、一〇〇メートルほどの上空から群衆を撮影している――は、キリスト以前の時代にあった情景とはおよそかけ離れたものに見えるかもしれない。だが、そこにある精神性はそれほど変わってはいないのだろう。群衆はみな、わずかな一瞬の魅惑的なドラマのためにやってくる――壮麗なヒールストーンの後ろから朝日が昇るその瞬間のために。まるで太陽が空に停止し、時が止まってしまったように感じる、魔法の数分間のために。

紀元前二二八〇年から前一九三〇年のあいだに完成したこの建造物は、じつに洗練されたものだった。たとえば、直立した石の上に渡して固定された横長の石は、完全な長方形ではない。石は内側の面も外側の面も、意図してゆるやかにカーブさせてある。その結果、石がつくりだす環は完全な円環となり、ソールズベリー平原の上空に浮かんでいるように見える。人間の目がもたらす遠近感を利用したこの効果は、地中海から輸入された技法といっていいだろう。ミノア人はたしかにこれを用いていて、ギリシャに伝えられたあとはエンタシスという言葉で呼ばれるようになった。

航海士の視点からだと、水平に並べられた石の環は、非の打ちどころない人工の水平線に見える。そのおかげで天文学者は、月がいつ昇るか、日の入り後にどの星が最初に東から昇るかを正確に記録できただろう。それによって日食や月食が起こる時を知り、日の出日の入りの正確な時刻を測ることもできた。

ミノア人は紀元前二三〇〇年にはブリテンに到達し、錫を採掘していた。彼らの技術的な影響は紀元前二二〇〇年から前二〇〇〇年にかけての青銅器に見られ、その時期には青銅器に含まれる錫の割合が一一％まで跳ね上がっている。[4] どこかの時期に（いつごろかははっきりしないが）、ストーンヘンジの中央に五つの巨石が、ナブタの中心にある石ときわめてよく似たやり方で配置しなおされた。つまり、巨大な石を何百キロも先まで輸送したあと、青銅製の道具を使って天文学的な目的のために加工し、ナブタと同じようなレイアウトで配置できる建築家がいたということだ。

この変更の陰にミノア人がいたということはありうるだろうか？　その答えとなりそうなのが、彼らのぜいたくな品々への嗜好だ。私はこのストーンヘンジに来る前から、東のほうのコヤスガイや宝飾品、たとえば古代クレタ島で作られたものとよく似た青釉ビーズやガラスビーズが、ストーンヘンジにある青銅器時代の多くの墓から発掘されているという予備知識をもっていた。L・オーグスティン・ウォッデル教授によると、それらは「紀元前一四五〇年から前一二五〇年までの限られた時期、古代エジプトでよく見られたものと同一」だという。ウルブルン沈没船の積荷にも青色のガラス、コヤスガイ、琥珀といったほぼ同じ品が含まれていた。

この考えはあまりに突拍子もないものだろうか？　公式の歴史に挑むようなまねがほんとうにできると考えてもいいのだろうか？　とりわけ英国で最も愛され、最も多くの本や論文が書かれ、最も印象的な象徴とされるモニュメントに対して？　実際のところ、もやに包まれたストーンヘンジを掘り起こしていくほど、ミノアの影響を示す証拠がどんどん薄闇のなかから出てくるのだ。

初期の発見で最も興奮したものは？　何気なくインターネットを検索しているとき、たまたまオーストラリアの古いブログを見つけた。ブロガーが一九五〇年代にストーンヘンジに旅行したときのことを書いていた。そのころはまだ石のあいだを歩き回れたのだが、あるとき光の加減で、双斧の彫刻が……石の表面に刻まれているのが見えたのだという。私はすぐにアルメンドレスのことを思い起こした。あのとき他の旅行者があわてて撮った写真に、何千年もたってかすれてはいるが、ミノアの双斧——ラブリュス——の彫刻に見えるものが写っていた。そのときはほとんど注意を払わなかったが、やがてパズルがはまった。クレタ島のクノッソスを、あの石に刻まれた、考古学者の言う「石工のマーク」を思い出したのだ——またしてもミノアの双斧という形をとった目印を。

これは驚くべき事実だ。大変な手がかりを得たと私は思い、すぐに答えを探しはじめた。じつに便利なインターネットのおかげで、たった数時間のうちに、ストーンヘンジの巨石に刻まれた「斧」の彫刻がひとつだけでないことがわかった。それどころか、たくさんあった。作られたのはおよそ四〇〇〇年前。これらの風化した、斧の形のマーク——いってみれば地平線を支える「茎」——はキノコの形だと解釈する声もある。しかし考古学者リチャード・J・C・アトキンソンは、一九五三年にこのマークを写してみて、こうした数千年前の彫刻のひとつはおそらく短剣で、もうひとつは双斧だと実感した。これもまた驚くべきことに、これらの彫刻は二〇世紀に再発見されていた——にもかかわらず、それから五〇年間も研究されず、ほとんど記録すらされていなかったのだ。

英国の気候のせいで、このマークの輪郭は急速に薄れていて、現在はめったに見ることができない。誰もマークを撮影できるほどこのモニュメントに近づくことを許されていないからだ――毎年の夏至の日を祝うにぎやかな祭りのとき以外は。風雨の影響を考えるなら、時間はある意味で、尽きようとしている。

二〇〇二年、ウェセックス・アルケオロジー社はグラスゴーにあるアルケオプティクス社に話をもちかけた。アルケオプティクスは考古学に先駆的な新技術を適用する最先端の専門企業だ。ノーフォークの人気のない海岸に、海の水に浸かった青銅器時代の木柱の円環があり、「シーヘンジ」と呼ばれているが、同社は二〇〇一年にその木材のレーザースキャンを行っていた。その結果、高解像度のデジタル三次元モデル（3D）ができあがり、分析に大いに役立ったのだ。ウェセックス・アルケオロジーは、ストーンヘンジの彫刻をレーザースキャンにかけられるかどうか調査しようと決めた。ソールズベリーに近いウェセックス・アルケオロジーのオールド・セーラム本社までやってきた、専門家のアリステア・カーティーとデイヴ・ヴィッカーズは見事な機器類を持参していて、なかには何百万もの点群を3Dで取り込んでミクロン単位で測定できるミノルタVIVID－900スキャナーもあった。ウェセックス・アルケオロジーのデジタル技術専門家トマス・ゴスカーもチームに加わった。

どの表面も〇・五ミリの分解能で撮影・スキャンされ、点群と呼ばれる個々の3D計測を何十万もつくりだし、それをアニメーション化して3Dソリッドモデルにすることができた。

これは有名なサルセン石の三枚岩のひとつ「石53」のスキャン画像について、ゴスカーが加えている説明だ。

最初の彫刻は一五×一五・三センチで、幅が広く上向きの刃があり、全体の長さの三分の一は「あばら」の形になっている。さらに分析する必要はあるが、この形状は二本の斧をたがいに重ね合わせたものを表している可能性が高い。二つ目の彫刻は一〇・六×八・六センチで、非常にかすれてはいるが、この石の他のところにも見られるとおり、通常の羽つき斧のように見える……

古代青銅器時代の最先端技術と、二一世紀考古学の最先端の記録法が並び立っているのは、何か詩的なものを感じてしまう。この彫刻をレーザースキャナーでどこまで記録できるかを調査するという当初の意図が、大きな発見につながったのだ。

サルセンは紀元前二三〇〇年ごろに立てられたと考えられているが、金属の斧が一般に普及するのはそれから何世代もあとだということを忘れてはいけない。彫刻にどんな意味があろうと、このモニュメントの全容を理解するには、正確な記録が不可欠なのだ(5)。

初期の調査

英国考古学の黎明期の一八世紀に、古美術商のウィリアム・ステュークリーは、地元の住人はおそらくずっと知っていたある事実を発見した。夏至の日の出のとき、太陽の最初の光が石の円環の中央に差し込み、馬蹄形に並んだ石からなる開いた腕のあいだで出会うのだ。現に二〇世紀初め、サー・ノーマン・ロッキャーは、ストーンヘンジと太陽信仰には儀礼的なつながりがあると論じている。この古代の巨石遺構と太陽の位置が正確に一致しているのは、偶然ではありえない。

そこに現れたのが、アメリカの著名な天文学者、ジェラルド・ホーキンス博士だ。ホーキンスはマサチューセッツ州にあるボストン大学の物理学と天文学の教授だった。一九六二年にホーキンスは助手たちとともに、ストーンヘンジの夏至の日の出を撮影した。そしてこの遺跡にある石と穴をすべて記入し、その座標を当時の世界最強のコンピュータＩＢＭ７０４に取り込んだ――コンピュータがまだ生まれて間がないころのことだ。ホーキンスの最初の成果が一九六三年に『ネイチャー』誌に掲載された。

コンピュータの分析結果から、ストーンヘンジが太陽と月の食を予測するための巨大な天文台であることが証明された、とホーキンスは論じたのだ。その主張は大きな反響を呼んだ。プロの考古学者たちは激怒した。一介の天文学者が、しかもアメリカ人ふぜいがわれわれの土地を踏み荒らし、目新しいだけで証明もされていないコンピュータの力を借りて、「われわれの」愛するストーンヘンジの秘密を暴こうなどとは。リチャード・アトキンソンはホーキンスの議論を「偏向的で、傲慢で、ずさんで、説得力がない」と評した――アトキンソンの見るストーンヘンジの建設者たちは「吠える野蛮人」でしかなかった。

考古学者たちの態度は強硬にすぎた。ホーキンスはあきらかに自分の専門を心得た人物であり、ストーンヘンジは彼が発表した論文の六一本目にあたった。加えてホーキンスは実のところ、アメリカ人ではなく、サフォーク州の出身だった。物理学と純粋数学の学位をもち、マンチェスター大学で電波天文学の博士号を取得してもいる。ホーキンスは私たちのストーンヘンジに対する見方を変えてくれたのだ。

つぎに登場したのは、当代きっての著名な英国人天文学者、サー・フレッド・ホイルだった。ホイルはホーキンス教授の研究を検証したうえで、さらに踏み込んでこう言った。「ストーンヘンジは太陽系の模型である」。ホイルは太陽、月、月の軌道を表す三つの石を選んだ。ついで三つの石をオーブリー・ホールの円環のまわりで、相互に関連しあうように回転させた。

目印の三つの石がたがいに近づくか、あるいはちょうど反対側に来たときに日食が起こることを、ホイルは示してみせた。日食は、月の石が太陽の石に最も近いか、オーブリー・ホールの円環の反対側で太陽の石とちょうど逆の位置にあるときに起こる。ホイルの方式は一九年先の実際の月食の日を予測できたため、ホーキンスの方式より正確といえた。ホイルはまた、ストーンヘンジにある他の多くの天体との位置関係を特定した。ホイルとホーキンスは自分の目の前にある証拠を基に、信念を飛躍させなくてはならなかった。彼らにはバビロニア、ミノア、エジプトの高度に進んだ天文学や、ストーンヘンジ建設の後期にはすでに存在していた知識について、いまの私たちがもっているような詳細な証拠があったわけではない。青銅器時代の世界が、現在ようやく解明されつつあるような精巧で洗練されたものだったという証拠も——ミノア、エジプト、バビロニアの文明間で長期にわたる接触があったという証拠ももっていなかった。

ナブタのエジプト人天文学者から、ミノア人は太陽の毎日の最高高度と偏角を知ることができたはずだ。現代の私たちは、ギザの天文学者のおかげで、エジプト人は目に見えるコカブの歳差運動から地球の歳差運動についても知っていたことがわかっている。ミノアの船乗りは、メソポタミアの天文学者からさらに多くのことを学んだかもしれない。とくに月の出の正確な時間について——ホイルの言うとおりなら、これはストーンヘンジでも測定できるものなのだ。もし彼らが優れた時計をもってさえいれば、月食から正確な経度を計算できただろう。太陽の毎日の最高高度を測定し、そこから赤緯を推定して緯度を決められたはずだ。

29　地中海から巨石へ

ストーンヘンジを造った人々が、紀元前一七五〇年ごろにたしかにその第三期を終えたと考えてみよう。もしこの驚異のモニュメントが本当にミノアの影響を受けていたとしたら、論理的に考えて、この旅人たちは地中海東部から来たという証拠を残しているはずだ。たとえば物品や交易、ことによると物理的な定住の痕跡までも。

ホーキンス教授の言葉をもう一度引こう。

考古学者は従来から保守的で理論的な想定を好まないが、ストーンヘンジ［第三期］地中海起源であることを示す材料はあまりに多く、いきおい彼らも、優れた設計者たちがはるばるホメロス以前の、永遠にぶどう酒色の南の海［地中海］からやってきたのではないかと考えてしまうほどで……

R・J・C・アトキンソンはストーンヘンジの埋葬品に見られる短剣や斧の彫刻、地中海の手工品などの証拠を重要視し、この説に真剣に肩入れした。(6) アトキンソンの見解は多くの著名な歴

史家にも支持されている。たとえばW・J・ペリー教授によれば、

世界中の巨石遺構［ストーンサークル］は、古代の錫、銅、鉛、金の採鉱場や真珠、琥珀などの交易場所のすぐ近くに位置している。

ヘロドトスも書いている。「……にもかかわらずたしかに、われわれの錫も琥珀もともに、ヨーロッパのはるか西にある極端な辺境の地からもたらされている(7)」

ミノア人はウィルトシャーの波打つ平原に、何か特徴的な「名刺」を残しているだろうか？九月のよく晴れた日、私はストーンヘンジを目指してA303号線に車を走らせ、視界に飛び込んできた雄大な石の光景に胸を躍らせた。

ストーンヘンジの周辺はだいたいゆるやかに波打つ農地で、そうした風景の広がりは最近までほぼ無視されてきたといっていい。ストーンヘンジをめぐっては、イングランド南西部へ向かう途中でこの巨石群を突っ切る道路を廃止するかどうかで延々と激しい論争が続くばかりで、他のことはないがしろにされてきたのだ。だがいまでは、この特別な地域が広大な、相互に関連した神聖な土地だったことがあきらかになっている。ヨーロッパ最大の先史時代の墳墓シルバリー・ヒルがストーンヘンジの南一・五キロに位置し、そのすぐ横にはウェスト・ケネット・ロング・バロウがある。エイブベリーのストーンサークルまでは北へわずか二四キロ。他にもまだまだ見つかるだろう。

王や重要人物は、バロウと呼ばれる丸い形の塚に埋葬され、その多くは石を見下ろす形になっている。近年は考古学研究のペースが上がっていて、目をみはるような青銅器時代の墓が見つかることもある。いわゆる「エイムズベリーの射手」はつい最近の二〇〇二年、近くの村で新しい住宅開発が始まったときに発見された。いっしょに埋葬されていた物品があまりに豊富だったため、マスコミはその遺体を「ストーンヘンジの王」と呼んだ。

ウィンターボーン・ストークのバロウ群は、二九のグループに分類できる。最も古いのは新石器時代の長い形をしたバロウだ。その一〇〇〇年以上あとに続くのが、大きなボウル型のバロウと鐘型のバロウ群。ストーンヘンジから南西に一・五キロのところにあり、北東から南西に向いて並んでいる。アクセスは簡単で、A303号線の脇道から入ることができる。

ほぼすべてのバロウが一九世紀初頭に発掘されたが、その一部は一九六〇年代に調査された。最もすばらしい発見は、二つの木製の棺の残骸、装飾のついた多くの陶器、青銅の槍先や短剣などだった。

木立のなかを早足で五分ばかり歩くと、円盤型のバロウ、鐘型のバロウ、円形のくぼんだバロウがそれぞれ一対、そして一九基のボウル型のバロウが見えてきた。丸形のバロウにはどれにも遺体が一体ずつ埋葬されていた——おそらくストーンヘンジに住んでいた首長だ。発掘された遺物は、短剣、ナイフ、突き錐、ピンセット、カップ、琥珀、まち針、ファイアンスビーズ、食器、骨壺など。

このずらりと並んだ墓のそばに立ったとき、デジャ・ヴュが訪れた。今回の冒険が始まった場所、クレタ島南部のファイストス宮殿の近くで、これとそっくりな墓を見たのだ。それはファイストスから内陸に入ったクレタの山麓のメサラ平原にある。メサラの墓は土地で産出した石を泥で固めて造られたもので、屋根は一種のコーベル構造で支えられている。墓の高さと外周はウィンターボーン・ストークの墓と同じだ。

もちろんこれは、偶然の一致かもしれない。文化的な関連をより確かなものにするために、実際にこのバロウから見つかった墓の遺物を見にいく必要があった。それらは鎧、武器、農具、木工具、宝飾品、家庭用品などで、多くは地元の博物館に展示されている。なかでも重要な二つが、ディバイザスのウィルトシャー博物館と、イングランドで最も美しい大聖堂の向かいにあるソールズベリー&サウス・ウィルトシャー博物館だ。

こうしたすばらしい博物館には何千点もの青銅器時代の遺物が、とくにウィルスフォード（地図7を参照）、アップトン・ラベル、ウィンターボーン・ストーク、エイムズベリー、ウィンボーン・セント・ジャイルズに埋もれていたものが展示されている。きわめて協力的なソールズベリー・ミュージアムのエイドリアン・グリーン館長、ウィルトシャー・ヘリテージ・ミュージアムのデヴィッド・ドーソン館長のご厚意で、展示品の写真を撮影させていただいた。

私は初期・中期・後期青銅器時代の遺物を二〇のカテゴリーに分類してみた。主なものは、斧、ちょうな、装身具、個人の衛生用品、木工道具（のみ、ハンマーなど）、農具、服飾品、狩猟具、攻撃用・防御用武器、奉納品、儀礼用品（戦棍、ミノアの双斧）、ゲームと娯楽、交易用品（分銅）、台所・調理器具。こうした二〇の大きなカテゴリーは、さらに細かく分けられる——台所器具は鍋釜、カップ、ナイフ、スプーン、というぐあいだ。

そして、この二〇のカテゴリーに分けた遺物の写真を、ウルブルンとゲリドニアの沈没船から出た類似する遺物の横に並べてみた（そして37章で説明するように、沈没船で見つかった遺物が実際にミノアのものであることを立証した）。結果は私たちのウェブサイトでご覧いただける。

結果はおのずとあきらかだ。青銅器時代のストーンヘンジに埋葬された人々は、ミノア人と同じ青銅製の武器を使っていた——中子に柄《つか》を鋲とめしたナイフ、剣、槍、矢などで、刃には同じ装飾が多く施されていた。最も単純に説明をつけるなら、これらが実際にミノアのものだということだ。

ストーンヘンジにミノア様式の手工品があったとしても、両方の文明が同じ発展段階に達していた、これらの品はブリトン人の手で作られたものだ、ということにはならない。あのクノッソスやファイストスの壮麗な宮殿を一度訪れれば、誰でも古代ブリテンとミノアの文化には大きな隔たりがあると痛感するようになる。建築技術ひとつとってみても、その感は強まるばかり。青銅器時代にこれと似た宮殿がブリテンにあったのか？　答えは完全なノーだ。

琥珀はこの地域の二九カ所の墓から見つかっているが、とりわけ価値の高いネックレスの珠という形をとっているものが多い。この装身具はおおむねミノアの特徴を備えている。考古学者たちが一部の琥珀の科学的調査を行い――それがバルト海産のものだとわかっても私は驚かなかった。ストーンヘンジの多くの埋葬場所にあった琥珀の品々のなかには、琥珀のスペーサーと水晶やガラスで作られたファイアンスビーズがあった。考古学者たちはすでに、これらの少なくとも一部が地中海東部から来たものだと認めている。同じ形と色のファイアンスビーズがウルブルンの沈没船から見つかっていたのだ。他にも、ストーンヘンジの儀礼用の戦棍がミケーネと同じものである、など。状況はますます面白くなっていった。

そうした観点から見れば、突き錐やハンマー類、ブレスレット、腕章、秤、ナイフ、弓錐、三角形の差し込み口、鋤、短剣、ネックレス、イヤリング、飾り輪、トルク、指輪、ブローチ、耳飾り、カップ、皿、銛先、のみ、槍先、ギャフフック、錘、ピン、ボタン、留め具、肉切り包丁、ハンマー、のこぎり、突き錐、各種ドリル――三二の異なるタイプに分かれる手工品――がどれもおそろしく似通っているのも偶然の一致ということはありえない。こうした古代遺物のなかでもとくに興味深いものは？　地元の博物館に収められた二本のミノアの双斧だ。クノッソスで発見された、ミノス王の有名なラブリュスとそっくりなもの。

ストーンヘンジはミノア人にとって聖なる場所だったのだろうか？　あるいは巡礼の地ですらあったのではないか？　もしそうだとしたら、現地のブリトン人と長期にわたって結んでいた交易契約の一環として、ここに定住するようになったのだろうか？

30　時から忘れられた土地

突如として突破口が開けたのは、荒涼としたルイス島のカラニッシュでのことだった。早い話、自分がお門違いの努力をしていたと気づかされたのだ。私がここまで見にきた青銅製の遺物は、スコットランドで見つかったなかでは最大級のもので、アイルランド製の青銅の道具や黄金のビーズも含まれていた。しかし私の頭を占めはじめたのは、そうした青銅や黄金ではなく、木だった。より正確にいえば、木がないということだ。まさにそのとき、西へ向かうミノア人の旅について考えていたことが、実質的には逆方向へ向かっていたのに気がついた。

現在のルイス島には広大な泥炭地や湿地帯がある。しかし手元のガイドブックを読んだところでは、紀元前一五〇〇年ごろまでこの島はいまより暖かく、土地は肥沃ではるかに湿度も低かった。そこで突然、思い当たった。この島が荒廃した原因には、気候変動だけでなく森林の乱伐もあるのだと。森林の乱伐。船の建造や修理のあとに、産業規模の製錬のあとに起こるような……

一見したところ、陽光降り注ぐクレタ島のミノアから来た船が、あえて荒天がちで湿度も高いヘブリディーズ諸島に向かうというのはいささか考えづらいことに思える。だがこうした青銅器時代の謎めいた遺物は、たとえばオークニー諸島のガーネス、ビュート島のデュナゴイルなどこの一帯には数多く残されている。なぜここに、こんな荒涼とした、風の吹きすさぶ島々に？　こうした遺跡に共通するものは何なのか？　すぐにわかる要因がひとつある。どれも造られたあとに、土地の森林が切り尽くされていることだ。これは単なる偶然なのか？

この離島に、たとえばカラニッシュのストーンサークルのような、精巧な建造物を造りあげられるだけの人口がいたのか？　そういうことはありそうもない。それとも島の先住民が、訪れてきた外部の人間たち——敵対的に強制されてか、あるいは友好的に説得されてか——に手を貸して石の環を造ったのか？　森や木がどこにもないのは、こうした島々で大規模な製錬が行われたせいなのか？

そしてもうひとつ、驚異の新証拠があった。DNAだ。このルイス島の現住人たちのDNAを調べたところ、ハプログループX2が高頻度で見られることがわかった。そして同じようにハプログループX2の頻度が高い数少ない場所のひとつに、クレタ島があったのだ(8)(DNAについては38章でくわしく解説する)。

私はくり返される活動のパターンを目の当たりにしていた。この考えは本当なのだろうか？　アイルランドの品々だけでなく、ルイス島のアダブロックで発見された遺物にも、バルト海の琥珀に地中海のガラスといったミノア人特有の名刺が含まれていた。それはそれでいい。だが必然的にこんな疑問が出てくる。ミノア人は大西洋の風吹きすさぶルイス島の何にそれほど興味をひかれたのか？

ミノア人の交易にかける情熱の本当のスケールが次第にわかりはじめた。私はかつて存在したネットワークの中枢に立っていた。私があきらかにしようとしているのは、交易ルート全域に基地と港を配した、真の交易帝国だったのだ。この帝国は地中海東部にまたがっていただけではない。クレタの人々が行っていたのは、いわば当時の東インド会社のような、息を飲むほどの規模と野心をもった海洋事業だった。こうした交易用の入植地や基地はさまざまな要因に規定されるだろう――青銅の流れをとぎれさせないための熱狂的な交易、さらに新しい鉱山を探すための懸命な活動。

この島では夜遅くなってから、月が巨石をかすめてぼうっと光らせる場面を見られるのではないかと期待していたのだが、シケリアのディオドロスが描いた、月の「神が島を訪れる」現象は見られそうになかった。悲しいことに、私は月の周期のなかでも悪いときにここへ来てしまったのだ。そんな魔法のような場面を見るには、二〇三四年まで待つ必要がある。

歩いているあいだ、ずっと頭を苛んでくる疑問があった。なぜここに？　ミノア人はなぜわざわざここへ、アウター・ヘブリディーズ諸島の北の端までやってきたのか？　その瞬間、あることがひらめいた。彼らはルイス島へ来るのが目的で来たのではなかったとしたら？　実際はどこか別の場所へ向かう途中だったのだとしたら？　脳天に一撃を食らったようだった。これまでずっと何を考えていたのだろう。何もかも逆方向から見ていたのだ。われらが古代の旅人たちはカラニッシュに到達したとき、メキシコ湾流という翼に乗って長い長い旅から故郷へ帰っていくところだった。クリストファー・コロンブスのことは忘れよう。アメリカを最初に「発見」したのはミノア人だったのだ。

アメリカへの旅、そして帰還（続）

アメリカから帰ってきたミノアの交易商人たちが初めて上陸したのがカラニッシュだったとして、彼らはどこから出発したのか？　もし船乗りたちがスペインで冬を越したとすれば、五月から八月の有利な季節に大西洋を横断しようとする船は、カディスやサンルカル・デ・バラメダといった大西洋岸の港から航海を始めたのではないか。こうした場所では実際に青銅器時代の港が見つかっている。言い換えれば、ティーラから来た船は、翌年の大西洋越えの前に、サンルカルのような場所で冬を過ごしたかもしれない。サンルカルで冬を越しながら、壊れた舵取りオールや帆を修理し、船体を傾けて付着したフジツボを取り除くこともできただろう。ハリケーンの季節が過ぎた五月には、オールよりも帆を動力とし、さらに強大な海流の力で新世界まで運んでいってもらえる。

そして銅を積み込み、巨大な円を描くメキシコ湾流に乗っていけば、アメリカからブリテンへの帰路につくことができる。帰りの航海の途中にルイス島を視認できても、ミノア人にとってはまだ中間点というところだったろう。メキシコ湾流の力とはそれほどとてつもないものなのだ。この強大な水の流れを生み出しているのは地球の自転である。一年じゅう絶えることなく北大西洋を時計回りに流れ、オレンジの産地フロリダの温暖さと豊穣を北へもたらしている。スペイン人はその至高の力を利用し、財宝を求めるガレオン船でカリブ海まで到達したのだ。

ブリテン諸島が比較的温暖なのは、メキシコ湾流があるおかげだ。アメリカ人政治家ベンジャミン・フランクリンは一七六〇年代にメキシコ湾流の特性を分析し、船舶の航行ルートを見直すことで、アメリカとブリテン間の標準的な航行時間を何週間も短縮してみせた。ミノア人もメキシコ湾流を見つけたときには、これはタダで特急列車に乗り込むようなものだと気づいたにちがいない。

一九七〇年、潜水艦HMSローカルの艦長を務めていた私は、アメリカからスコットランドへ帰還する途中、自分に下された航行命令の変更をさせてほしいと要請した。デンマーク海峡を、ついでフェロー・ギャップを通ってスコットランド北東部へ向かうのでなく、メキシコ湾流に乗って移動し、どこで海流が弱まって消えるかを見たかったのだ。

潜水艦は、カーブしながら大西洋を横切っていくこの強力な暖流の勢いを測るにはうってつけの乗り物だ。潜航中の潜水艦は、自分が押しのけている水に等しい重さでいなくてはならない。だから高温の水のなかでは艦の重さを軽くする。そして海水が冷たくなれば、艦はそれだけ水を取り込まなくてはならない。したがって暖かいメキシコ湾流が消えるときが来たら――潜水艦がもし、たとえば水深一五二メートルにいれば、艦の重さでそのことがはっきりわかる。私たちが発見したのは、体積という点では、大西洋からグリーンランド－スコットランド海嶺を越えてノルディック海へ流れ込む三つの支流のうち、最も強いのはアイスランドとフェロー諸島のあいだの流れだということだ。

アメリカ産の銅を積んで、ヨーロッパの西の端にあるルイス島へ到着するころには、ミノアの乗組員たちは休息と船の修理、水や食料などの補充を必要としていただろう。

ここの島々は、大西洋全域に広がる強力なミノア交易帝国の要衝となっていたのだ。こうした冒険心あふれる探検家たちは、ここからデンマークやグリーンランド、さらにその先へと、さらに富をもたらす交易相手を求めて乗り出していくことができたのだろう。彼らは完全無欠の事業家だった。そして最大の利益をあげるためにその勢力範囲を最大化したのだ。

プラトンも言っている。「この力は海のなかから現れた」

私が考えていたとおりだった。ミノア人の卓越した航海の能力は、広大な交易帝国を支配する力をもたらした。それは地中海のはるか先にまで及んだ。西ヨーロッパ、さらにアメリカにある莫大な鉱物資源を最大限に活用する、「リビアとアジアを合わせたよりも大きな島」だったのだ。

ミノア人はおそらく、アウター・ヘブリディーズ諸島やオークニー諸島に入植するのが目的でやってきたのではなく、高純度のアメリカの銅を満載した船で故郷へ向かう途中にたどり着いたのだ（33章を参照）。そのことを念頭に置いて、彼らが残していったものを眺めてみよう。まずはハタネズミからだ。

北ヨーロッパには、三種類のハタネズミが人間によって持ち込まれたというあきらかな証拠がある。アウター・ヘブリディーズ諸島のキタハタネズミ、アイルランドのヨーロッパヤチネズミ、スバールバル諸島のロシアハタネズミだ。これらのハタネズミはどれもブリテン諸島の本土には見つかっていない。

こうしたハタネズミはいつ、どういった人間たちが持ち込んだのか？　オークニー諸島から出たハタネズミの二つの骨は、放射性炭素年代測定によって、紀元前一五〇〇年ごろのものと、紀元前二七〇〇年ごろのものと特定された。(9)ヨーク大学が行ったＤＮＡ比較では、オークニー諸島のハタネズミに最も近縁なのは、南フランスとスペインのハタネズミだとわかっている。つまり紀元前二七〇〇年から前一五〇〇年のあいだに、南フランスかスペインから船がオークニー諸島までやってきたということのようだ。ミノアの船にネズミが密航するのはありふれたことだったろう――ウルブルン沈没船にはシリアのネズミがいたくらいだ！　これに代わる説明をするとしたら、ハタネズミがまずオークニー諸島に、それから南フランスとスペインに到達したということになる。

オークニー諸島にいる唯一のハタネズミはユーラシアハタネズミだ。オークニー諸島の八つの島、バーレー、エデー、メインランド、ラウゼー、サンデー、サウスロナルドセー、ストロンゼー、ウェストレーに生息している。ハタネズミは泳げないので、人間によって持ち込まれたはずだ。船乗りが家畜のために持っていった干し草や藁にまぎれ込んでいたという可能性が最も高い。このユーラシアハタネズミは、隣のシェットランド諸島やスコットランド本土にも、イングランドにも見つからない。少なくともこのハタネズミがオークニー諸島と南フランス、スペインとを結びつけるものだとは言ってもいいのではないか。

結論

アウター・ヘブリディーズ諸島とオークニー諸島は、ともにメキシコ湾流の終点に位置していたおかげで、五大湖地方からヨーロッパまで銅を運ぶミノア船の交易の中枢となった。オークニー諸島に埋葬されていたものは、さらに何かを語ってくれるだろうか？

ＢＢＣのテレビ番組で、デヴィッド・キーズによる以下の報告が紹介された。

スコットランドで現在進んでいるセンセーショナルな考古学的発見によると、ファラオ時代のエジプトで「ミイラ文化」がたけなわだったのと同じ時期に、青銅器時代のブリトン人がミイラ化の技術を実践していたということです。古代ブリトン人は独自にこの技術を発明したと思われ……[10]

シェフィールド大学のマイク・パーカー・ピアソン博士率いる考古学チームが、ヘブリディーズ諸島のサウス・ウイスト島で驚きの発見をした。クレイド・ハランという地域にある先史時代の家の床下に二体のミイラが埋まっていたのだ。その家は不思議な青銅器時代の複合建築物の一部だった。報告によるとこの建築は七つの家がテラス状に配され、「そこに埋葬されていたミイラと同様に謎に包まれている」という。報告はこう続いた。

考古学者たちが驚いたことに、うちひとり（男性）が死亡したのは紀元前一六〇〇年ごろですが――埋葬されたのはその六世紀後の前一〇〇〇年ごろだったのです。またさらに、もうひとり（女性）も紀元前一三〇〇年ごろの死亡で――埋葬されるまで三〇〇年も待たなくてはならなかった……

報告では、この二体は儀式におけるエリート層、つまり司祭かシャーマンだったのかもしれないと推測されている。だが新来の外国人か入植者だった可能性もある。私の考えでは、ミノア人の指導者ではないだろうか。ミノア人はエジプトにはよく通っていたし、とくにテル・エル・ダバアに長く滞在していたことから、ミイラ化の技術についても知っていた。ちなみに言っておくと、ハインリヒ・シュリーマンはミケーネで発掘を行っているとき、発見した遺体のひとつがミイラ化されていたと述べている。

驚くべきなのは、まだ探せば探すほど続々と見つかっていることだ。私たちはサウス・ウイストのミイラのDNAを検査にかけ、その遺伝子にハプログループX2が含まれているかどうかを確かめられるようやってみるつもりでいる。ハプログループX2で興味深いのは、オークニー諸島やミノア人の起源の場所（38章を参照）だけでなく、アメリカの五大湖地方でも見られることだ。このハプログループが現在の地域集団にこれほど優勢でこれほど目立っている場所は、五大湖のほかにはない。セオドア・シュアー教授の言うように、「血統《リネージ》Xというにふさわしい名で呼ばれている遺伝子マーカーは、ユーラシア人とアメリカ先住民との明確な――たとえ古代のものであっても――つながりを示唆している」[11]。つまり科学的な証拠が、オークニー諸島人とクレタ人とに共有されたＤＮＡの高い出現率を裏づけている。どちらの遺伝子にもハプログループＸ２がきわめて多く（七・二％）存在しているのだ。

31　青銅の少年

　さて、これでわかった。ミノア人はオークニー諸島からインドにまでいたる、広大な青銅器時代の「共同市場」をつくりあげていた。ブリテンの銅と錫をはるばる古代エジプトまで運んでサッカラのピラミッド用の青銅製のこぎりを作りもした。それでも時がたつにつれて、銅と錫が不足するようになった。だが、もしもミノア人が青銅器時代の原材料と完成品の世界交易全体を支えていたとしたら、他に調達できる場所はどこにあったのか？　私にはすでにひとつの考えがあった。しかしブリテン諸島を離れて大西洋を越える前に、あとひとつだけやっておきたいことがある。他の何百万人もの旅行客と同じように、またストーンヘンジに行くのだ。

　つい昨年の二〇一〇年、驚くべき発見の知らせが飛び込んできた。英国地質調査所の科学者たちが、ある一五歳の少年の遺体を鑑定した——二〇〇六年にヘンジにほど近いエイムズベリーで発見された遺体だ。この少年はストーンサークルから一キロのところにある簡素な墓に入れられ、そばには琥珀のネックレス——ビーズ九〇個が連なっていた——という莫大な富を示すものが置かれていた。検査から死因は感染症で、暴力的なものではないとわかった。さらに肝心なことをいうと、広範囲にわたる科学的研究から、この一〇代の少年は地中海沿岸の出身だったことが証明されているのだ。

この発見は私の仮説全体にさらに肉づけをするものだ。地中海出身の少年がここに埋葬されたのは、紀元前一五五〇年ごろという重要な年代だった。少年は見習いとして、すでに確立した交易ルートというミノアに富をもたらすシステムを習得、利用しにきていたのだろうか。あるいはミケーネの侵略軍から逃れてきたミノア人だったのかもしれない。

ストーンヘンジはきっと、先史時代の国際的ランドマークだったにちがいない。プロジェクト考古学者アンドリュー・フィッツパトリックの言葉を借りよう。

われわれの考えでは、ごく裕福な人々が外国の希少な、たとえば琥珀のような材料を調達するために、このように長距離を旅してきたのではないだろうか。こうした旅をすることで、おそらく多大な称賛も得られたのだろう。[12]

世界最大の精神世界の聖域ストーンヘンジは、想像を絶するほど有名な場所だったのだろう。天の動きを読み、世界を旅する方法を知ることは、神々の意志を読み取ることに等しかったからだ。それは宗教的な儀式だった。

遠くからストーンヘンジを訪れてきた他の人々には、青銅器時代の集合墓地から見つかった「ボスコム・ボウメン」と呼ばれるグループがいるが、彼らがウェールズから来たことはほぼまちがいない。

人々がここにやってきたのは、当初は宗教的儀式と星の観測のためだった。しかし青銅を運んできたミノア人にとって、何千もの人間が祈りを捧げようと集まるこの場所ほど、交易を行うのに適したところがあっただろうか？　青銅器時代の富はこの平原を商業と交流の一大中心地へ変貌させたのだ。

もうひとつある謎のストーンサークル、カラニッシュで、私はすでにミノア人とアメリカ大陸の銅の探鉱とを結びつけていた。そしていまはこのストーンヘンジに、大西洋を超えた交易を示す証拠がもっともっとあるのではと思いはじめていた。この墓と一〇代の少年の遺体が見つかったのは、二一世紀になってからのことだ。だったら他にもまだ、どれほどのものが埋まっているのか？

二〇〇二年五月に調査専門会社ウェセックス・アルケオロジーは、ストーンヘンジから数キロ離れたエイムズベリーで、定期的な発掘調査を行っていた。その地域には住宅地が建設される予定で、そうした場所では全体がコンクリートで覆われてしまう前に調査を行うのが標準の手順だった。かりに何か見つかるとしたら、ローマ時代の遺跡にぶつかるのではないかとウェセックスのチームは予想していた。ところがそう長くかからないうちに見つかったものは、考古学者たちのこの場所に対する見方を完全にひっくり返すことになった。発掘されたのは墓だった。それもふつうの埋葬ではなく、この一見するとなんでもない場所には、年代的には少なくともローマ人のブリテン到達の二五〇〇年前にまでさかのぼる陶器が埋まっていたのだ。

そして昼過ぎには、チームは文字どおりの金脈を掘り当てていた。金の装身具だ。その週末には銀行が休みになるし、墓を放置しておくと盗掘されたり荒らされたりする恐れがあった。考古学者たちはこの発見を放っておくわけにいかないと決め、車のヘッドライトの明かりだけを頼りに夜どおし発掘を進めた。夜明けまでにひとりの男性の骨格が発見された。その墓は英国で発見された青銅器時代の墓のなかで最も富にあふれたものだった。マスコミはこの男性を「ストーンヘンジの王」と名づけた。

「エイムズベリーの射手」とも呼ばれるこの男性の遺体は、年代的には初期青銅器時代の紀元前二三〇〇年ごろ、地中海の「琥珀の首飾りの少年」の埋葬よりほぼ一〇〇〇年早い時期のものとされている。これはブリテンに初めて金属が持ち込まれたころだ。この「射手」は埋葬の際に、左側を下に、顔を北に向けて寝かせられた。傍らには狩人の武器のほか、三本の銅の短剣などが埋められた。手首には弓の弦の反動から守るためのスレートの防具がつけられていた。

あきらかに身分の高い人物だった。いっしょに埋められたものは無機物しか残っていなかったので、何を着ていたのかはわからないが、美しい細工の施された黄金のイヤリングと、二個の黄金の髪飾りがそばにあった。

考古学者たちの年代測定によって、この人物はストーンヘンジで巨大な石が立てる作業が行われたのとまったく同じ時期にいたことがわかった。そして五キロも離れていないところに埋葬されていることから、この特別な身分の男性はモニュメント建造の立案に参加していたという推測も成り立つ。

その後に、もうひとつの墓が近くに見つかった。胎児のようにまるまった姿勢で、ぽつぽつ穴のあいた石灰岩の墓に横たわっている若い男性。ほぼまちがいなく最初の男性との血のつながりがあった。どちらの骨格もきわめて珍しい同じ骨構造をもっていた――かかとの骨が足根骨の上部に接合しているのだ。父と子だったということもありうる。

「王」は死んだとき三五〜四五歳だった。いっしょに矢じりや銅剣など、あの世で役に立つものが埋められていた。金属加工に使われるクッションの石がすぐそばに置いてあった。もしかするとブリテンで最初に黄金を加工できるようになったひとりかもしれない。だから墓が富にあふれているのだ。

「王」の歯は酸素同位体分析にかけられ、当人が若いころどこに住んでいたかが特定された。歯のエナメル質は骨よりも強い、人体で最も硬くミネラル分の多い物質だ――人間の歯が人の死後何世紀にもわたって残る理由はそこにもある。エナメル質は歯を包み込んで保護し、下にある象牙質を虫歯から守る。そして思春期まで急速に成長するために、子ども時代の環境を、気候や地域の地質学的特徴にいたるまで化学的に記録している。

エナメル質の化学成分は主にカルシウム、リン、酸素で、微量のストロンチウムと鉛も含まれる。このうち当の人物が育った風土をいちばん強く示すのは、酸素とストロンチウムの同位体だ。酸素の重同位体と軽同位体の比率は若いころに飲んだ水に左右される。温暖な気候の水を飲むと重同位体が多くなり、冷たい水を飲むと軽同位体が増えるのだ。

この二体の骨格にある歯のエナメル質内部の酸素同位体を分析したところ、年上のほうの男性は、当時の英国よりも寒い気候の場所から来たことが示された。二五〜三〇歳で死んだ年下の男性のほうは、親知らずの分析から、少年期をイングランド南部で過ごし、一〇代後半にイングランド中部またはスコットランド北東部に移り住んでいることがわかった。考古学者たちは、より寒冷な地方出身の「王」は、アルプス地方かドイツ北部の出身ではないかと考えている。だが私としては、スペリオル湖から来たという可能性も大いにありうると主張したいところだ。かりに若いほうが「王」の子だったとすると、子どものころには大西洋を渡るようなまねはせずにイングランドに残されたが、一〇代でヘブリディーズ諸島かオークニー諸島にあるミノアの交易場所へ連れていかれたということもありうるだろう。ＤＮＡ検査をすればこの男性二人の祖先についてさらにくわしいことがわかるはずだ。

アメリカのスペリオル湖で、「ストーンヘンジの王」とほぼ同じ年代（前二三〇〇年ごろ）の有名な人物骨格が発見されている。この「ロック・レイク」の人物骨格は、ストーンヘンジで見つかったものに似た銅製の斧といっしょに埋葬されていた。この骨格のＤＮＡと「ストーンヘンジの王」のＤＮＡを比較し、どちらも珍しいハプログループＸ２をもったミノア人のＤＮＡであるかどうかを確認できるのではないか、と私たちは考えている。この地元で発見された骨格は——いまはミルウォーキー公立博物館に収蔵されている——その多くに足の骨の奇妙な変形が見られるのだ。

私がさらに西へ、アメリカ大陸へ目を向けるべきだと考えたのには、他にもまったく別の理由があった。私のウェブサイトに寄せられた熱心な手紙や電子メールから、アメリカ大陸には非常に多くの銅鉱石があったことを知ったのだ。スペリオル湖の銅山で発見された青銅製の道具類は、現代の英国で見つかった遺物と驚くほどよく似ている。しかも専門家によると、古代アメリカの墳墓から出た銅の遺物の多くは、たしかに溶融鋳造で作られていて、この技術は地中海沿岸で発達し、当時のアメリカでは他に知られていないものだという。

アメリカ国立標準局やニューヨーク・テスティング・ラボラトリーズによる検査でも、アメリカの墳墓から見つかった多くの遺物が、旧世界の鋳造技術で作られたものであることが裏づけられた。グンナー・トンプソン博士は、これが海外との接触を示すあきらかな証拠だと確信している。

最近の分析から、北アメリカの墳墓から発見された銅製の遺物の一部が、地中海で使われていた亜鉛と銅の合金で作られていることがわかった。古代の金属加工師は銅を硬くするために亜鉛を加えて青銅の合金にしていた。アメリカの遺跡で見つかった銅の道具類の形状は、のみ、短剣の刃、楔、鍬、鎌、斧、槍先など、どれも古代地中海のものと同一だった。これらの道具は鋲や棘、差し込み口を使うなど特殊な修正がなされていることが多いが、すべて地中海の道具の特徴だ。大半の道具が溶かした金属で鋳造されていることから、外国の職人が製造に参加していることがうかがえる。(13)

アメリカの先住民が銅の鋳造を行っていなかった、青銅を作っていなかったというのが事実だとしたら、スペリオル湖で見つかった大量の専門的な採鉱道具は外国人の手になるものであるはずだ。その外国人は海を渡ってきたとしか考えられない。アメリカまで船でやってくる海洋民族がミノア人でなければ、他の誰だというのだろう。

第四部　注

(1) Toby Wilkinson, *The Rise and Fall of Ancient Egypt*, Bloomsbury, 2010
(2) *Complete Temples*: Wilkins on RH, 2000
(3) BBC *Timewatch*, Professors Tim Darvill of the University of Bournemouth and Geoffrey Wainwright, President of the Society of Antiquaries
(4) Needham, S. L. et al. 'Developments in the early Bronze Age Metallurgy of Southern Britain', *World Archaeology*, vol. 20, no.23
(5) Thomas Goskar, *British Archaeology* 73
(6) R. J. C. Atkinson, *Stonehenge*, Pelican, 1960
(7) Herodotus 3, 115, trans. Basil Gildersleeve, in *Syntax of Classical Greece*
(8) *The American Journal of Human Genetics* (AM J Hum Genet) 2003, November, 73 (5) 1178-1190-X2 of Orkney inhabitants is 7.2 (research of Helgason et al. 2001) - the second highest after Druze
(9) Hedges, R. E. M., Housley, R. A., Law, I. A., Perry, C. and Gowlett, J. A. J., 'Radiocarbon Dates from the Oxford AMS System: Archaeometry Datelist 6', *Archaeometry* 29 (2), 1987, 289-306
(10) *The Mummies of Cladh Hallan* BBC, 18 March 2003
(11) T. G. Schurr, 'Mitochondrial DNA and the Peopling of the New World', *American Scientist*, 18 (2000)
(12) Andrew Fitzpatrick, *National Geographic Magazine*, 13 October 2010
(13) Dr Gunnar Thompson, *American Discovery*, Misty Isles Press, Seattle, 1999

第五部
帝国の到達点

32　探索への航海

初めて陸地が見えるまで、三〇日以上かかったかもしれない。過ぎていく日々はやがて数週間にも及び、乗組員たちもどんどん不安になっただろう。実際、どれだけの不安があったかは、スペイン人探検家クリストファー・コロンブスが初めて行った大西洋横断の航海にはっきり示されている。一四九二年にコロンブスはアメリカを「発見」したとされるが――本人はその大陸がアジアだと思っていた――その航海中に日誌を二つつけていた。ひとつにはその日に船が実際に進んだ距離を記したもの。もうひとつは進んだ距離を長く見せるための偽の記録だ。出発から数週間がたつと、次第に恐怖をつのらせる乗組員たちに、コロンブスはあえて偽の航海日誌だけを見せたのだった。

ミノアの船は、そんな大西洋横断の過酷さに対処できたのだろうか？　参考までにいえば、のちのバイキングたちは、きわめてよく似た艤装で同じ偉業をやり遂げている。ミノアの帆船は最高の効率性を求めて設計されていた。コロンブスの船、サンタ・マリア号――別名マリガランテ（勇敢なマリア）号――は、フォアマストとメインマストに二枚の角帆を艤装していた。船尾には一枚のラテン（ローマ式の大三角帆）があった。サンタマリア号の航海に参加したより小型の船ニーニャ号の細かな日誌には、スペインから出航したときにはすべてのマストにラテンの帆を揚げていたと記してある。だがカナリア諸島に到達するころには、コロンブスの命令で、風を最大限活用できるように、サンタマリア号と同じ角帆に再艤装されていた。ティーラのフレスコ画は、キリスト誕生の二〇〇〇年前にミノア人がすでに横帆艤装で航海していたことを疑問の余地なく教えている。

大西洋中央部の海域は、はるか昔から現代にいたるまで、船乗りを悩ませてきた。浮遊性の海藻サルガッサムの塊が不吉に見え、何週間も進んでもまだ陸地に着かないという事実が乗組員を不安にさせる。帆船の時代には、「馬の緯度」と呼ばれる無風帯に入った船は動力を失ってなすすべがなくなり、乗組員が渇きで命を落とすというきわめてゆゆしい危険に直面することになる。船乗りたちの心境は想像がつくだろう。「ここはもしかすると、世界の果てなのか？　われわれの船はとうとうその縁から落ちてしまうのか？」。たしかに、もし「怪物がいる」というなら、きっとこのサルガッソー海にちがいない。

サルガッソー海のなかに入り込むというミスを冒さなければ、ミノア船は海流に後押しされてぐるりと弧を描き、アンティル諸島を過ぎてメキシコ湾へ入っていくだろう。とてつもない歴史的な旅だ。コロンブスはカリブ海の海流についてこう言っている。

「ドラゴンの口」から出ると、海はじつに奇妙なことに、西へ向かって流れていた。私はミサの時間に錨を引き上げ、終課の時間がくるまでに、六五リーグ（一リーグは約四・八キロ）も進んでいたのだ。

面白いことに、航海術の話題となれば、まず古代クレタ島の宮殿から話を始めることができる。ミノア人が方位を正確に計算できた理由は、とくにミノアの宮殿すべての配列が、数度の誤差の範囲内で同じだったことにある。基準線から北北東ｰ南南西、つまり北から八度だけ東だ。

クレタの宮殿を造った建築者たちは、標準となる単位、つまりミノア独自のフィートを、世界中にある古代の天文台で同じように使っていたのだ。私が探し出したJ・ウォルター・グレアムのきわめて興味深い論文は、クレタ島のファイストス、クノッソス、マリアの宮殿と、ミノア後期のグルニアの小さな宮殿を詳細に研究した結果、その単位を二〇三〜二〇四ミリとしている。(1)このことからだけでも、ミノア人は自分たちの共通単位を使って複雑な数を、つまりは距離といったものを算出する方法をもっていたことがわかる。

さらに踏み込んで考えてみよう。ミノア人の知識と洗練の度合いからすると、彼らが数学のエキスパートだったとしてもおかしくはない。アメリカの教授で暗号学者の故サイラス・ゴードンはたしかにそう考え、線文字Aの手稿では、小さな円は数字の100を表しているようだとしばしば指摘した。(2)ごく最近になって、オックスフォード大学の考古学者アンソニー・ジョンソンは、ストーンヘンジの建造者たちは実際にピタゴラス幾何学を用いていたと述べている。これはピタゴラス本人より二〇〇〇年も前のことだ。(3)

そしていまは確かな証拠がある。二〇一〇年にギリシャ人数学者のミナス・ツィクリツィス博

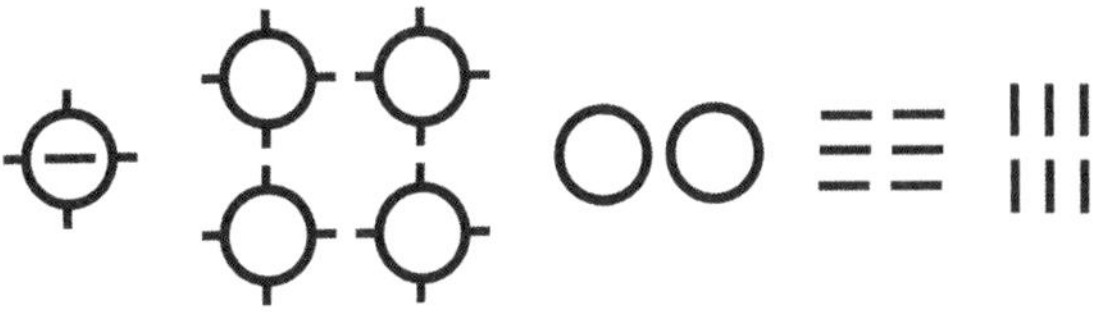

士がミノアの天文学を扱った本を出版し、そのなかでミノア人が三六五・三日の太陽暦をつくりだしていたという有力な証拠を新しく示したのだ。博士のその確信は、印章石や指輪などミノア時代の手工品を研究したことから生まれた。総合的に考えれば、こうした遺物の年代から、ミノア人は紀元前二二〇〇年ごろにはすでに太陽暦を独自につくりだしていたと思われる。これはバビロニアの天文学者ナブ・リマニが太陽暦を作ったといわれる時期より約一七〇〇年ほども前だ。年代的にはペルシャ（前五三九年）とマケドニア（前三三一年）によるバビロン征服のあいだのいつかだとされる。もしこれが本当なら、ミノア人に経度の計算ができたこと――それもバビロンとは別に独立して行っていたことが強く示唆される。

　ミノア人がどんなふうに計算をしていたか紹介しよう。彼らは数字を表すのに二つの基本の形をもっていた。私たちの目には直線と円に見える記号だ。縦の直線「｜」は数字の1を表し、横の直線「―」は10を表す。円「○」は１００を表し、円のまわりに同じ長さの出っ張りが等間隔にあるもの「⌖」は１０００を表す。１００００は１０００の単位に10の記号を付け加えることで表現された。

　それで、１４２６６のような大きな数字は上のように表される。

いまではもう、ツィクリツィス博士の長年にわたる研究のおかげで、クレタ島から来た古代の冒険家たちは一日に移動した長さの単位――いまでいう「海里」――を数えられたことが確かにわかっている。クレタ島を出てからの日没の数をつけることで、航海した日数も記録できた。そうして自分たちがどの方向へどれだけ旅したかを示す日誌をつけることができたのだ。

ここで、ミノア人の航海術について整理してみよう。彼らは春に、たとえば春分（手近なストーンサークルから算出した）の一カ月後に出航した。この月のことは線文字Bの文書に「ポ・ロ・ウィ・ト」という名で記されている。「航海の月」を意味する名前だ。

大海原には標識のようなものはない。前述したとおりにミノア人の航海士は、世界を股にかけて旅するために、バーチャルな基準グリッド――彼ら独自の緯度、そしておそらくは経度に相当するもの――を用いたのだろう。彼らは北極星の高さを、つまりクレタ島とティーラ島にある母港の緯度を記録した。これは帰るために到達しなくてはならない緯度だ。

いまでは、ストーンヘンジ、アルメンドレス、カラニッシュのストーンサークルの位置関係から、ミノア人が緯度を一・五キロ以内で特定できたことがわかっている――迷子にならないようにその必要があっただろう。緯度を求めるのが比較的容易なのは、北極から何十億キロも先の延長線上の宇宙空間に星があるからだ。紀元前一四五〇年の北極点に立って、垂直に真上の空を見上げれば、九〇度の位置にコカブという名の星がある。コカブはとても遠いので、赤道上では水平線上の〇度の位置にあるように見える。だからコカブの高さを測れば、自分のいる緯度を計算できるわけだ。

これがアメリカへ向かう第一回目の航海でなかったとすれば、ミノアの探検家たちは真西に向かって、たとえば二〇日間進めばアフリカのチュニスの海岸に達することをすでに知っている。それからその海岸に沿ってまた一五日間行けば、すでに緯度のわかっているヘラクレスの柱（ジブラルタル海峡）に着く。そして日の出と日の入りの位置を記録し、その角度を半分に割って南を見つけ、太陽がいちばん高くなる正午にその方位を確認して、西へ向かう――そのあとは南と直角を保ちながら、西へ針路を向けつづけるのだ。

夜には星々を頼りに進んでいく。日の入りには西の地平線上の、最も西の方位に近い星を記録し、その星に針路を向ける。その星が沈むと、日が沈んだ位置に最も近い水平線上の別の星を選び、朝まで同じことをくり返して、日が昇れば今度は太陽を利用する。予定どおりチュニスの海岸に着くと、飲料水と果物、食料を補給し、また航海を続ける。ヘラクレスの柱に近づいたと思ったら、北極星を使って緯度を柱の緯度と合わせる。ここまでは順調だ。緯度がわかっていれば、大西洋に出られる。

この期間には、同じ緯度で真西に針路をとれば、正午の太陽の高さを同じ緯度上でチェックできただろう――自分たちの緯度をコカブと照合確認することもできる。夏に向かって正午の太陽が高くなり、夏至の日に最も高い位置にくることに気づいただろう。そして正午に測った太陽の高さの最大値（子午線高度）に毎日簡単な補正（赤緯）を適用すると、つぎの式を使って緯度が求められることもわかっただろう――緯度＝九〇±偏角。

ナブタや他の石の天文台でこの算出の仕方を知ったということもありうる。毎日の赤緯を記録したあとには、コカブが見えなくなっても――つまり赤道の南側にいても――太陽を使って毎日緯度が計算できたはずだ。船乗りたちはおそらく、一日でどこまで進めるかというお遊びの賭けを楽しんでいたのではないか。

大西洋に出たあとは、南西に針路をとってカナリア諸島へ向かう。そこで楕円形を描く大西洋海流の「ベルトコンベア」に乗り、まず南西のカーボベルデ諸島へ、ついで西のカリブ海へ運ばれていく。ひとつ特筆すべきなのは、カーボベルデ諸島で北アメリカ特有の染色体をもった綿花が発見されていることだ。ミノア人はこれまでの航海にかかった時間を記録している。休息をとって補給をしたあと、また海流に乗ってカリブ海を北西へ向かい、メキシコ湾に入る。このあいだずっと、北極星はどんどん空の高い位置に昇っていく。そしてフロリダの南端の緯度に達すると、ただちにミシシッピ川に着くために真西を目指さなくてはならないことを知る。

そして、以前の航海で設置した「標識」に導かれ、スペリオル湖の豊富な鉱石を目指していく。こうしたドルメン石の道しるべを頼りに、ミシシッピ川を北上し、あるいはセントローレンス川を西へ上っていくのだ。

帰路ではまた「ベルトコンベア」を利用する。今度は大西洋を渡ってヘブリディーズ諸島（ルイス島）とオークニー諸島まで行くと、そこには同胞の先達が築いた、ストーンヘンジのようなストーンサークルの「天文台」がある。それから現在知られているイングランド、フランス、スペインの海岸沿いを、海流に乗って進む。このときには北極星は空の下方低くにある。ヘラクレスの柱の緯度に達したとき、彼らは真東へ向かわなくてはならないことを知る。そして地中海に入ると、行きの行程を逆にたどってクレタ島を目指し、やがて喜びの帰還先へとたどり着く。

緯度を用いるだけでは、自分たちがどこまで――つまり何日間移動すればいいのかがわからない。そのためには経度を計算できるようにならなくてはならない。チャールズ二世や英国初の王室天文官ジョン・フラムスティード師が言っていたように、航海術は科学であると同時に技芸でもある。この技芸はあまりに捉えがたいもので、一八世紀ヨーロッパでは国際的な強迫観念になるほどだった。イングランドでは航海術を改良するための悪戦苦闘ぶりが長年のジョークとなった。「経度を発見する」のは基本的に、不可能への挑戦に等しかったのだ。(4)

ミノア人による経度の計算

あらゆる天体の現象、たとえば（i）日食や月食、（ii）惑星の出入り時刻、（iii）惑星が恒星や太陽や月の前を通過する時刻、（iv）恒星の出入り時刻といったものは、観測者が正確な星表と時計をもってさえいれば、経度を求めるのに利用できる。

まず必要になるのは正確な時計だ。J・ファーマー教授、J・M・スティール教授、F・R・スティーヴンソン教授が、バビロニア人の使用していた水時計の精度の低さについて述べている。(5)(6)(7)バビロニア人が経度を決定するにしても、実際に水時計を使うことはありえない。しかしスティール教授は、N・M・スワードローの著書『バビロニアの惑星の理論』の書評のなかで、こう書

いている。(8)

バビロニアの天文学者たちは、もしそのつもりがあるなら、経度を測定することができた。断片的な星表の存在がそれを証明している。さらに彼［スワードロー］はこう指摘した。保存されていた日誌には、出入りする惑星から通常の星（そこから前述した星表などを使って経度が得られる）までの距離の報告があまり多く含まれていないために、惑星のパラメータを導き出すことは難しい。だがこのことは必ずしも、こうした測定法が使用できない、あるいは惑星の理論を考案した天文学者たちには作ることができないという意味ではない。(9)

では、こうしたあきらかに相容れない立場どうしをどう和解させるか？　私の考える答えは、水時計をあてにするのをやめて、星表に頼ることだ。星表は毎晩の日の入りのときに東の水平線上に昇ってくる星々を四年にわたって表示する。この位置では同じサイクルがくり返される。要するに航海士は恒星時と太陽時のずれを利用するのだ。

たとえば、バビロンで発行された星表には、六八日目にアルデバランが、太陽の最後の光が西の地平線に消えると同時に昇ってきた、とある。大西洋に乗り出してから六八日目に、もうひとりの観測者は、日の入りと同時にアルデバランではなくベテルギウスが昇ってきたと記している。アルデバランとベテルギウスの角度の差は六時間――二四時間の四分の一だ。そこから大西洋上の観測者は、自分のいる経度が西経九〇度――三六〇度の四分の一だということがわかる。これだと時計は必要ない。だが、この方法が機能するのは、観測者が同じ緯度にいて、ミノア人がバビロニアの星表の写しをもっているか——自分たち独自の装置を、幾何学的な角度を測りながらカレンダーとしても使えるものをつくりだしていた場合に限られる。
実をいうと、そのような装置は実在する。一九〇〇年にアンティキティラ島の沈没船から発見されていた。その後しまい込まれ、そのまま忘れ去られていたのだ。

アンティキティラ島の機械

アンティキティラ島は、クレタ島の北西数キロに位置する小さな島だ。科学誌『ネイチャー』にはこう書かれている。

二〇〇〇年前のギリシャの機械工が、既知の宇宙の仕組みをモデル化する機構の製作に取り組んだ。結果として、太陽、月、惑星の動きを正確な印のついた文字盤に表示できる、複雑な時計仕掛けの機械ができあがった。そのハンドルを回すと、小さな天体が空をうねるように移動していくのが見られる……

……二〇〇六年にこの装置の復元版が発表されて以来、古代世界の技術についての認識に革命が起こり、ギリシャ科学の頂点を、大衆の想像力を捉えてきた。
ところがいま、このギリシャ文明の粋ともいうべき装置に変換された天文理論を研究している科学者たちが、つぎのような結論に達した。これらはギリシャではなく、バビロニア——この［古代ギリシャ］時代の何世紀も前に存在した帝国——のものであると。(10)

アンティキティラの装置の重要性は、惑星に関する情報、とくに日の入りのときの惑星の位置がわかることにある。海の上にいる観測者がバビロンの観測者と同じ表をもっていれば、日の入り時の惑星間の角距離から経度の差が求められるのだ。アンティキティラの装置は、実際に経度の計算機として使うことができた。初期の天文学者がいかに優れていたかを示す好例といえる。ホイルの考えによれば、ストーンヘンジの創出の裏には、きわめて進んだ数学と天文学をもつ文明の存在があった。

ヒッパルコスやプトレマイオスが現れるまで、古代世界でそれに匹敵するものは見つからず、新しい世界になってもコペルニクスまで行かなくてはならない。ブラームスがベートーヴェンについて言った言葉を借りるなら、われわれは背後に巨人の足音を聞くのだ。

スタン・ラスビーは実際にその巨人の足跡をたどってきた。海洋測量士であり古代の航海術の専門家ラスビーはコンピュータプログラムを駆使し、彼自身にいわせれば「神話のなかを航海している」。そしてホメロスの、オデュッセウスが星々に導かれて帰還するというくだりを文字どおりに解釈し、大西洋を横断することが可能だったかどうか見ようとした。

沈むに遅きうしかい座《ボオテス》と、ウェインとも呼ばれるおおぐま座は、つねに自分の居場所をぐるぐる回ってオリオン座を見つづけ、唯一海で湯浴みをすることのない星だ。美しい女神カリプソは、彼が海を航海するときにはいつもこの星を左側に置いておくよう命じた。それから十七日間、彼は海を渡っていき、十八日目にパイアケス人の国の山並みがかすかに現れた。(11)

ラスビーのコンピュータプログラム「スカイマップ」は、紀元前一三五〇年一一月二二日、北緯二三度、西経二二度五〇分の夜空を表示するよう設定された。その日の夜空は、ミノア人がおそらく大西洋を探検していた時期のものと非常によく似ていただろう。ラスビーが研究用に選んだ位置は、前一四世紀半ばのカナリア諸島とカーボベルデ諸島の中間だったが、これはまさにミノア人がアメリカへ向かう途中に通ったと思われるコースだ。「スカイマップ」にはその日付の夜空が完全な対称形で表され、てんびん座とおひつじ座はたがいに反対側の水平線にくる。ラスビーによれば、古代人は「星図」を使って特定の緯度に達したあと、その緯度に沿って船の針路をとった――たとえば西ヨーロッパの海岸沿いを南下していく場合、航海者たちはやがて、アルデバランがオリオン座のアルニラム（三つ星の中央の星）の上に見える緯度まで達するだろう。それから余裕をもって西の大洋に入り、「ベルトコンベア」に乗れば北アメリカまで運んでくれる。

スタン・ラスビーの論文「オデュッセウス――大西洋のジェームズ・クック」の一部を引用し

よう。

判明した上陸場所は、偶然の範囲に限定するにはきわめて数が多く、北大西洋の「天体図」が存在することを物語っている。この図表は現代の海軍本部海図と地下鉄略図の中間といえる程度のオルソモーフィズム［輪郭や形の部分での見やすさ］を備えたものだ。これとホメロスの文章を合わせれば、卓越風と海流を利用して大西洋を横断する最も安全かつ効率的な方法が示されて……

ラスビーの説明によれば、たとえ経度が特定できなくても、ミノア人は一度目の探検を終えたあと、スペリオル湖の銅の鉱床まで行ってから緯度だけを頼りに帰ってくることができるようになっただろう。

ミノア人は経度よりも緯度の算出のほうがやや得手がよかったのではないかと、私が感じる理由はもうひとつある。それはある小さな金貨に見られる証拠が最近になって再解釈されたことに関連している。ミノア人の勢力が崩壊したあとは、フェニキア人が地中海の交易帝国の残りを受け継いだ。フェニキア人がイベリア、ブリテン、アイルランド、インド、アフリカ、そしておそらくアメリカにまで旅したことを示す証拠が数多く存在する。彼らはミノアの地図を受け継いだのだろうか、もしそうだとしたら、その地図は見つかるだろうか？　そう思って長いあいだ探しても収穫がなかったのだが、あるとき友人が私たちのウェブサイトを通じて、マサチューセッツ州マウント・ホリオーク大学の地質学教授マーク・A・マクメナミン教授の研究結果について教えてくれた。古生物学者・地質学者、それに有名な化石ハンターでありながら、フェニキア人とその言語、硬貨、地図について多くの論文を発表している権威でもある——この二つはとても珍しい組み合わせだ。

マクメナミン教授は、フェニキア西部の首都カルタゴで紀元前三五〇年から三二〇年にかけて鋳造された多くの硬貨を研究してきた。こうした硬貨の出所と信憑性に異論が出されることはこれまでなかった。今回のストーリーに関わってくるのはある金貨だ。その表面にはいくつもの記号の上に誇らしげに立った馬が刻まれている。

学者たちは当初、これらの記号はフェニキアの文字だろうと考えたが、この説は一九六〇年代には有力ではなくなっていた。マクメナミン教授は硬貨を3D画像解析にかけたあと、このデザインが表しているのはヨーロッパとアフリカの陸塊に囲まれた地中海で、左上にあるのはブリテン諸島だと解釈した。もしこれが正しいとしたら、教授は新大陸の「発見」という定説に新たな光を投げかけたことになる。

地中海の左側、馬の左後ろ足の蹄の下に描かれたものを、マクメナミニン教授は南北アメリカ大陸だと考えた。つまりフェニキア人はアメリカに到達していたという前提に立っているのだ——私もそれは正しいと思う。

マクメナミンの「フェニキアの」地図に表された緯度はかなり正確だ。対照的に、大西洋とアメリカの経度は大きく縮められている。これには航海士が推測航法で経度を定めたという説明がつけられるだろう——海流の助けを借りてどれだけ西へ移動したかが把握できていなかったのだ。したがってこの地図は大西洋の本当の幅の広さを表してはいない。私が謹んでマクメナミン教授に異を申し上げるのは、硬貨の表面にある地図の最初の出所である。私はそれがミノアのものだと信じているのだ。

私の推論を促したのは、まず何といっても地図上に表されている地理関係だ。ブリテン諸島、バルト海、インド洋など、ミノアの船団が訪れた場所すべてが詳細に描かれている。要するにマクメナミン教授の硬貨の地図はミノアの交易帝国を示したものなのだ。さらに重要なことに、この地図にはミノア独特の側面がある——たとえばクレタ島とキプロス島が重要なものとして（サイズが大きく）表されている。そして最も大事なのは、ミノア人がスペリオル湖まで行くために通ったミシシッピ川が、この硬貨のアメリカ大陸に描かれていることだ。

私には、この地図を作るための最初の情報はミノア起源のものだと思える。それ以降の他の地図は失われたのだろう。

この新たな証拠に照らして考えると、ミノア人は推測航法を使って簡単な世界地図を作ることができたのではないか。いつかはミノアのオリジナルの地図が見つかってそのことが証明されるにちがいない。そこにはミノア人が訪れたすべての場所——比較的海路のわかりやすい地中海、クレタ島、キプロス島、中東、イベリア半島から、度胸の必要な場所——アイルランド、ブリテン、バルト海——までが描かれていることだろう。北アメリカ、アフリカ、インドは言うに及ばない――並外れた勇気と大胆さがなくては到達できない目的地だ。
私のこの信念は、ミノア人が造るか改良するかした天文台の地球物理学上の位置がきわめて正確だということに基づいている。ケララ（南インド）、マルタ、ストーンヘンジ、フランス北西部、アイルランド、オークニー諸島――そしてエルベ川、スペリオル湖といった場所は、南インド（東経七七度）から五大湖（西経八九度）まで、経度にすると世界のほぼ半分（合計一六六度）に分布しているのだ。しかも結果の照合確認が可能な緯度もある――バビロン（北緯三二度）、マルタ（北緯三五度）、フランス北西部のブレストとスペリオル湖（ともに北緯四八度）。これらすべてを成し遂げるには、計画性、全体を見通す感覚が求められる。要するに地図が必要になるのだ。

ミノア人は同じ日の月食を比較する（日の出の回数を数えることで可能になる）ことで、月が空を横切っていく道筋とその恒星との相対的な位置をたどることができた。そのおかげで、ケララ、バビロン、マルタ、ストーンヘンジ、そしておそらくフランス北西部、さらにはスペリオル湖における月のエフェメリス表（特定の時刻における天体の座標を記録したもの）を作るのに役立った。アメリカに天文台を造るのは大変意味のあることだったろう。アメリカは青銅器時代における経度〇度の子午線からずっと西にある。この子午線は、素晴らしいミノアの航海者たちがストーンヘンジに設定した魔法の基準線だと思う。そうすることによって彼らは結果を照合確認して精緻化し、それを外挿してはるかに精確なエフェメリス表を作ったのだ。ちょうど赤緯表を一日ごとに作ることで、太陽を使って緯度を決定するのと同じように。要するに彼らは世界的な、インドからスペリオル湖にいたる北半球の星図を作成していたのだ。

私は元英国海軍提督のサー・ジョン・フォースター・〝サンディ〟・ウッドワードに、この自説についての見解をたずねた。実際に古代人がこういったことを実現できただろうか？　彼の考えはこうだった。

> 大洋を渡るという仕事はすべからく、かなり大ざっぱなものになるだろう――とにかく向こうに着くということだけで、それ以上はあまり気にしなくていい。実際のところ、二一フィート（六・四メートル）のヨットで海峡を横断したときもそうだったが――私は正確な航法にはあまりこだわらなかった。目的地のおおよそ一方の側（潮の上流／風上側）を目指していき、海岸に着いてから潮の下流／風下側へ向かって進めば、思いどおりの場所へ着くことができた。たしかに、コンパスやら、潮汐表やらは私のDR［推測航法《デッドレコニング》］にずいぶん役立ったが、私が「プールでの航法」で示そうとしたように、ふつうはおおよその航法でまったく事足りる。ほんとうに正確な航法が求められるのは、二、三の特殊な仕事のときだけだ。たとえば大陸間弾道ミサイル《ICBM》の射出や、もっと大事なのは岩を避けることだ。

たしかに岩はそうだ。船では、いろいろな障害の存在を忘れることはできない。岩礁や岩、さらには氷山も。超近代的なタイタニック号ですら、処女航海の四日目に氷山にぶつかって沈没した。残酷な海は一五一七人の命を奪った。

これはまったく危険な活動だし、もしミノア人が視界不良もしくはゼロ、豪雨や降雪、もやや霧といった状況に遭遇していればなおさらだったろう。それでも銅と錫は当時の世界で最も価値のある物質だった。ミノア人は命を懸けてその金属を探したのではないか？

33　冶金学的ミステリー

『１４２１』と『１４３４』のウェブサイトを開設して以来、この七年間に北アメリカの読者から何百通ものメールが届けられた。すべて不可解な謎を伝えてくる内容ばかりだ。アメリカの消えた銅をめぐる奇妙な物語は、いまでもなおアメリカやカナダの学校で教えられている。この話が始まるのは二〇世紀初頭、ミシガン鉱山技術大学の冶金学教授だったロイ・ドライアがきっかけだ。しかしその謎自体は、青銅器時代に端を発していた。

紀元前二〇〇〇年期、鉱物に恵まれた北アメリカのスペリオル湖周辺からは、何百万キログラムもの銅が掘り出された。だが、そのことを示す青銅器時代の手工品はどこに行ったのか？　青銅器時代の遺物がたしかに存在する一方で、実際に見つかったものの量と鉱夫たちが残した証拠がひどく不釣り合いなのだ。銅も、そして銅が生み出す青銅も、宙に消えてしまったように見える。私が『１４２１』に書いた中国の探検家たちが、銅鉱石を本国へ持ち帰ったということはありうるだろうか、とメールの発信者たちは問いかけていた。

私に答えの持ち合わせはなかったが、調査を始めるための材料はあった。グンナー・トンプソン博士（31章を参照）から、アメリカの古墳で見つかった銅製の遺物の一部に外国からの影響が

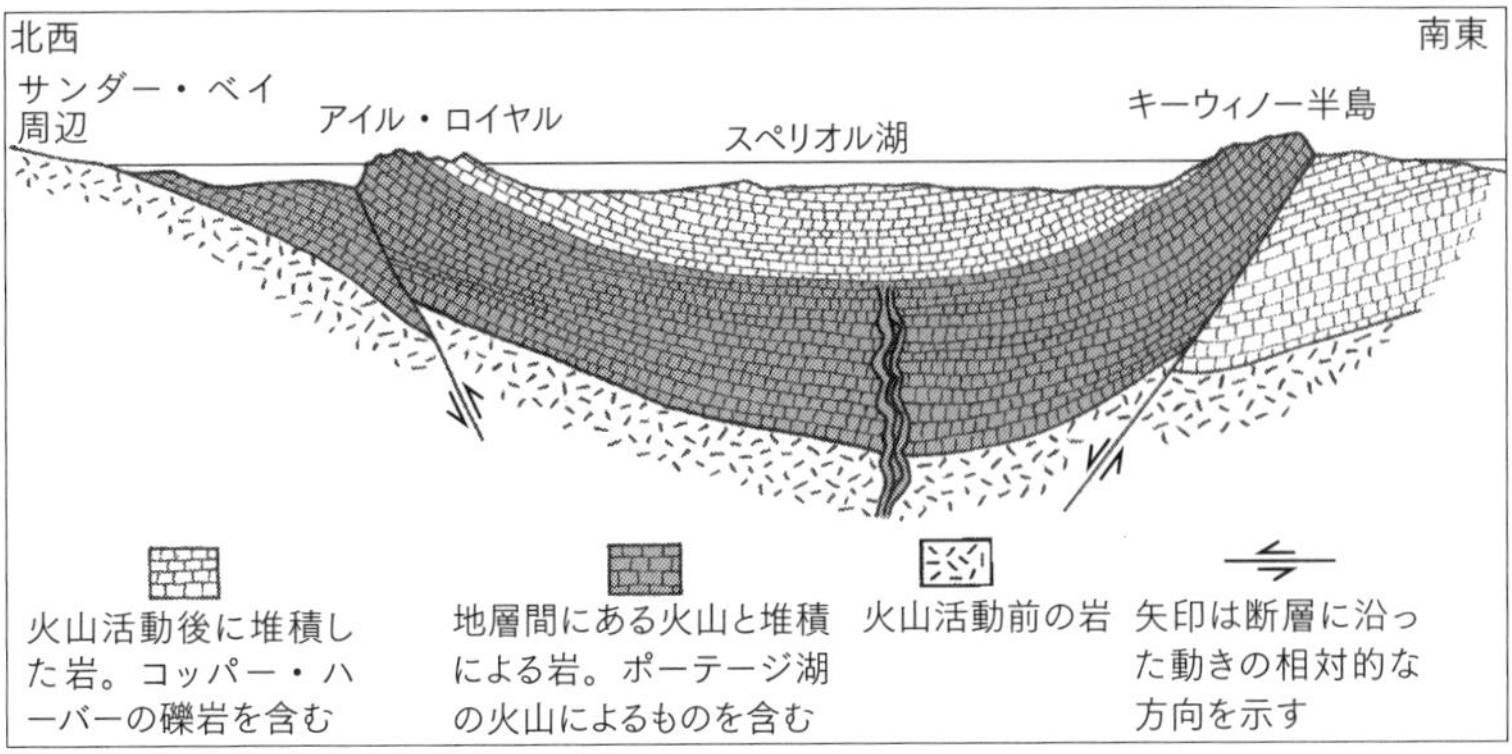
北西
南東
サンダー・ベイ周辺
アイル・ロイヤル
スペリオル湖
キーウィノー半島
火山活動後に堆積した岩。コッパー・ハーバーの礫岩を含む
地層間にある火山と堆積による岩。ポーテージ湖の火山によるものを含む
火山活動前の岩
矢印は断層に沿った動きの相対的な方向を示す

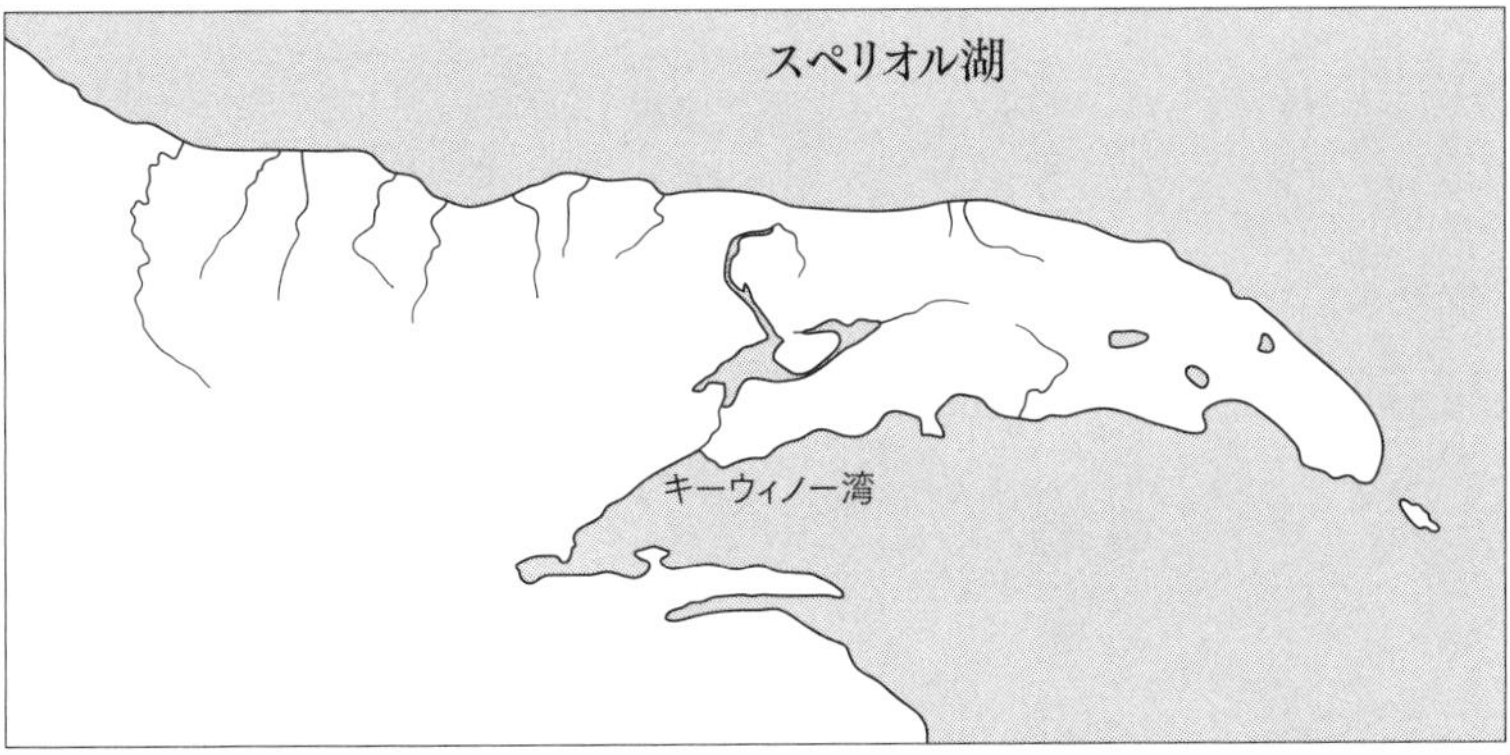
スペリオル湖
キーウィノー湾

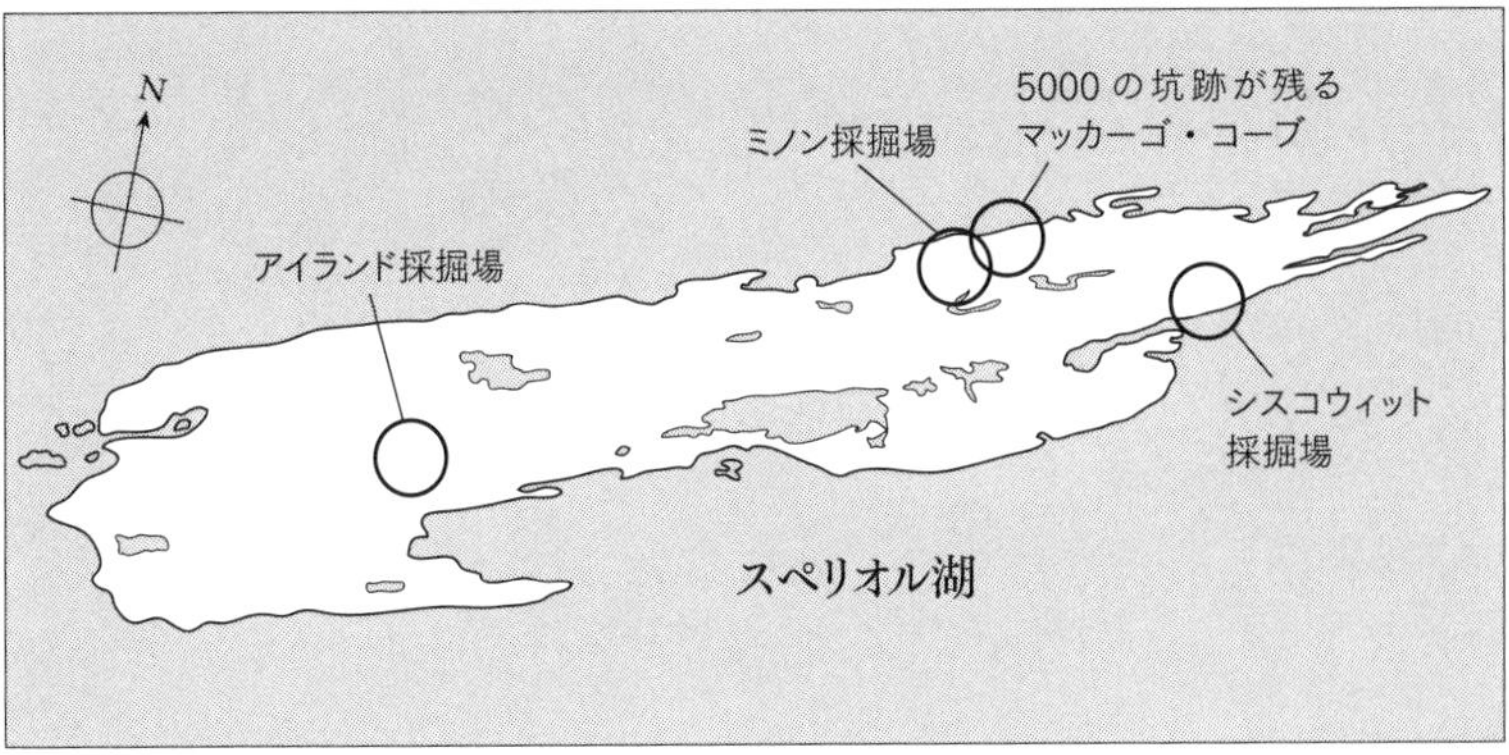
N
5000の坑跡が残るマッカーゴ・コーブ
ミノン採掘場
アイランド採掘場
シスコウィット採掘場
スペリオル湖

見られることを教わってもいた。

スペリオル湖という巨大な水の広がりのすぐ下には、膨大な富が——金、銀、アメジストなどの形をとって眠っている。そのうえスペリオル湖には、地球上で最も豊かな銅の鉱床があった。一〇億年以上前、アメリカの五大湖のうち最大で最北に位置するスペリオル湖の深い底にある溶岩層の内部で、銅が結晶化した。氷河の作用でその豊かな鉱物の一部が露出し、場所によっては川底や湖岸に「浮遊銅」の含まれた巨岩が残され、岩自体がちらちら光っていたりもする。とくに銅の豊富な、スペリオル湖の北西部にあるアイル・ロイヤル島と、湖の南岸のキーウィノー半島で、ドライアは五〇〇〇以上の鉱床を発見した。これらの採掘跡は現代のものではない。年代的には紀元前三〇〇〇年から前一二〇〇年にかけてのものだった……

ドライアは、この失われた銅は品物に作り変えられ、もう北アメリカにはなくなっているのではないかと考えた。要するに、ここの資源は元からアメリカに住んでいた人々ではなく、実は外部から来た者たちに利用されてきたのではないかということだ。これはタイタニック号の遭難からまもない一九二〇年代には、とても考えられない見解だった。旧世界の船乗りたちにそんな航海を成し遂げられたというのか？　謎は解けないまま残された。

ウィスコンシン州北部に住む先住民のメノミニー族には、古代の各鉱山にまつわる不思議な伝説がある。そうした話をまとめると、鉱山で働いていたのは「肌の色の白い男たち」で、彼らは魔法の石を地面に投げつけることでどこを掘ればいいかを特定できた。その石が銅の鉱石にあたると、鐘が鳴るような音をたてたという。この伝説には、鉱石を見つける採掘という行程の始まりと、その結果――つまり金属が生み出されること――が混じり合っていると考えられるかもしれない。青銅器時代のヨーロッパでは、錫を見つけるのにこれと似た方法がとられていた。

メノミニー族の故郷にほど近い、アズタランの遺跡を初めて調査した考古学者S・A・バーネットは、古代の鉱夫はもともとヨーロッパから来た人々だと考えた。その根拠となったのはそこから見つかった道具類で、バーネットによると、それは地元の先住民が使っていたタイプのものではなかった。だが、その働き手たちはどこにいたのか？　住んでいた村や、ごみ捨て場や、埋葬場所はどこに？　答えは――どこにもない。残っているのは道具だけだ。

この謎に取り組んだ二人の世界的専門家、オクターヴ・デュ・テンプルとドライア教授は、一九五〇年代にカナダ国境近くのアイル・ロイヤル島へ何度も探索に出向いた。そうした調査から次第に確信が生まれてきた。やはり、北アメリカ大陸をはるかに超えて広がる古代文明が、銅を採掘して持ち去ったのだと。二人は当初、ファラオ時代のエジプトがその候補だと考えていたが、エジプトの船が北アメリカに到達した形跡が見つからなかったため、その線での調査はとりやめた。

だが、銅が採掘された年代はなんとか特定できた。スペリオル湖のアイル・ロイヤル島にある二つの採鉱場の底で見つかった木炭から、少なくとも紀元前二五〇〇年から前二〇〇〇年まで稼働していたことが確認された。

アイル・ロイヤルのミノンの鉱床で、地下五メートルの場所に見つかった巨大な銅塊は、重さ二三九〇キロもあった。デトロイト公立図書館にはその古い白黒写真がある。銅はストレッチャーというか、ベビーベッドのようなものに載せて地中から運び出されていた。また別の鉱坑では、頑丈なオークの「ベビーベッド」が、嫌気条件下にあったおかげで腐らずに残っていた。これは三〇〇〇年以上前のオーク材の原木から作られたものだった。この場所ではたしかに、キリスト誕生の何世紀も前から採掘が行われていたのだ――効率的に、しかも巨大な規模で。

古代の鉱夫たちは、銅の鉱脈の真上で大きなかがり火を焚いた。そして岩が熱をもって光りはじめると、上から冷たい湖の水を注ぎ、岩を割った。並外れた高純度の銅が鉱床から取り出され、石のハンマーで砕かれた。だがこうした人々の痕跡も見当たらなかった。彫刻も文字も、絵も残してはいない。死者も残っていない――あるいはそう見えた。アメリカの鉱坑には道具類だけが残っていた。まるで鉱夫たちが翌日には戻ってくるつもりでいたかのように。だが戻ってはこなかった。紀元前一二五〇年ごろ、彼らは消えた――宙に溶けてしまいでもしたように。

古代の鉱夫たちはあきらかにきわめて高度な技術を備えていた。この地域の主要な鉱脈は有史以前からすでに開かれていたのだ。坑道に残っている木材の炭素年代測定では、最初の採鉱は紀元前二四五〇年、突然の採鉱停止は紀元前一二〇〇年とされている。鉱夫たちが銅を探すのに「歌を歌う」道具を使ったという奇妙な話もあるが、ここにいた人々が採掘のエキスパートだったことは疑いようがない。

現在でも、金属の原鉱を入手するのは難しい。私たちの住む現代では、銅の価格は経済の指標となっている。洗濯機から住宅まで、じつに多くのものに使用されているためだ。数千年前にスペリオル湖周辺で採掘された銅鉱石の量は、推計によっておそろしくまちまちだが、とにかくとんでもない量だと見られる。ある説によると、二億三〇〇〇万キログラムものきわめて純度の高い銅がここで採掘されたとされる。また別の推計では、ずっと控えめな、一四〇万キログラムという数字になっている。

正確な数字はともかく、この新世界でもやはり、純銅でも合金の青銅でも、とにかく大量の青銅器時代の遺物が見つかると思うだろう。だが事実はちがう。とてつもない量の銅が考古学的記録から消えてしまっているのだ。これまで北アメリカで発見されたこの時代の銅の遺物をすべて足し合わせても、スペリオル湖で採掘された銅全体の一%にも満たないという試算がある。

私たちはサンダー・ベイの、かつてフランス人が毛皮の交易をしていた場所を拠点に選び、予約してあった乗り継ぎ便の左側の席に腰かけた。よく晴れた美しい午後の空を飛ぶ飛行機から、南西に延び出した島がすばらしくくっきりと見えた。

アイル・ロイヤル島は厳密にはアメリカに属するが、サンダー・ベイはスペリオル湖の奥まった西岸、カナダ国境側のすぐ東に位置している。アイル・ロイヤルの島全体が自然公園になっていて、いまではこれ以上ないほど隔絶した大自然そのものの場所だ。

私たちは明け方に起き出し、ブロディ資料図書館へ開館の一分前に勇んで駆けつけた。エドワード朝時代のクラシック・リバイバル様式の建築物だ。オンタリオ州のこの地域はきっと、風による体感温度の低さでは世界記録ホルダーにちがいない。幸運にも親切な司書が、寒いだろうからと早めになかに入れてくれた。

司書はウェンディ・ウールジーという女性で、五分ほどかけてなかをざっと案内し、図書館の来歴を説明してくれた。一八八五年にここが開館したとき、カーネギー財団には「正しく健全な文学への関心を高めたい」という思いがあった。それと同時にオーナーたちは、館の利用者が身ぎれいにできるよう配慮していた。元の建物では、喫煙室と娯楽室にバスルームがついていたのだ。古きよき家父長制の名残である。関係者たちのピクニックではいろいろなゲームが行われ、「女性および子どもの安全のための措置がとられた」という。これは実質的には「飲酒厳禁」の意味なのだと思われた。

図書館のスタッフであるウェンディ、カレン・クライブ、ミシェル・パッツィアクはとても親切な人たちで、以下の情報が含まれる図書館の公記録を探すという仕事を快く引き受けてくれた。

1　先史時代の鉱夫たちの骨格のDNA報告と、その人骨の年代測定。
2　先史時代の鉱夫の頭骨、とくに炭素年代測定が行われた頭骨と、その遺物についての報告
　――ヨーロッパ系かアメリカ系か。
3　先史時代の採鉱場についての、とくに採掘法と残された道具類についての報告。
4　岩絵――とくに先史時代の船を描いたもの。
5　スペリオル湖に到達した最初のヨーロッパ人――とくにイエズス会士――が発見した遺物の記述。
6　アメリカ先住民の伝説や民間伝承。とくに、先史時代に鉱物の採掘を行っていたか、あるい

は手を貸していたか。

7　スペリオル湖の銅、とくにアイル・ロイヤル産の銅の化学分析。ほんとうに純度九九％だったのか？　確証となる化学分析はあったのか？

私たち五人は最高の一日を過ごすことになった。マーセラと私は、サンダー・ベイが現在でも主要な港で、大規模な穀物の貯蔵施設を備えているのを知った。アイル・ロイヤルはここから二四キロのところ。やはり古代の採鉱場として有名な、巨大な指のような形のキーウィノー半島は、さらに六四キロ南の、広大なスペリオル湖の対岸のミシガン州側にある。かつて「銅の島《コッパー・アイランド》」と呼ばれた場所を訪れる旅行者のために、公式の「水辺の路《ウォータートレイル》」が整備されてはいるが、天候次第では踏破するのにたっぷり五日から一〇日かかるだろう。

そのあいだも三人の助っ人たちの手は止まらなかった。彼女たちの力を借りて掘り出した報告書のリストについては、私たちのウェブサイトをご覧いただきたい。

カレンが採鉱場に関する報告を掘り起こす一方で、ミシェルは出土した骨格や土地の神話を、ウェンディは地元で見つかった美術品を調べてくれた。さらに鉱石の化学的分析を扱った教科書や論文も教えてくれた。

カレンの報告書に説明されていた採掘方法は、北ウェールズのグレート・オームで使われていたのと同じものだった。青銅器時代の鉱夫たちはグレート・オームのものをほぼ完全に複製したような銅製の斧やちょうな、突き錐で鉱石を叩き出し、ウェールズでと同じように掘り出した鉱石を石の「卵」で打っていたのだ。もしかするとメノモニー族の神話、民間伝承の元にはこうした装置があったのだろうか。「卵」の形、大きさ、重さもやはり、ウェールズの鉱山に見つかったものと同じだった。

五大湖の銅の化学分析は一八九四年以降、キアサージおよびタマラックの採鉱場、アイル・ロイヤル、フェニックス、クインシー（Keller）、クインシー（Ledoux）、アトランティック、オセオラおよびフランクリン、スペリオル湖（Carpenter、一九一四年）、スペリオル湖（アメリカ国立標準局、一九二五年）、キーウィノー（Phillips、一九二五年）、スペリオル湖（Voce、一九四八年）と一三件行われ、いずれも銅に含まれる微量元素は〇・〇九％またはそれ以下だとわかった。つまり銅の純度が九九％以上ということだ。ウルブルン沈没船で見つかった三〇〇個以上ある銅インゴットのうち一〇個をハウプトマン教授らが分析したところ、その並外れた純度から見て、スペリオル湖産の銅でしかありえないという結論に達した。

カレンはまた、先史時代の土器や何千もの採鉱場から出た道具類のくわしい説明を何ページぶんも見つけてくれた。目の前に古い採掘跡、槌やハンマー、骨格と頭骨、銅製の槍と矢、ナイフ、のみ、錐、突き錐、針、銛と釣り針、ネックレス、へらなどがあった。「ミノア様式」の双斧もあった。

これが発掘されたのは一九二四年で、当時は「ミルウォーキーの遠征」と呼ばれた。採掘跡から持ち出された一万点以上の青銅製の遺物は、現在ミルウォーキー市立博物館に収蔵されている。のちにN・H・ウィンチェル教授らの専門家は、当時のこの場所の先住民には金属の製錬と加工の知識はなかったと主張した。ウィンチェルは、先史時代の鉱夫たちには特徴的な遺伝的特性があったという興味深い証拠ももっている――脛骨が際立って平たいのだ[12]。それを聞いて、つかのま唖然としてしまった――「エイムズベリーの射手」、または「ストーンヘンジの王」とその「息子」にはともに、特徴的な骨の異常があったのではなかったか？

ミシェルはまだ、古代の人骨に関する報告については恵まれていなかった。しかし五大湖の水位が過去五〇〇〇年にわたってどう変化したかというじつに面白い情報を見つけてくれた。青銅器時代以降、水位が極端に変化していたという事実は、のちに私が真相を探すうえできわめて重要な証拠となった[13]。

現代になって最初の採掘が始まったのは、キーウィノー半島のオントナゴン川付近からだった。ウェンディがペクアミングにある奇妙な、いわゆる「腰かけ」石についての詳細を探し出していた。その岩には先史時代の人間、それもコーカソイドの顔が彫刻されていたのだ。岩はヒューロン山の頂にあるドルメンと位置を合わせてある――しかも冬至のときの日の出と一致している。これはミノア人が使っていた一種の道しるべなのだろうか？　お菓子屋に来た子どものように、私はどの情報のかけらを最初に口に入れたものか迷いに迷った。

34　水辺の冒険

スペリオル湖の堂々たるスケールは驚異的で、まるでグランド・キャニオンを初めて見たときのようだった。岸辺の色彩はあざやかでとりどりだ。赤と灰色の花崗岩、白の珪岩、黒の玄武岩、金色の砂浜。岸の向こうにそびえる丘は標高三〇五メートルにもなる。ここはカナダ楯状地の南の端にあたり、四〇億年前にできた土壌がほとんどなく地殻がむき出しになった地形で、縁の部分はうごめく氷河にひっかかれはしてもほぼ減少してはいない。

そして西のほうは、何もない。土地も、船も、帆も、人も見えない。ただ水があるばかりだ。

アイル・ロイヤルは一九五〇年に国立公園に指定されたが、現在の姿はたしかに大自然《ウィルダネス》と呼ぶにふさわしい――ミネソタ州グランド・ポーテージから三五キロ、ミシガン州コッパー・ハーバーから九〇キロ、定期船が出るホートンからは一一七キロ。船に六時間半乗ったあとは、キャンプサイトから荒野のなかを長く歩くことになる。

世界最大の淡水湖に浮かぶ最大の島、アイル・ロイヤルは、橋や土手道、道路といった近代的なインフラをもたない。まったく何もない、湿地に覆われたこの島に棲んでいるのは主にヘラジカぐらいだ。ああ、それにオオカミもいる。

ここが採鉱地域の真ん中にあたる。地図で見ると、湖に溜まった沈泥のせいで集落の湖面に対する位置が変わっているのがわかる。衛星写真では、木々に覆われたなかに点々とある斑の影の部分に、平坦で巨大なそれらしい輪郭がかろうじて見分けられた。

こうした鉱夫たちはなぜ、これほど急に、まるでつぎの日も来るつもりだったかのように、道具類を残して消えてしまったのか？　伝染病が流行ったのだろうか？　集落全体が病気で死に絶えたのか？　それとも故郷での出来事に関係があるのだろうか――ティーラの火山噴火に？　それはいくら調べても確かにはわからないことだろうという気がした。

また別の日、また別の島へ向かった。今度は五大湖が北アメリカの表面に描いた大きな蝶の形の真ん中にある、ミシガン湖の島だ。北緯四五度三九分、西経八五度三三分のビーバー島は、「エメラルド・アイル」とも呼ばれる。湖のなかでも最高の釣り場に囲まれ、豊かな資源に恵まれた場所だ。長さは二二キロで、シャルルボアの街からフェリーに乗って三〇分で着ける。

ミノア人の痕跡を追って湖を渡るのは、今回の旅のなかでも最大級にスリリングな瞬間だった。すでに多くの手がかりを得た宝探しのはてに、この島までたどり着いたのだ。きわめて重要なのはその地理的な位置である。大変な数の銅の貯蔵用縦穴がキーウィノー半島からこのビーバー島まで続いていて、なかにはいまでも腐食した銅の痕跡が残っている。

しかしそれも、たまたま読んだあるニュースと比べればものの数ではなかった。この島にはストーンサークルがあるというのだ。どうやらアメリカの先住民たちはそれを「太陽のサークル」

と呼んでいるらしい。

　あるアメリカ先住民の古老がジェームズ・シャーツ教授に、ミシガン湖の北側の水面下に謎のストーンサークルがあると語っていた。その古老によると、これらの石の構造物はすべて、彼の言う「かみなり鳥の線」で結ばれている。そしてどれもがビーバー島の大きなストーンサークルへと連なっているという。

　一九五〇年代にシャーツ教授は、この三九個の石からなる直径一二一メートルの円環についての研究を行った。そしてこの円環は占星術のために造られたものだと結論づけた。

　カナダでの予定が終わりに近づくにつれ、ここにミノア人がいたことを示す証拠がつぎからつぎに出てきた。ランスの北にあたるキーウィノー湾のペクアミング半島で、石を積み上げたケルンが見つかっていた。おそらく船を誘導する標識として使われたのだろう。ビーバー島の反対側にあるグリーン・ベイの近くでは、鉱夫のために造られた先史時代の墓地の跡を考古学者たちが見つけている。骨の破片の傍らには、メキシコ湾や北大西洋から持ってこられた貝殻が――場合によっては銅製の装身具といっしょに置かれていた。こうした銅の手工品はウルブルン沈没船の遺物と同じスタイルのもののようだった。

　何百もの大きな、鋳造された銅製の斧頭――ヨーロッパのものとそっくりの遺物だった――がウォーレン・K・ムアヘッドという考古学者に発見されていた。コッパー・ハーバーの近く、最後の氷河が後退していったあとの、三〇〇〇年前には海岸だったたと思われる場所の上のほうに、私は自ら古代の帆船のペトログリフ（岩面陰刻）を見つけた。大まかに描かれた意匠は、ティーラ島の優雅なミノア船そっくりに見える。

何よりも興味深いのは、トラバース・シティの近くで二つ目のストーンサークルが発見されていることだ。ミシガン大学ノースウェスタン校の水中考古学教授マーク・ホーリーが、ミシガン湖の水面下一二メートルの場所にある石の連なりを発見した。

ホーリーの説明によると、薄暗い水のなかで、石のひとつに彫刻が施されているように見えたらしい。そうした目印は高さが一メートル、長さが一・五メートルほど。どれも摩耗していて、ホーリーが持ち帰った写真も決め手にはならなかった。この石に刻まれているのはマストドン（象に似た牙のある巨大哺乳類）のピクトグラムだとする声が多い。けれども考古学者の話では、マストドンはこれほど北の地方にはあまり見られず、この時期にはもう死に絶えつつあったという。私の目には、これらの目印が地図を作るためのものに見えてならない。

次第にわかってきたのは、ミノア人はほとんど偶然に頼るようなまねをしなかったということだ。その戦略的な場所の選択には感心するしかない。ビーバー島は、ミシガン湖のアッパー半島の細くなった部分の南岸と、グランド・トラバース湾の入り口のほぼ中間にあたる。すなわち船でたどり着くのが容易で、戦略的にも優れた位置にある。そして防御もしやすい——交易センターとしてうってつけの場所なのだ。

この北アメリカのど真ん中で、私がいま見ているのは、ミノアの天文台である小型のストーンヘンジだった。古代の船乗りたちは跡形もなく消えたというどころか、はるかに貴重なものを残していったのだ——少なくとも私にとっては。この豪胆な船乗りたちにかつてないほど親しみを覚えた。大西洋を手なずけ、アトランティスの男となった、海の旅人たちに。

35　荷はたしかに重い

だが、解き明かさなくてはならない難問がひとつ残った。ミノア人は銅をどうやって運んだのか？　可能なルートは二つだけだ。ひとつは五大湖を経由して東へ向かうルート。エリー湖とオンタリオ湖を渡ってセントローレンス川に入り、そこからニューファンドランド島へ向かう。だが帆船を操るという意味では、非常に、きわめて難しい。利点を挙げるなら、北大西洋を早く渡ってブリテンにある基地に達するにはちょうど適した緯度にいることだろう。問題は、とにかく危険だということだ。

バイキング以来、一四九七年に初めてカナダの東海岸に到達したヨーロッパ人はジョヴァンニ・カボット（ジョン・カボット）だが、ニューファンドランド島とケープ・ブレトン島のどちらに上陸したかはわからない。強い西風とメキシコ湾流の助けを借りて、たった一五日しかかからずに意気揚々と帰還した。しかしいうまでもないだろうが、北大西洋は信用ならない場所だ。一四九八年にカボットは再び航海に乗り出したが、今度は運に恵まれなかった。野心的な英国王ヘンリー七世から「インド」を探せと命じられたカボットと五隻の船は、海のもくずと消えてしまった。

もうひとつのより安全なルートは、北アメリカ最大の水系である雄大なミシシッピ川を経由するものだ。ミシガン湖の南西岸からミシシッピ川の支流までの距離は、場所によっては一キロほどしかない。またウィスコンシン州、ミシガン州南部、インディアナ州北部には、ミシガン湖の分水界からミシシッピの分水界まで船を運べる（「ポーテージ」と呼ばれる）ところがいくつもある。地図を見ると、ミノア人がそうしたルートをたどってポバティー・ポイントやカホキアといった印象的な名前の場所を経由し、南下していくところが見えてきた。ここまでずっと南へ行くことに何か意味はあったのだろうか？

またしてもウェンディと同僚たちの大活躍で、私の前にはたくさんの論文が積み上げられた。地理的な変化が理由だろうか、この南ルートは青銅器時代には現在とはちがった形で航行可能だったように思われる。この章のあとのほうで、とくに調査の役に立った参照元を記してあるが、ここではまずビーバー島のストーンサークルを最初に調査したジェームズ・シャーツ教授から話を始めよう。教授は古代の交易ルートの研究も独自に行っていた。[14]シャーツ教授はこう書いている。

氷河が溶けた直後には、五大湖の水位は現在よりもずっと低く、主な流出口はノース・ベイ［つまりセントローレンス川へ通じる］にあった。しかし溶けた氷河の下で地面が隆起するにつれ、ノース・ベイから流れ出る川も増水した。その陰で湖の水位も上昇しつづけ、やがてヒューロン湖、ミシガン湖、スペリオル湖が合わさって「ニピシング湖」という巨大な水域になった……だが水位の上昇はとどまるところを知らず、やがて南の流出口が現在のシカゴ・サニタリー・シップ運河［ミシガン湖の南端］を越えてイリノイ川に達した。

別の本に載っていた、非常に古い帆船の絵文字がある――スペリオル湖のそばで見つかったものだ。当然だろう。スペリオル湖とミシガン湖がひとつだったころには、スー・セント・マリーでは水位の差などなかったのだ。これで答えが出た。ミノア人はアメリカから貴重な銅を輸送するのに、最大最長の川を航行することができたのだ。ミシシッピ川を。

それでも確信にまではいたらなかった。そしてずっと考えつづけていた。流れに逆らって上流へ向かう場合はいったいどうしたのか？　そのとき、思い当たった。私は完全にまちがっていた。材料の骨は全部そろっているのに、骨格を誤って組み上げていた。もちろん、流れに逆らったのではない。上流へ向かって航行できる有利な潮流を待っていたのだ。大型の船はミシシッピを進んできたあと、ニピシング湖に直接乗り入れ、そこからキーウィノーやアイル・ロイヤルへ向かった。そして帰るときは流れを下っていける――ミシシッピ川の流れは水位の高い時期には非常に強く、速度は一ノットから六ノット近くまで上がる。さらに潮流にもうまく乗れば、移動はこの上なく楽になる。

銅が川を南へ運ばれていったのなら、下流にその証拠があるはずだ。たとえば、製錬が行われていた証拠が。それを見つけるのがつぎの仕事になる。銅を川に浮かばせて南へ運ぶのは、比較的簡単だっただろう――ヨーロッパからの入植初期、丸太や牛、トウモロコシが実際に南へ向け

て運搬されたように、
ミシシッピ川は五大湖とメキシコ湾を結び、ひいては大西洋までつないでいたのだろう。この川は幅の広い流域がずっと連なっており、水の流れはだいたい安定し、かなり均等だ。この流れに逆らって北へ向かうのはひと苦労だが、南西の風が吹く盛夏にはそれが可能になる。マーク・トウェインはミシシッピの流れに逆らって航行したときのことを描いているし、スペインの探検家たちもフランスのイエズス会士のように、この川を利用して北へ向かった。ミノア人には船でナイル川の上流へ向かった経験もあった――ナイルとミシシッピの長さはちょうど同じだ。
さらにいくらか本を読んで計算したところ、メキシコ湾から五大湖まで行くには、流れに逆らって漕いだり帆走したりでおよそ八週間かかった。対して南へ向かうときは、ただ流れに乗っていくだけで推進力が得られた。

どうやったのか？

採鉱地域は本書の前のほうにある「五大湖」の地図に示してある。さまざまな採鉱場を×で表している――33章にあるミシガン湖の銅を示した地質図や、ジェームズ・シャーツの「古代の交易ルート」(Ancient American, issue 35) も参照していただきたい。こういった採鉱場が稼働していた当時には（前二四〇〇～前一二〇〇年）、氷床は後退し、スペリオル湖も夏には氷が張らなくなっていた。採掘は夏のあいだに行われ、鉱石は船や筏で五大湖を渡って運ばれた。当時の五大湖は別々の、それでもたがいにつながった水の広がりだった。冬になれば湖の向こうに銅を運ぶにはソリや筏を使うしかない。寒さがきびしいときには採掘もままならなかっただろう。

輸送――湖と水系

最も北に位置するオントナゴン川は、銅の採鉱地帯のなかを北に向かってスペリオル湖に流れ込み、他の川――ウィスコンシン川とロック川――は南へ向かってミシシッピ川に合流する。その結果、主要な採鉱場で採れた銅はすべてオントナゴン川を使うか、採鉱地域とスペリオル湖を結んでいるアイル・ロイヤル島の小川を使うかすれば、流れを下ってスペリオル湖まで運ぶことができる。そこからキーウィノー半島北部（ペクアミング、アンス、バラガ）やスペリオル湖周辺（オッターヘッド港、アイル・ロイヤル）に積み出し港の跡が見られることの説明がつく。おかげでミノア人の鉱夫たちは、自然の資源を活用して銅を採取し、潮流に逆らったり急流に巻き込まれたりすることなくスペリオル湖まで輸送できたのだ。

居住区

秋になるとスペリオル湖も、周辺の川や大地も凍りついただろう。夏には鉱夫たちが採鉱場に通える範囲に住むところが必要になる。五大湖の地図には要塞化された街の跡が見つかった地域が示されている。

南への旅

私は地図の上を南に向かって指でなぞりながら、ミノア人が休息をとったかもしれないたくさんの場所の名前を挙げていこうとした。現在のルイジアナ州までは長い道のりだ。ところどころに立ち寄って手持ちのものと食料を取引したはずだし、銅の製錬もしたかもしれない。

「先史時代の主な遺跡で、交易センターの役割をしていたところはあるでしょうか？」とウェンディにたずねてみた。彼女はどんどん青銅器時代の専門家になりつつあった。

ウェンディはいくつかの場所を教えてくれたが、どれより興味深かったのはミシシッピ川河口にある初期の先住民の大集落だった。以前から地図を見て目をつけていた名前だ。ポバティー・ポイント。遠い過去にはこの場所そのものがアトランティス大陸だったという説すら出回っていた。かつて交易のために訪れた人々の民間伝承ということはありうるだろうか？

実際のアトランティスとのつながりはともかく、この興味深い古代の集落が交易の要所だったのはまちがいない。ここは紀元前一六五〇年から前七〇〇年という長い年月をかけて造られた——エジプトの大ピラミッド建設から八世紀後のことだ。年代には意味がある。その近くで巨大な焼鉱炉が——そして五大湖から採れた銅が——見つかっているという事実にも。

食料

ふつうに考えると、紀元前二〇〇〇年にトウモロコシがこれほど北の地方で生育することはないと思えるだろうが、驚くべきことにスペリオル湖畔のバラガの墓でこの穀物が見つかっている。これはあとで説明するように、ミシシッピ川をさかのぼって運ばれてきたものかもしれない。魚や狩猟の獲物は豊富だったにちがいない。でなければ、冬場のビタミン不足が深刻な問題となっていただろう。飲料水の不足も悩みの種だったろうが、おそらく深い井戸が使われていて、それが凍りつかなかったのだろう。

ポバティー・ポイントに近い交易用の露営地

ミシシッピ川河口近くの、パール川がメキシコ湾に注ぐあたりには、とくに雄弁な証拠のひとつが見つかる。クレイボーン・リング、シダーランド・リングは、ポバティー・ポイントの交易センターにきわめて近い、しかもそれと同時期のものだった。ミシシッピ川がメキシコ湾へ流れ込むときにできた湿地のなかの高台にある。一九七〇年代、ルイジアナ州立大学の考古学者ジェームズ・ブルセスが発掘したこの遺跡は、残念ながら遺物あさりたちのせいで広範囲にわたって破損されていた。

ブルセスが呼び寄せられたのは、ブルドーザーが入ってくる直前のことだった。ここには新しい港湾施設が建設予定で、その工事中に遺跡が掘り出されたのだ。ブルセスは大量の木炭とともに、「巨大な、サッカー場ほどもある、深さ一・八メートル、長さ九一メートルの竈《かまど》」を発見した。巨大な竈はそれよりも小さな、幅五〇～六〇センチの多くの竈と同じ高さのところにあった。これは炭素年代測定法で、紀元前一四二五年～前一四〇〇年のものと特定された。また粘土型も大量に見つかった。銅を鋳造してインゴットにするための鋳型の名残だと思われる。

ブルセスはごみ穴のなかから、何百という粘土の破片を発見し、焼成の過程で割れたために捨てられたものにちがいないと考えた。だがもちろん、割れているという事実が私たちに伝えてくるのはそれとはまったく逆のことだ。これは粘土型であり、ミノア人がハンマーで叩き壊してなかの貴重な金属を取り出したものなのだ。純銅のインゴットを。ミノア人はどのようにしてポバティー・ポイントにたどり着いたのか？

36　深い謎の向こうに

こういうことだったのだと思う。初期のミノア人探検家たちは、赤道海流とともに大西洋を横断した。ハリケーンの季節に先立つ夏には、これは比較的容易な「ただ乗り」だったろう。そしてメソアメリカを訪れた。彼らが綿花や果物、野菜を取引していた証拠については、これらの交易の跡をたどってきたソレンソン教授が論じている[15]。

ユカタンを訪れたあと、海流に乗ってミシシッピ・デルタまで北上したミノア人は、今日の「機会をもたらす土地《ランド・オブ・オポチュニティ》」がそのころも想像を絶する富をもたらす土地なのを知った。彼らは、土壌からほぼ露出した自然銅がポバティー・ポイントの、国際的な交易商人たちに利用されているのを見た。ポバティー・ポイントでは、銅の原産地は五大湖、とくにスペリオル湖だということを知らされた。そして五大湖に到達すると、純銅の巨大な塊が無造作に地面に転がっているのを見た。ミノア人たちはビーバー島に石の天文台を造り、このすばらしい宝物庫の緯度と経度を特定し、地図を描いた。それからこの富をヨーロッパへ持ち帰るための体制を築いた——鉱夫たちの暮らす保護された区画を、夏はラック・ビュー・デザートに、冬はアズタランと、おそらくロック湖にも造ったのだ。

ラック・ビュー・デザートは現在、ミシシッピ川の水系の一部となっている。紀元前一三〇〇年から前一二〇〇年のあいだにアズタランの入植地は放棄されたが、その理由はいまにいたるまで不明のままだ。青銅器時代にはラック・ビュー・デザートとアズタランは要塞化され、湖（ビュー・デザート）やロック川（アズタラン）の水に守られてもいた。最近になって、ロック湖の湖底で堅固な壁やピラミッドの構造物が見つかった。どちらの場所にも二重の防護堤があった。鉱夫たちは襲撃されるのを恐れていたのだ――人間、あるいは熊に。

ラック・ビュー・デザートは夏の露営地で、そこからオントナゴン川を下って採鉱場まで行けたのだろう。アズタランはずっと南にあるために暖かく、ミシガン湖からロック川経由で行くことができ、冬の居住区になった。

彼らはアイル・ロイヤル、オッターヘッド島、キーウィノー半島北端のペクアミング、バラガ、ランスに造船所を造った。のちにはアズタラン、ロック湖、グリーン・ベイで命を落とした仲間のための埋葬塚を築くという悲しい務めもあった。ニューベリー近郊には、自分たちの目的が何かをキプロ・ミノア語で説明する粘土板を残した。

銅はパレットに積まれ、パレットはさらに継ぎ足されて筏になった。筏はミシガン湖を経由してミシシッピ川を下っていき、南のポバティー・ポイントに着いた。ここで待っていたのは巨大な窯だ。筏はばらばらにされて木炭に使われた。銅はインゴットに加工されて保管され、大西洋を渡るミノアの船が回収にくるのを待った。

帰りの行程のために、古代の交易商人たちはミシシッピ・デルタのすぐ北のあたりに投宿し

——自然から与えられる恵みを待った。実際、どうなのだろう？　彼らに故郷へ帰る方法を教えたのは、自然そのものだったのではないか。一九世紀の捕鯨船が海流について理解していたことはわかっている。巨大なザトウクジラたちが流れに乗って北へ向かうのを見て、あとについていったという記録があるからだ。われらが勇敢なミノア人たちもおそらく、クレタ島の浜辺で満天の星の下に生まれたすばらしい生き物アカウミガメが繁殖のため故郷に帰る壮大な旅を始めると、そのあとを追っていったのだろう。

帰路についた彼らは、再びメキシコ湾流にただ乗りをする。水深の浅いメキシコ湾で太陽に温められた海水は、唯一の逃げ場である東のフロリダ海峡に向かって押し寄せる。フロリダ海峡から毎秒三〇〇〇万立方メートルという勢いで流れ出す海水は、ミノアの船を北に向けて押し出していく。

この海のなかの大河のスケールは、なかなか把握するのが難しい。フロリダ海峡を一時間に通り過ぎる海水に含まれる塩を運搬するには、いま全世界に存在する船より多くの船が必要になる。幅八〇キロ、深さ七六〇メートルしかない海峡から押し出されることで、海流は速度と勢いを増す。バハマ諸島にぶつかって北へそれたフロリダ海流は、アンティル海流と合流する。そしてメキシコ湾流系となり、三倍の体積に膨らんで北へ押し進む。

ミノア人たちも空いた時間にはクジラたちが、海流の縁にあたるプランクトンの豊富な場所で食事をするのを眺めていたのだろうか。それともヨシキリザメが海流を利用して、アイルランド南部やウェールズ西部、スペイン、ポルトガル沖の産卵場所へ向かうのを見ただろうか。この驚異の捕食動物が往復する距離は一万五〇〇〇キロにも達する。

海流はアメリカの南東部沿いに北上し、ハッテラス岬のほうへ向かうにつれてゆるやかになり、やがて東へと向きを変える。ニューファンドランドのグランド・バンクス沖は、メキシコ湾流とラブラドル海流がぶつかって霧や嵐が生まれるため、難所として有名だ。水温の変化もしばしば極端になり、ある海流から別の海流に移ると二〇度ほど変わることもある。

北大西洋の巨大な歯車はひたすら回りつづける。ノバスコシアを過ぎると、海水の流れは一秒あたり一億五〇〇〇万立方メートルにまで増え、アウター・ヘブリディーズ諸島（ルイス島）とオークニー諸島へ押し寄せていく。こうした島の基地には天文台——ストーンヘンジにあるようなストーンサークル——が造られ、そこで星図を比較したり更新したりできる。それから後世にイングランド、フランス、スペインとなる地域の海岸線をたどり、故郷を目指していく。

このころには北極星が天空の低い位置まで沈んでいる。やがて北極星がヘラクレスの柱の緯度に達すると、彼らは真東に向かうときが来たことを知る——そして喜びにあふれたクレタ島への帰還の準備にかかるのだ。これで私も一息つける。ありがたいことにかねてからの難問を解くことができた。失われた銅の謎は、美しい秋のスペリオル湖の水面からこちらを見つめ返していたのだ。母なる自然という形をとって。

自然が何もかも教えてくれた——すぐそこの地面に、採ってくださいといわんばかりに落ちている銅から、筏を組むための木材、それを運ぶための湖や川にいたるまで。三〇〇〇年のあいだに水位が大きく変化したのも、母なる自然の力のなせる業だった。そしてメキシコ湾流に乗ってブリテンへ戻るときも、ミノア人は彼らにはまったく自然なものを利用したのだ――海の力を。

37 証明

私はキーウィノー半島とアイル・ロイヤル島で発見された先史時代の採掘道具と銅製の用具をくわしく調べようと決め、まず石のハンマーからとりかかった。

グレート・オームとアイル・ロイヤルの鉱夫たちがまったく同一の採掘道具を使っていた事実は、もちろん偶然の一致ということもありうる。デザイナーが好んで使う格言「形態は機能に従う」に当てはまる現象なのかもしれない。

では銅の採掘者たちが残していった、別の用途のための道具はどうだろうか？　その類似性を確かめようと、先史時代のスペリオル湖にあった銅製の道具類をファイルにまとめた。

さらにアメリカの多くの博物館で写真を撮り、「五大湖の銅文化」というすばらしいウェブサイトにある写真も入手した。スペリオル湖周辺では、おそろしくさまざまな銅や青銅の道具が見つかっている――平らな円錐形の、ネズミの尾状の先端と、四角い装飾的な差し込み口のついた槍先。平たく丸みのある中子のついた銛。三日月型、直線型、曲線型などあらゆる形と機能の刃をもつナイフ類。種々雑多な釣り針。スクレーパーにへら。斧にちょうな、平斧。突き錐や針、つるはし、錐。股釘、留め金、鋲などの留め具。ブレスレット、指輪、ビーズ、喉当て、イヤリングなどの装身具。銅と青銅の道具の種類は文字どおり何百にもわたり、個々の品目は何千にもなる。

そのとき、頭に浮かんだことがあった。自分がこれまで主張してきたように、もし五大湖の銅を採掘したのがミノア人だったとしたら、クレタ島やティーラ島、ウルブルンの沈没船で見つかった遺物とも比較する必要があるのではないか。それで博物館の図録をあらためて調査した。するとまたしても、スペリオル湖周辺から出た同じ年代の青銅の道具類と同一のものの写真が載っていた。

銅製手工品の出所を、微量元素のパターンとX線分光法によって特定する

五大湖地方の銅がきわめて高純度であることは、アメリカの多くの地質学者たちが合意している。ミシガン大学のジェームズ・B・グリフィン教授によれば、この材料に含まれる微量元素の総量は〇・一％以下だった。つまり銅の純度は九九％以上になる。

非侵襲的なX線分光法を使って、スペリオル湖の銅製の手工品と、ウルブルン沈没船の遺物に含まれる微量元素を測定すれば、その結果から五大湖が銅の元の出所だったかどうかをつきとめることは可能なはずだ。

私の知るかぎり、この手法を使う試みはこれまでに二度、三〇年という時間をおいて別々の研究で行われている。一度目はエドワード・J・オルセンによるもの(16)、二度目は故ジョージ・ラッ

プ、ジェームズ・アラート、ヴァンダ・ヴィターリ、ツィチュン・ジン、エイラー・ヘンリクソンによるものだ[17]。

どちらの研究も簡単に閲覧できることがわかった。基本的には両方が同じ結論に達している。変数が非常に多くあるせいで、どういった結論も「可能性のバランス」に基づいたもの（これは私自身の表現だ）になるため、ごく慎重に扱わなくてはならない。いつか確信をもてる日が来るとしても、もっともっと多くの研究が必要だ。ジョージ・ラップと同僚たちはその目的をつぎのように述べている。（1）天然の銅の出所が化学的にどの程度まで識別できるかを示す、（2）微量元素の出所の特定法を提示する、（3）小さなデータベースを公開する、（4）考古学者が交易と取引の複雑なネットワークにアプローチできる別の手段を提供する。そして最後に、「合理的な」地理上の出所をつきとめるにあたっての注意がある（私にとっては「合理的」という言葉が出てくるとすぐ、出所として考えられる地域が広くなりすぎ、明確な結論が出せないように思えてしまう）。

エドワード・J・オルセンは、問題点をつぎからつぎへと挙げている。そしてこの方法の仕組みを明快に説明している。銅の試料に含まれる微量元素にX線を照射すると、シグナルが発せられる。そのシグナルの強度が微量元素の強さを表す。

この方法は微量元素22（チタン）以上のものに使用できる。ただし精度は以下の点に依存する。

1　資料の大きさと、それが集合体か単一の塊かどうか。

2 特定の微量元素、およびそれと銅との関係。たとえば亜鉛の微量元素の「ピーク」は銅の「ピーク」にきわめて近いため、マスキングされる可能性がある。さらに例を挙げれば、珪素はアルミニウムの見かけ上の強度を増加させる。そしてX線管の効率性はターゲットとなる微量元素と、その微量元素どうしの組み合わせによる差異に左右される。

オルセンの要約はこうだ。

このように、ある産地の銅［の手工品］の化学的特性を決定するにあたっては、微量元素の信頼性がきわめて低いことを知っておかなくてはならない。

私はこの二つの報告を念頭におきつつ、純度九九％の青銅器時代の銅はスペリオル湖産の銅からしか見つからないという自説を再確認したいと思った。だが残念ながら、著名なハウプトマン教授の考えは、そこまで正確に断定するのは不可能だということだった。私あてにこう書き送っている。「［一〇個のウルブルンのインゴットが］スペリオル湖から来たものだと証明することはできないのです」

それでも私は、自分の主張を崩さなかった——なぜなら第一に、グリフィン教授がまとめた報告は手工品ではなく、採掘された銅を扱っているからだ。第二に、グリフィンがまとめた報告

――これはスペリオル湖産の銅の分析記録――には微量元素がほぼ完全に存在していない。いまここで問題にしているのは、ある微量元素と別の元素とのわずかな差異ではなく、あらゆる微量元素が事実上存在しないということなのだ。つまり問題は用いられているX線法の精度ではなく、統計学であり、要因確率である。

実際の人工遺物については、私自身が大規模な調査を行った。まずはウルブルン沈没船から出たさまざまな道具類をばらばらにして、シャイタン・デレシの沈没船（前一六世紀）、ゲリドニヤ岬の沈没船（前一三世紀末）のものと組み合わせてみた。目的は、紀元前一六〇〇年から前一二〇〇年にかけての地中海沿岸でどんなものが使用されていたかをあきらかにすることだ。これら三つの沈没船はいずれもトルコ沖で発見されている。

それから私は、こうした沈没船から出た道具と、同時代のミノアの遺跡から発見された同様の青銅器時代の道具類や手工品とを組み合わせてみた。これらの遺跡はクレタ島、サントリーニ島（ティーラ島）、キクラデス諸島、ミケーネにある。マーセラと私はすでにそうした場所にある主な博物館に足を運んでいた――クレタ島のイラクリオン博物館とクノッソス博物館、ティーラ島の考古学博物館、アテネの国立考古学博物館、ミケーネとチリンス島の博物館などだ。

この調査の目的は、各沈没船から出た遺物がクレタ島周辺のミノアの基地で発見されたものとちがっているかどうかを見ることだった。私たちにわかるかぎりでは何のちがいもなかった。ウルブルンとゲリドニヤ岬の沈没船から出た道具や武器、装具のスタイルは、クレタ島、ティーラ島、ミケーネでも見つかっている。要するにこれは、沈没船に満載されていたのは、とりどりの輸入品ではなく、ミノアの青銅器だったことを確認するためのまわりくどい手順だったのだ。こうしたさまざまな遺物の写真は――二つの沈没船と四つの博物館から見つかったものに分けて――私たちのウェブサイトで紹介している。

クレタ島、ティーラ島、沈没船のミノア青銅器時代の遺物とスペリオル湖で発見された遺物との比較

スペリオル湖から銅を採掘した鉱夫たちが残した青銅器、銅、錫の手工品、とくにキーウィノー半島とアイル・ロイヤルのものの情報を、私たちは集められるかぎり集めた。そしてこの章で説明してきたように、これらの青銅器時代の遺物を旧世界の遺物と同じカテゴリーに分けた。一二のカテゴリーに及ぶ合計一〇〇点を超える品々を詳細に比較した結果は、私たちのウェブサイトに掲載してある。私に理解できるかぎりでは、スペリオル湖で見つかった品物はすべて、当時のミノアの手工品のなかにもよく似たものが存在していた。スペリオル湖の古代の鉱夫たちは、青銅器時代のクレタ島、ティーラ島、ミケーネの住人たちと同じ道具や武器、工具、生活用具をもっていたのだ。

もちろんこれは、単に並行発展と呼ばれる現象なのかもしれない。アイル・ロイヤルの鉱夫たちには、自衛のため、狩りのため、捕らえた食料を調理して食べるために青銅製の武器が必要だった。それで、現代のデザイナーが言うように、「機能に従った」形態の道具をデザインした。

その論理的帰結として、ミノアの道具にそっくりなものができあがったのかもしれない。こうした考えには当然ながら賛成意見もあるだろう。しかし何千年も前に重さを測るために使われていた分銅が動物の形をしているのはどういう偶然の一致だろうか？

さらに興味深いのは、この地元にいたアメリカ先住民の神話ですら、この地域の島や半島で採掘を行っていたのは外部の人間たちだったという考えを裏づけているように思えることだ。これはまたある別の議論の説得性にも関わってくる。スペリオル湖の鉱業の伝統に部外者が関わっていた、すなわち銅の採掘と加工が工業的規模で行われていたということだ。この地域は鉱物がきわめて豊富で、地元の住人は地面を掘るまでもなく、地表でたっぷり見つかる「浮遊銅」を利用できた。銅を掘っていたのはあきらかにアメリカの先住民ではない。となればその鉱夫たちは、旧世界で青銅の取引をごく効率的に支配していた同じ人々だというのが最良の説明だろう。

私たちが見つけた石の天文台と見えるものは、ブリテンのそれときわめてよく似ていた。墳墓《バロウ》、天文台、儀式のための通り道カーサスなど、構成要素も同じだった。こうした基本的な構造、とくに円のような基本的な幾何学的要素に基づいた構造は、別々の文化がたがいに関係なくたどり着いたものだといえなくもないだろう。だがそれに、道具が同じデザインだという発見を加味すると、共通の文化を示す線が強まってくるのを感じた。自説を完全に証明するまでは長い道のりになるとはわかっていたが、着実に前進はしている……

もちろんそれだけで、先史時代のある時期以降に、ミノア人がスペリオル湖の銅を独占的に使っていたということにはならない。けれどもウルブルンの沈没船にあったインゴットがどんなヨーロッパ産のものとも一致しないことは避けがたい事実として存在する。

もし私の考えが正しいとすれば、またひとつの年代を掘り下げていく必要が生まれる。ウルブルンの船が紀元前一三一〇年に難破する前に、ミノア人はスペリオル湖まで到達していたのだ。

第五部　注

（1）J. Walter Graham, ‘The Minoan Unit of Length and Minoan Palace Planning’, *American Journal of Archaeology*, 64 (1960)
（2）Cyrus Gordon, *Forgotten Scripts*, Basic Books, 1982
（3）Anthony Johnson, *Solving Stonehenge: The New Key to an Ancient Enigma*, Thames & Hudson, 2008
（4）Dava Sobel, *Longitude*, Fourth Estate, 1998
（5）J. Fermor and J. M. Steele, ‘The Design of Babylonian Waterclocks: Astronomical and Experimental Analysis’, *Centaurus*, 42, 2000 pp. 210-222
（6）J. M. Steele and F. R. Stephenson, ‘Lunar eclipse times predicted by the Babylonians’, Journal for the *History of Astronomy*, 28 (1997)
（7）J. M. Steele, ‘The Accuracy of Eclipse Times Measured by the Babylonians’, *Journal for the History of Astronomy*, 28 (1997)
（8）N. M. Swerdlow, *The Babylonian Theory of the Planets*, Princeton University Press, 1998
（9）J. M. Steele, *Journal of the American Oriental Society* 119 (1991), p. 696
（10）*Nature*, vol. 468, (2010) pp. 496-498
（11）Homer, *Odyssey*, trans. Samuel Butler, 1998
（12）N. H. Winchell, ‘Ancient Copper Mines of Isle Royale’, *Popular Science Monthly*, vol. 19, 1881

（13）James B. Griffin (ed.), *Lake Superior Copper and the Indians - Miscellaneous Studies of Great Lakes Prehistory*, University of Michigan, 1961

（14）*The Ancient American - Archaeology of the Americas Before Columbus*, 'Ancient Trade Routes in America's Copper Country' (*Ancient American*, issue 35) 他、多くの調査による

（15）Sorenson, John L. and Johannessen, Car 1 L., *World Trade and Biological Exchanges Before 1492*, New York, iUniverse, 2009 他

（16）Edward J. Olsen, 'Copper Artefact Analysis with the X-ray Spectrometer, *American Antiquity*, vol. 28, no. 2 (October, 1962)

（17）George Rapp et al., 'Determining Geological Sources of Artefact Copper: Source Characterisation using Trace Element Patterns', *American Antiquity*, vol. 68, no. 2 (April 2003)

第六部

受け継がれるもの

38　Xという目印

　このころにはもう、私は駆け足で事態に追いつこうとしていた。ミノア人がヨーロッパの大部分を旅し、さらに北アメリカの中央部まで探検したという確かな証拠が得られた。あとはその共通項を示す研究があるかどうかを探さなくてはならない。ＤＮＡの証拠をたどることがつぎの調査対象になるだろう。

　宝探しではたいてい「Ｘ」が隠し場所の目印にされる。まったくの偶然だが、私自身の探究にもそれが当てはまった。アメリカ大陸の先住民はもともと東アジアから来たという、広く行き渡った、だが異論の多い説がある。ところが最近になって、アメリカ先住民のいくつかの集団からある興味深いＤＮＡハプログループが発見された――ハプログループＸだ。このＸグループはアメリカ先住民のハプログループのなかで唯一、東アジアとの強い結びつきを示さないグループである。

　面白いのは、ハプログループＸ自体は珍しいものなのに、不可解なほど地理的に広い範囲に及んでいることだ。比較的希少なこのグループは、ヨーロッパと中東のいたるところに見つかる。

　北アメリカでは、このハプログループは特定のアメリカ先住民、とくに五大湖周辺に住む部族に見られるが、その一方で、たとえばスカンジナビアでは、人口の〇・九％にしか見つからない。

ハプログループX2はXの希少なサブグループだが、二万一〇〇〇年前ごろには地中海周辺とコーカサスでかなり広範囲に分布していたようだ。現在は地中海、とくにギリシャのほか、ジョージア、オークニー諸島、イスラエルのドルーズ派のコミュニティにも集中している。私はその概要を探した。ここで紹介するのはその最良のもので、執筆したのはジェフ・リンゼイだ。その指摘によると、遺伝学者の一部の考えでは、「血統《リネージ》X」はユーラシア人とアメリカ先住民との「明確な」つながりを示すものだという。

ハプログループXに迫る

エモリー大学のマイケル・ブラウンとダグラス・ウォレス率いる研究チームは、「X」と呼ばれる謎のマーカーの起源となる集団を探していた。このマーカーは、現代のアメリカ先住民全体にわたって低い頻度で見られ、古代のアメリカ人の遺体でも発見されている。遺伝子変異の特殊な組み合わせであるXは、ミトコンドリアという細胞小器官のDNAに存在し、母親からのみ遺伝する……

……ハプログループXはちがった。それはヨーロッパのごく一部の集団で確認された。そこでエモリー大学の研究グループは、このマーカーの起源の探索にとりかかった。アメリカ先住民、ヨーロッパ、アジアの各集団の血液サンプルを分析し、発表ずみの研究結果を見直した。

「われわれはハプログループXが、他のアメリカ先住民のマーカー四つ［A、B、C、D］のように、アジアで見つかると強く予想していました」とブラウンは言う。

驚いたことにハプログループXは、ヨーロッパと小アジアの住人、インド人、フィンランド人、一部のイスラエル人などのごくわずかにしか確認されなかった。発表済みのミトコンドリアDNAの塩基配列を検討したところ、トルコ人、ブルガリア人、スペイン人にも存在する可能性が示された。しかしブラウンの調査では、ハプログループXはまだどのアジア人集団にも見つかっていない。

「チベットやモンゴル、東南アジアや北東アジアにはありません」とシュールが会議で発言した。「ユーラシアのずっと西まで行くと、ようやく出てくる程度です」

ハプログループXはアジア以外のいくつかの場所で見られるもので、たとえばフィンランド人（Finnila et al. 2001）などは、Y染色体の調査結果に照らしてしばしばヨーロッパでは古いグループだと考えられるが、それでも他のヨーロッパ人とミトコンドリアDNAの系統を多く共有しているようだ。ハプログループXをケンブリッジ参照配列や他のヨーロッパのハプログループから隔てている変異についての詳細な情報が、Finnila et al.（2001）によって提供されている。(1)

7章に書いたように、私はミノア人が中・東部アナトリアからクレタ島へやってきたという見込みがきわめて高いことを知った。したがってこの地域ではX2が多く見られることが予想される。現に統計の数字はその期待に応えるものだ。カッコ内の数値は%を表している。

トルコ人（四・四）、イラン人（三・〇）、ノガイ人（四・二）、チェルケス人（二・五）、アバザ人（六・三）、クムク人（三・六）、南コーカサス人（四・三）、ジョージア人（七・六）、アルメニア人（二・六）、アゼルバイジャン人（四・二）。

X2がかなり多く見られる場所を挙げてみよう。

ベルギー（FTDNA 3）
ボスニア／ヘルツェゴビナ／ユーゴスラビア／スロベニア（Mercier）
クレタ島（Mercier）
デンマーク、ギリシャ、ルーマニア、ブルガリア（Mercier）
エジプト（Kujanova）
フィンランド（Mishmar、Moilanen）
フランス（FTDNA 4）
イスラエル／レバノン（Shlush）
モロッコ（Mala Meyer）
ナバホ（Mishmar）

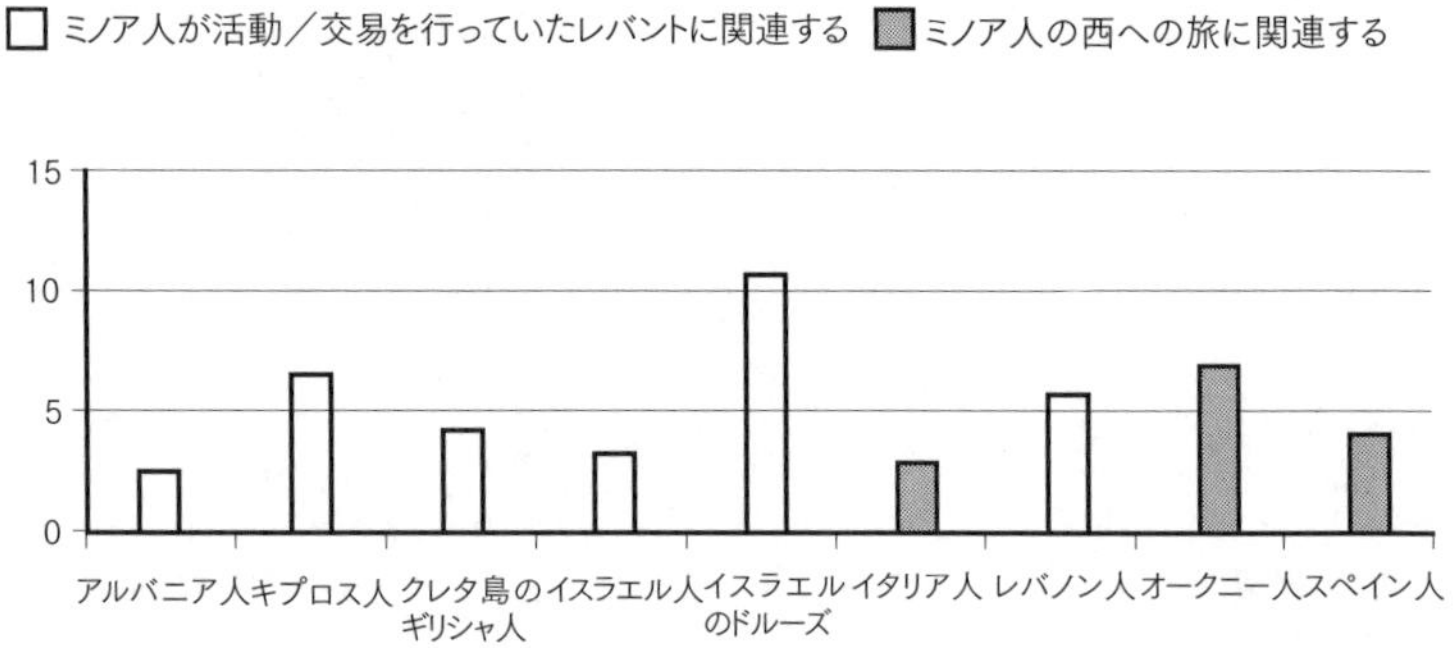

オジブワ／チペワ——五大湖（Fagundes、Achilli、Pirego）
オークニー諸島（Hartman）
ポルトガル（Pereira）
サルデーニャ（Frauen）
チュニジア（Costa）

X2の地理的な広がりについては、Finnilaと同僚たちによる要約が大変役に立った。[2] 私たちのウェブサイトにも再録してある。

X2を継承するアメリカ先住民（五大湖周辺のオジブワ／チペワ族）は、その下位区分のX2a1、X2a2、X2aib、X2a1a、X2gをもっている。

実際の頻度の高さから見て、X2がミノア人と同じように近東、とくにアナトリア東部に起源をもつことはあきらかだ。このDNAの年代、つまりサブハプログループを生み出した突然変異が起こった時期については多くの議論がある。X2

をもつヨーロッパ人がいつアメリカに達したかを明確に言うことは難しい。現時点でX2の到達時期には、九二〇〇〜九四〇〇年前と二三〇〇〜三八〇〇年前の二つの可能性がある。私なりの研究の要約は以下のとおりだ。

1　以上のことから、北アメリカのX2集団の起源は、ヨーロッパのX2の祖先におけるY－DNAの突然変異（前一八〇〇年ごろ）か、それよりはるかに古い九四二〇年前にヨーロッパ人が北アメリカへ移り住んだことではないかと思われる。

2　X2が最も多く見られるオジブワ族が居住するのは、主にミシガン、ウィスコンシン、ミネソタ、ノースダコタ、オンタリオ（カナダ）のスペリオル湖周辺——すなわち33〜37章で述べた銅の採鉱場近くである。

3　X2のDNAが数多く検出されている国はヨーロッパと地中海沿岸の一六カ国にも及ぶが、どれも1章から15章で述べてきたとおり、ミノア人が訪れた場所だ。

4　このようにDNA X2は大西洋を挟んだ両側と、ミノアの交易帝国全域にわたって見つかっている。一連の証拠を総合すると、ミノア人がX2のキャリアだったという可能性は高い。ミノア人発祥の場所、定住した場所、交易を行った場所でX2が見つかっている。それより古く六〇〇〇年前に、また別の知られざるヨーロッパ人のかなり多数がアメリカに到達していたようだ。

5　X2は、私がすでにミノアの交易帝国の前哨地だった可能性があると指摘した地域の外では見つかっていない。

X2がミノアの線文字Aの出土した地域にも見られるという点を考えると、DNA関連の報告には、控えめにいっても学ぶべき点があるように思われる。

(i) ミノア人は中部アナトリアではなく北東部を起源とする——理由は、この地域に近接するジョージア、アルメニア、イラン、アゼルバイジャンでX2が多く見られることだ（Finnila）。

(ii) オジブワ／チペワ族におけるX2からX2aへの突然変異は、おそらく前一八〇〇年から前一二〇〇年にかけて起きたものと考えられる。

(iii) ミノア人とイングランド人（〇・九）あるいはフランス人（〇・八）とのあいだには、ミノア人とオークニー諸島人（七・二）あるいはスペイン人（四・二）とのあいだに生じたような性的接触がほとんどなかったと考えられる。

(iv) ミノア人は中央アジア、東南アジアあるいは東アジア、アフリカ西部あるいは南部までは到達しなかったが、ペルシャ湾岸諸国（オマーン一・三、サウジアラビア一・五、クウェート二・〇）には行っていた。

(v) 現在のイスラエル、シリア、レバノン、ヨルダンでミノア人の存在がより目立つのは、X2が見られるイスラエルのドルーズ（一一・一）、イスラエル人（三・四）、レバノン人（五・八）の人口によって証明されている。

39　新たな始まり

本書はある意味、始まりと同じような状況の下で終わろうとしていた。私は連日、朝の五時から一二時間ぶっとおしで仕事を続けてきた。右の手首は関節炎でガチガチになり、やはりあのころのように疲れきっていた。それでも私のチームや友人たち、とくにセドリック・ベルとイアン・ハドソンは、今回も一生懸命がんばって、私たちのウェブサイトにつぎつぎ寄せられる証拠の情報をまとめてくれた。原稿を書き上げ、出版まで漕ぎつけられたのはひとえに彼らのおかげだ。

にもかかわらず、最後にミノア文明の終焉を描かねばならないと思うと、不吉な予感で胸がいっぱいになる。ミノア人にとっての帝国の終焉は、突然の処刑ではなく、ゆるやかな苦痛に満ちた死だった。そのことを考えるとどうにも耐えられない。あの輝きが、あの創意工夫が――彼らが文化面、技術面で示した大胆さ、勇敢さが、すべて失われてしまったのだ。

ティーラの火山はあらかじめ数週間前に噴火の予兆を示していたので、最悪の事態は避けられたように思えただろう。島全体から住人がほぼ残らず避難した。ポンペイにあったような炭化した遺体が存在していないことがそれを物語っている。だが本当の悲劇が襲ってきたのはそのあとだった。

ティーラの島民は全員、安全を求めて母なるクレタ島へ向かった可能性が高い。だがその先に何が起こるか、誰にわかっただろうか？　何日にもわたってティーラ島の方角からは、ごろごろと唸る音が聞こえ、閃光や奇妙な爆発音も届いてきただろう。やがてそれが現実になった。強烈な雷鳴が水平線を切り裂いたようだった。ついで不気味な音が連続し、火山の深奥から灰とガスが噴出した。

すさまじい噴火のあとで、空は重い鉛色に染まり、低くのしかかってきた。北の水平線に広がる紫色の染みは、硫黄の雲が押し寄せてくる先触れだった。少しだけ恐ろしい、静穏な時間があっただろう。緊張した不可解な静けさのなかで、海が岸辺から引いていき、息ができずにもがいている海の生き物たちがあとに取り残される。そして遠くで、低い轟音が響いた。壁となった水が海を渡って母なる島へ向かい、そのすさまじい力は行く手にあるものすべてを粉々にした。

高さ三〇メートルの水の壁が、クレタ島東部の港町モクロスに襲いかかった。津波はおそらく、さまざまな港に係留されていたミノアの船団を破壊した。第一波でやられなかったとしても、第二波でとどめを刺されただろう。ティーラ島からの避難民たちはみな沿岸の街に身を寄せていたため、この津波は多くの命を奪ったかもしれない。そのあとにガスや軽い灰、軽石を含んだ超高温の火砕流が続いただろう。モクロスの人々はそのせいで死んだのではないか。プラトンの書いたくだりがよみがえってきた。

非運の一昼夜のうちに、武勇に優れる者たちは皆そろって地の底へ沈んでいき、アトランティスの島も同様にして消えてしまった――深い海の底へと。

クレタ島で多くの命が失われ、家屋や神殿が倒壊し、何より島の繁栄を担っていた海運が全滅したことは、取り返しのつかない痛手となったにちがいない。火山の噴火後、有毒なガスや火山灰が何日も、何週間も地上に降り注ぎ、人々や植物を窒息させ、水源を汚染した。大災厄はミノア人が長年ずっと研究してきた畏敬すべき天空からやってくるようだった。神々は自分たちを見捨てたのだと誰もが思ったにちがいない。生き残った人々もまだ大勢いたかもしれない。だがそびえるように高い水の壁は――そして息をつまらせる灰は――クレタの農作物という名高い賜物を残らず壊滅させてしまった。

そして、飢饉がやってきた。

電話が鳴った。私が構想している新しい著作に関して、ギリシャ国営放送からインタビューの申し込みが来ているという。目の前のことから逃れるには最高の口実だ。マーセラと私は、いつぞやのクリスマスのときのように、特別な旅をして自分たちに活を入れようと決めた。

ベネツィアまで車を走らせ、そこから豪華なカーフェリーに乗り込んだ。船は正午にサン・マルコ広場の横をさっそうと過ぎてアドリア海に入り、ギリシャへ向かった。四三年前に私たち海軍の乗組員はこれと同じ航路をたどり、船の上甲板で眠った。歳をとったいまは船室で寝られる余裕もある。日が沈むと、私たちはウサギ肉の白ワイン煮を口に運びながら、凪いだ海の上に濃くなっていく闇を見つめた。

いまから六〇〇年前、地中海の海路を支配していたのはベネツィアだった。ベネツィアの艦隊は、夏はフバル島（現在のクロアチア）に、冬はさらに南のケルキラ島に基地を置いていた。海賊は容赦なく駆逐され、安全に自由貿易が行われるようになった。その三〇〇〇年前には、ミノアの艦隊が同じ役割を果たしていたのだ。

マーセラと私はいま、その歴史のあとを追って旅していた。

ミノアの制海権が崩壊すると、ミノス王が抑え込んできた海賊が自由に動き回れるようになった。アドリア海には、カモフラージュに使えて身をひそめるのにうってつけの小島が何百と点在している。エーゲ海にはそんな島がまだたくさんあるのだ。

ミノア人の並外れた交易網は、すぐに無に帰すことはなかった。前一四〇〇年から前一二〇〇年ごろまでの二〇〇年ほどは、ミケーネが制海権を引き継いだようだ。この大都市国家はクレタの支配権も握っていた。これが権力の空白を埋めるために同盟相手が助けに乗り出した結果なのか、侵略勢力による敵対的な継承だったのかは定かでない。やがてミケーネの勢力も衰えると、海が安全だった時期は終わりを告げ――栄光の一時代も終わった。

まったく突然に、前一二二五年から前一一七五年のあいだに、地中海東部の青銅器時代も終焉を迎えた。北ヨーロッパやアメリカ大陸への航海も終わった。スペリオル湖周辺のキーウィーノーとアイル・ロイヤルの採鉱場は、少なくとも前一二〇〇年にはすでに生産を停止していた。イングランドの錫採掘も同時期に、ウェールズのグレート・オーム銅山と同じく止まっている。スペイン南東部のラ・マンチャにあった青銅器時代の入植地もすべて放棄された。

青銅器時代がなぜ唐突に崩壊したのか、その理由はさまざまに取りざたされている――文明の危機の原因を彗星や気候変動、地震、太陽黒点、疫病に求める声もある。とにかく地中海東部の先進世界には大きな災いが降りかかった。一部の学者はそれを端的に「破局《カタストロフ》」と呼んでいる。

いまはほとんどの学者が、このカタストロフは新たな謎の軍事勢力によって引き起こされたと考えている。この勢力が残した痕跡はいまではほぼ何も見当たらないが、当時は五〇年にわたって広範囲に破壊をもたらした。その獰猛な軍隊は槍など最新鋭の武器で戦い、すね当てや胴鎧などに身を固めていた。小型の丸い盾は、彼らが歩兵を効果的に使うという根本的に新しい戦闘技術を発展させた可能性を示している。エジプト人は彼らを「海の民」と呼んだが、現在にいたるまでその正体やどこから来たのかは不明のままだ。

前一二二五年から前一一七五年にかけて、この敵対勢力はクレタ、ミケーネ、アナトリア、上メソポタミアの偉大な文明を蹂躙した。地中海東岸の都市や要塞の多くが、誇り高いミケーネからトロイア、古代アナトリアの王国コデとハッティにいたるまで略奪された。海の民はアモリ人の都市国家エマルとウガリット――いずれも現在のシリアにあった――を席巻し、ガリラヤ湖の北にある内陸のハゾルにまで到達していた可能性もある。

ロバート・ドリューはこう書いている。

カタストロフは紀元前一一八〇年代にピークを迎え、前一一七九年ごろ、エジプトの事実上最後の偉大なファラオだったラムセス三世の治世に終わった。この地域の体制はずっと安定し、宮殿を中心とする、裕福で比較的平和なものだった。そのあとに続いたのは、少なくともギリシャでは、暗黒の時代だった。[3]

クレタ島のミノア文明が崩壊してから二五〇年後、ヒッタイト帝国とミケーネ帝国が滅亡した。全体で四四の都市が「海の民」に敗れ――最終的にラムセス三世がかろうじて略奪者を退けた。下メソポタミアとエジプトは全面的な破壊を免れた。だが両国とも致命的に弱体化し、エジプトは二〇年にわたる大飢饉に見舞われ、この驚異の帝国はほぼ壊滅した。

ティーラの火山噴火は、地中海東部の青銅器文化にとって最初の致命傷といえた。ついで「海の民」がやってきて、とどめを刺したのだ。そのことを思うと胸が苦しくなる。もしもあの最初の偉大な海洋国家が、古代の地中海で最高に輝かしい宝石が滅んでいなければ、世界はどうなっていたのだろうか？

40　クレタ島再訪

ギリシャ国営テレビとの約束を果たさなくてはならなかった。インタビュー自体は何事もなく終わった。スタジオでの議論では、気がつかないうちに私をフォローしてくれている、クレタ島から来た魅力的で控えめな男性がいた。私は一度ならず、その人物のすばらしい研究を頼りにしてきた。ミノアの数学を論じたときに（32章を参照）登場してきた名前だ。ミナス・ツィクリツィス博士がその番組に出ていたのは、言語学上の世界最大級の謎である線文字Aに関する自身の画期的研究について話すためだった。

翌日、マーセラが私たちのもとに届いたメールをチェックしていた。「新しいメッセージがきてるわ。ミナス・ツィクリツィス博士から」。マーセラも私もまだ、アテネでの滞在をちょっとした休暇のようなものだと思っていたが、その休暇はまもなく終わろうとしていた。私はそのメッセージに目を通すうちに、衝撃に目を見開いた。

ツィクリツィス博士は私の古い友、ファイストスの円盤を研究していたのだ。それだけでなく、ミノア時代の天文学についてもいろいろ話ができるのではないかという。博士は自分の英語が拙いことをわびながら、こう言っていた。私が特別に作成したコンピュータプログラムについてお話しできればと思う。このプログラムの力を借りて、線文字Aの重要な一部を解読できた——あなたも興味がおありではないだろうか？

ツィクリツィス博士は興奮していたが、私の興奮ぶりはそれを上回った。焦って先を読み進めた。線文字Aを新たに翻訳したことで、博士はミノアの文章や銘がどこかに見つかればそれとわかるようになったという。探検家たちがさまざまな何百もの場所で発見した古代の石碑に書かれた線文字Aの碑文は、ミノア人がインド、バルト海、北ヨーロッパ、グリーンランドを訪れていたことを証明していた。

博士が解読したミノアの古代文字の多くは、エーゲ海全域がミノア人の支配下にあったという考古学者の現在の見解と一致している。ミノアの帝国は実質的に、二二の都市の連合体だった。だがそれですべてではない、と博士は言うのだ。線文字Aの証拠から、ミノア人はさらに入植地をつぎの場所にも築いていたにちがいないと（ここでは博士のメールをそのまま紹介する）。

1　シチリア島
2　シリア、パレスチナ
3　ボスポラス海峡
4　バイエルンとバルト海［琥珀を入手する旅］
5　グリーンランド、白鑞《ピューター》を入手する［錫と鉛］

6　北アイスランド
7　インド（「アステロイシア」と呼ばれる入植地）
8　アラビア湾（パガイア島のミノア人入植地の洞窟に文字が見つかった）
「私の手元には上記の発見の証拠（写真、ギリシャ文献の書誌データ）があります」

博士の調査結果は、私自身がつきとめた結果に一致していた――まったく別々のプロセスから得られたものだというのに。私はめまいを覚えつつ、ざっと計算してみた。九つの場所が関係していて、それがこのように偶然で一致する見込みは、九三六万回に一回だった。

アテネの街もすばらしいが、この手がかりはもっともっと重要だ。マーセラと私は急きょクレタ島に戻った。今回向かったのは、島のまさにど真ん中、スカラニの切り立った丘の上にある、復興した美しい村アルカネスだった。

ツィクリツィス博士に妻のクリスーラ、それに息子のディミトリスが私たちを迎え、クレタ島の住人ならではの親切で温かいもてなしをしてくれた。博士は思慮深い、彫りの深い目鼻立ちに確固たる信念をもった人物だ。

一家の庭へ案内され、有機栽培のオリーブの木、薪のオーブン、ブドウの木の下で育てているトマト――害虫を寄せつけないための有機的手段――を見せてもらった。博士はレモンを浸した自家製のオリーブオイルの瓶を私にくれた。古代史のマニアでもある父親が再発見し、息子に伝えた伝統的なレシピにのっとって作ったものだとのことだ。「オールを数えるなんて人はあなただけですよ」と、博士が口火を切った。意外なことに、ティーラのフレスコ画のことを言っているのだ。「あれは片側だけでオールが二八本ある、大きな大きな船で……」

それから私たちは、二階建ての明るく開放的な応接室に入った。その一隅にツィクリツィス博士の書斎があり、小さな本が並べられ、望遠鏡とクレタ島の伝統的な木製の踏み台が置かれていた。五人で腰を下ろし、じっくりと話をした。

彼が自分の方法論を――ときおりクリスーラとディミトリスの通訳に助けられながら――を説明しはじめると、ツィクリツィス博士がこれをライフワークにしていることがはっきり伝わってきた。最初は古代文字の専門家である父親から古代ギリシャ語を教わったという。その後、数学と物理学の学位とともに独自の専門スキルを身につけた。さらにテッサロニキのアリストテレス大学で、宗教学の修士号と内容分析の博士号を取得した。

言語学の専門家でこれほど幅広いスキルをもつ人物はめったにいない。ツィクリツィス博士は二〇年間、余暇のすべてを費やしてミノア文化の理解と線文字Aの解読に取り組んできたのだ。「線文字A」の基になったヒエログリフを解読するために、子音比較という手法を使った、と博士は説明した。重要なのは、彼がすでに古代ギリシャ語、キプロス・ミノア語、ミケーネ文字の線文字B、クレタ文字のヒエログリフに親しんでいたことだ。しかし決め手となったのはより現代的な技術――コンピュータと数学だった。統計学的な暗号解読の手法を試してみたとき、ブレイクスルーが起こりはじめたのだ。博士はミノアのさまざまなテキストを数多く研究の基礎として使った。学者たちにとって不運なのは、ある言語を統計的に絶対確実に翻訳するには、少なくとも五六個の記号が必要なことだ。ファイストスの円盤には四八個の記号しかない。博士は翻訳をさらに進める助けになるかと、他の粘土板や遺物をせっせと探していたのだが、この知識の幅広さがどうやら鍵だったようだ。博士は着想のきっかけになったものを話した。

「最初にぴんときたのは、ある指輪の螺旋のデザインを見ていたときだったと思います。ミノア人はファイストスの円盤にもあるように、いつでも螺旋のデザインを使っていました。そして突然、この指輪は前にも後ろにも読める、と気づいたのです。

……もうひとつのブレイクスルーは、線文字と同じ記号が一五個あることに気づいたことです。

……そして、その記号は、隣に置く言葉によって、意味が変わることに思い当たりました」

ここで登場してくるのが、文脈分析だった。

これはまったく複雑な代物なのだが、ツィクリツィス博士が比較対照した表をつぎつぎと見せてくれるうちに、何もかもが合理的なシステムに、美しく流れるようなひとつの言語に見えてくる。単純に驚かされたのは、その証拠の量だった。数千年前の粘土板や円盤の上で、古代の線文字Aの謎を体系的に解き明かしていく博士の手法が、ますます合理的な、明確で首尾一貫したものに感じられてきた。

博士の翻訳したものには再三再四、あのかけがえのない魔法の物質が出てくる——青銅だ。ミノア人はこの合金を特別に重要なものとみなし、畏敬の念すら抱いていた。翻訳にはミノア社会の巨大な繁栄ぶりが示され、彼らが世界中に出荷した膨大な量の穀物、陶器、オリーブオイルなどの商品が記されていた。ツィクリツィス博士が掘り出した文書には、この比類ない社会が食料や物資をひとりひとりに必要なだけ分配していたことを示すものもあった。またEメールのなかで言及していた、ミノアの線文字Aで書かれた碑文の写真も見せてくれた。どれもノルウェーからアラビア湾にかけて見つかったものだ。

彼の最も驚くべき発見のひとつは、ミノア人が数学を深く理解し、それが星にまつわる知識を発展させるのに役立ったことである。

「数学では、バビロニア人やエジプト人のほうがミノア人よりはるかに進んでいたとずっと考えられてきました」と博士は言った。「しかし一九六五年、マリオ・ポープが他に類のないものを発見しました——分数です。アギア・トリアダのある壁に書かれていました」

アギア・トリアダは、ファイストスから西にわずか四キロ離れた、中心に王家の別荘のある街だった。そこに刻まれた数字はこうだ——$1:1\frac{1}{2}:2\frac{1}{4}:3\frac{3}{8}$。それぞれの数字がひとつ前の数字より$1\frac{1}{2}$倍ずつ増えていることを示すもの。この計算は何気なく、利子の支払いがどれだけになるかを壁に書いただけのものかもしれない。だが際立った点がある、とツィクリツィス博士は言った。エジプト人も数列を編み出していたことは知られている。だが、彼らは整数しか使っていなかった。この数列は数学的にはるかに進んだものだった。

ミノア人の数学の理解はバビロニア人に匹敵するほど独創的だったのではないかと思いはじめると、ツィクリツィス博士はミノア人が残した他の数式を見つけ出そうと努めた。そしてミノア人には計算ができたことをつきとめた。それも必要なら何万という単位で。足し算、割り算、引き算もできた。興味深いのは彼らが大きな数を必要としたことだ。大量の商品や穀物を取引するためにそうした技量がなくてはならなかった。

博士はたくさんの図解を見せながら、ミノア人の幾何学の応用は比類のないものだと私に納得させた。たとえば、ミノアの特徴的な螺旋のデザインを作るには、接線と余弦の使い方を知らなくてはならなかったのだ。螺旋といえば有名なのは、『螺旋について』でその定義をしたアルキメデスだが、アルキメデスの記述が登場するのは紀元前二二五年ごろのことだ。

ツィクリツィス博士のさらに衝撃的なアイデアのひとつは、非常に大きな物議をかもす可能性がある。博士には、ミノアのほぼすべての儀式用具や建築物が「黄金分割」すなわちϕ（ファイ）に合致しているという確信があるのだ。「黄金比」とも呼ばれるϕは、芸術や建築に用いられる実用数学のなかでもとくによく取り上げられ、論争や尊敬の的になっているもののひとつである。

これは重要きわまりない主張だ。神聖な比である黄金比ϕを、この方程式で表すことができるというのだから。

この一・六一八という特別な比は、ツィクリツィス博士が文字どおり何百ものミノアの物品や建造物を測定して発見したもので、偶然の一致ではありえないと博士は考えている。現在のギリシャ人はおおむね、ϕを発見したのはピタゴラス（前五七〇年～前四九五年）だとみなしているにもかかわらず。

とりわけ古代ミノアのある品物が、ϕと均衡の技法に関する博士の主張を二つのレベルで説明している。それはあまり知名度の高くないザクロスの宮殿で見つかった精巧な石甕で、表面には焼け焦げたような謎の跡がついている。イラクリオン博物館はその年代を前一五〇〇～前一四五〇年としているが、ツィクリツィス博士の考えではさらに古いものかもしれない。

それはリュトンとも呼ばれる、儀式に使われる酒甕だ。表面にはあるデザインが見える――山の風景のなかに描かれた神殿か王宮。いまは経年と煙のせいで茶色くなっているが、もともとは貴重なものとして非常に大事にされていた。金箔で装飾されてもいる。甕そのものの均衡も、そこに描かれたデザインも黄金比に一致している。甕全体や神殿の絵の上に長方形を描き、それを測ってみるといい。その比率がϕと同じだとわかる、とツィクリツィス博士は言う。言い換えるなら、甕の形もそこにある図柄もともに、ずっと古代ギリシャ人が――ミノア人ではなく――考案したとみなされてきた数学的な比で成り立っているのだ。

こうした比はまさに、のちにイクティノスとカリクラテスが世界最大の神殿であるパルテノン神殿を造るのに用いた、比類ない調和と平穏の感覚を生み出す均衡だ。ツィクリツィス博士は熱をこめて自身の主題を口にした。「これが美のすべての根源です」

博士の研究結果はすべて、ミノア人がϕの美と調和を神聖視していたことを示している。黄金律に従って作られた甕は神聖なものだと信じられていた。その完璧さ自体が水を浄化する、と。

$$\varphi=\frac{1+\sqrt{5}}{2}\approx 1.6180339887\ldots$$

現在でいう風水の思想に少し似ている。

だが、こうした新たな発見を前に私がいちばん活気づいたのは、話がミノア人の星々にかける愛に及んだときだった。この魅力的な人々が何よりなじみ深い存在のように感じられた。ツィクリツィス博士の説では、ミノア人にとって星座は単なる星ではなかった。星座を、空に住まい、動いていく神々だと思っていた。それだけでなく、中国人がかなり最近まで信じていたように、古代ミノア人も自分たちの祖先が天の上でそうした神々の仲間に加わった、つまり天体になったと信じていたのだ。

ミノアの金細工でも最高級の傑作といえるイソパタの指輪は、ツィクリツィス博士の考えを完全に具現化している。指輪全体の大きさはたった二センチで、カットするのに必要な技術は並大抵のものではなかったはずだ。これはクノッソス近郊のイソパタにある墓で発見された。

四人の女性が恍惚として儀礼的な踊りを楽しんでいるように見える。しかしその頭は人間のものではない。うなだれた小麦やトウモロコシのそれだ。背景には目と蛇のシンボルが見える。さらに小さな姿が絵の下のほうへ漂っている。天から降りてきた女神だろうか。ツィクリツィス博士の説によると、いろいろな形で出現する蛇は、ミノアではコロナ・ボレアリス（かんむり座）を表すシンボルであるらしい。英語では「ブレイズ・スター」というが、「ノーザン・クラウン」とも呼ばれる。この王冠は、博士の考えでは、ミノス王の娘アリアドネが婚姻に際して授けられたもの……つまりコロナとはアリアドネであり、人々を導いて迷宮から抜け出させる存在なのだ。

この指輪は、ツィクリツィス博士の考えによると、一種の神聖な暦だ。星の位置と……そしてアリアドネに象徴されるノウハウを用いて、雨季の到来を数える方法を示している。星々はただミノア人を導き、季節の移ろいを知らせるだけではない——ミノア人は自分たちの祖先がいまは導きの星に、天の光になっていると考えていたのだ。

この複雑で詳細なテーマはまちがいなくもう一冊本を書く材料になる、とツィクリツィス博士と私は同意し合った。そうこうするうちに、みんな昼の腹ごしらえが必要になってきた。村のなかを歩いていき、石造りのレストランに入って料理を注文したが、それでも意見交換がやむことはなかった。話すことはいくらでもあった。

「ファイストスの円盤はどうなっていますか？」と私は聞いてみた。

「全部は訳せていません」とツィクリツィス博士はあえて強調した。「少なくとも片方の面は、わかったと思います……Τραγούδι」。私はきょとんとしていたにちがいない。

博士はクリスーラのほうを向いた。そして二人でどう翻訳したものか短く話し合った。

「トラガウディ」とクリスーラは言ったが、私は相変わらず無反応だった。

「……船乗りの歌です」とディミトリスが言った。

「……シー・シャンティか」と私はつぶやいた。

にわかには信じがたいことだった。この暖かく浮世離れした、ゆっくりと焼かれた子羊《ラム》の香りの漂う部屋に座っていると、この場のみんなが急に現代よりも古代の世界の近くにいるように感じられた。私の脳裏にフレスコ画の幸せな光景が、あのティーラに帰還した船乗りたちと、出迎えのために海岸へ押し寄せる人々の姿がよみがえった。私を初めて探求に駆り立てたものは、ファイストスの円盤――廃墟になった宮殿の焼け跡で見つかった、火に焼け焦げた丸い粘土板だった。あの謎めいた物体がなぜ、これほど強く私の心を捉えたのか？　それは実のところ、とても自然なことだと思えた。私をあんなに魅きつけた円盤に記されていたのは、旅立つ船乗りの歌、シー・シャンティだったのだ。

41 希望の遺産《レガシー》

この冒険のあと、マーセラと私はたっぷり活力を得てアテネへ戻った。ミナス・ツィクリツィス博士に会うまで、私はミノア人のすばらしい文化遺産のほとんどが完全に失われてしまったと思い込んでいたのだ。そう考えるとどうにも気持ちが落ち込んだ。だが、それはまちがいだった。ミノア人は酷な運命をたどったにしろ、彼らの作品や発明、そして美しく正しい感覚はずっと生きつづけてきた。

薄日の差すなか、アクロポリスのふもとをそぞろ歩き、パルテノン神殿の高くそびえる柱に映る光と影の戯れに見とれた。究極にして完璧な基準「黄金分割」を意図して設計された神殿が、誇らしげにサラミス湾を指し示している。そこでテミストクレスの艦隊は、侵攻してきたペルシャの強大な海軍を撃破した。パルテノン神殿は私にとって相変わらず、世界一美しい建造物だ。いまではその理由もわかる。

この島に存在したのは、偉大な驚異の力をもつ王たちの連合であり、彼らがこの島や他の多くの島々を治めていた。(4)

プラトンの言葉が脳裏にこだまする。ミノア人はまさにそれを実現していた。線文字Aの謎を秘めた古代クレタ島のように、プラトンのアトランティスも文字をもった国だった。そのことは、ポセイドン神が決まりを授け、第一王子がそれを「オリハルコンの柱に刻んだ」と書かれていることからわかる。「オリハルコン」とは何か？　銅の合金だったのだ。プラトンは、アトランティスの都市に入ると壁一面がそうした物質に覆われ、中央の神殿に近づくほど街はますます豪奢になっていったと記している。

……街の最も外側を丸く取り囲む壁全体が、漆喰のごとくふんだんに真鍮で覆われ、その内側の円はすべて錫で覆われていた。アクロポリス自体を取り巻く壁は、炎のごとくきらめくオリハルコンに包まれ……[5]

その少しあとにはこうある。

……神殿の外側はあますところなく銀で覆われ、唯一の例外である尖塔は黄金で覆われていた。外装についていえば、屋根はすべて象牙で造られ、金銀とオリハルコンでとりどりに彩られていた。[6]

ミノア人は金属加工の達人だったし、いうまでもなく大変な富をもっていた。だから街の壁を青銅や銅、金銀の飾り板で覆うということはたしかに考えられる。そのとき、思い当たることがあった。これまでどこへ行こうと、私の足跡には必ず、プラトンが提示したアトランティスの壮大な概念がつきまとっていたのだ。

3章でわかったように、プラトンの文章は、古代の大都市と王の住む都がたがいに別個の存在であることを示している。これはクレタ島とティーラ島の関係ときわめてよく似ているところだ。プラトンによれば、大都市は直径がおよそ一九キロの円形の島にあった。それに対し、王都は長方形の島にあった。つまりプラトンのアトランティスはたしかに二つの島であるか、それ以上かもしれないということだ。パックス・ミノイカの版図から選べる島はたくさんある。プラトンの寓話にあるアトランティスの王たちは一二〇〇隻の船をもっていたといわれるが、6章と19章で見てきたとおり、クレタにはたしかに船があった——何百隻もの船が。プラトンは、アトランティスが環境危機に見舞われ、土壌が枯渇していたと書いた。これはまさしく地中海東部の一帯についてで私がつきとめたとおりのことだった。それだけでなく、アトランティスの人々にはヘラクレスの柱を侵すだけの勇気があったともプラトンは言っている。ミノア人はそうしたすべてを、さらにそれ以上のことも実行したのだった。

そうした遠い昔には、大洋を船で航行することができた。聞くところではあなたの国の人たちが「ヘラクレスの柱」と呼んでいる海峡の前に島があったからだ。この島はリビアとアジアを合わせたより大きかった。そして当時の旅人はこの島を使って他の島々に渡り、そこからあの本当の海の向こう側にある陸地まで行くことができたのだ。(7)……われわれの前のこの海は、つい先ほど言及した口の内側の、入る場所の狭い入り江でしかない。その向こうには本当の海があり、それを包み込む陸地は、十全かつ真の意味において大陸と呼ぶにふさわしいだろう。(8)

ロドニー・カッスルデンによる新しい翻訳を読むかぎりでは、これは大西洋を隔てたアメリカでしかありえない。プラトンはポセイドンのことも書いている。

ポセイドンは……息子たち全員に名前をつけた。長男の王に授けた名前は、島全体と海の名の由来となった――すなわち、この最初の王の名がアトラスだったため、海が大西洋《アトランティック》と呼ばれるようになったのだ。(9)

何より重要なのは、ポセイドンとクレイトが五組の双子の両親であること、そしてこの兄弟たちが島を平等に分け合っていることだ。彼ら兄弟たちとその子孫が築いたのは、島ではなく、ひとつの大きな帝国だった。いまやっとわかった。私が相対していたのは「失われた島」ではなく、「アトランティスの失われた帝国」だったのだ。

古典ギリシャの偉大な伝統はあきらかに、この古代アテネから始まったわけではない。イクティノスとカリクラテスの偉大な神殿は偉大な遺産の上に築かれた。古典ギリシャの黄金時代は進取の気性と冒険の英雄的伝統から発展したものだった。はるかに古い文明の幸運な後継者だったのだ。そして新たな目で見ると、いまは私がミノア建築に見た純粋さと優美さ、つまりミノア人が精神的、数学的完璧さを愛したために生まれた形の繊細さから、黄金数という雄弁な古典的理想への明確な進化をたどることができた。そしてそこからギリシャ人の建築の才が開花した。それは復興につぐ復興を遂げ、ルネッサンス期のローマから一八世紀のワシントンまであらゆるものに影響を及ぼした。それでもミノアのもたらす目覚ましい影響力はまだとどまるところを知らなかった。

古典ギリシャの輝きを語るときに必ず引き合いに出されてきた、さまざまな「発明」もある――硬貨、度量衡システム、音楽、建築、美術、演劇、はては見世物といった概念まで。アーサー・エヴァンズが指摘したように、長いローブをまとったアヤ・トリアダのクレタ人司祭たちは七弦の竪琴を演奏していた。それは竪琴がレスボス島で発明されたといわれる時期より一〇世紀も前のことだった。

何よりも偉大な遺産はおそらく、芸術のための芸術という概念――そして知識それ自身の追求だろう。ミノア人は精巧な絵画や陶器、宝飾品を世界に送り出し、生活のなかでより良いものを享受するようになった。建築技術もすばらしく、理想はまばゆく輝いていた。統治者は存在したが、共有し分け合うことを信条としていた。この寛大な行為の発露から、やがて民主主義といった革命的な理想が形づくられていった。

この遺産は戦争にも適用された。ギリシャがペルシャ軍とのサラミスの戦いに勝利した裏には、長年にわたる造船技術の伝統があった。それはミノア人から受け継いだバトンだった。

アテネの三段櫂船

サラミスで配備されたアテネの船は、三段櫂船と呼ばれていた。大きさは平均すると幅五・五メートル、長さ三九・五メートルで、紀元前一四五〇年以前のミノア船とほぼ同じだった。アテネの船もミノア船のように二つの機能をもち、交易モードのときは水平な帆桁に大きな角帆を張り、軍事モードではマストは据えてオールを動力に使った。

アテネ人はミノアの船に改良を加え、戦闘時には漕ぎ手を上中下三段に配置してその力を使えるようにした。この新型の船にはミノア船の一二〇人より多い一五〇人の人員が乗り組んだので、ミノア船よりも速く漕ぐことができ（漕ぎ手の数が多いため）、速度は一〇ノットに達した。主要な武器は船首の衝角で、敵の船体を貫くこともできた。しかし航行中はミノア船に劣り、重心が高いために外洋で強風を受けると転覆する恐れがずっと大きかった。

アテネの船がミノア船の改良版だったように、アテネの武器と鎧もまたミノアの発展形だった。アテネの兜と盾は青銅から作られ、胴体の鎧も同じだった――その類似性は、クレタ島やミケーネの墓から出たミノアの青銅製の鎧にも見られる。

一見したところ、軍事優先主義という思想は、楽天的でのんびりした、兵士や艦隊に守られる必要がないとされるミノア社会にはそぐわないように思える——実際にクレタの宮殿には防御がなかった。けれどもスチュアート・マニングの最近の研究によると、クレタ島自体は防護壁らしい防護壁がなく、侵略から守られてはいなかったが、より広範囲な帝国のほうはちがっていた。クレタ島から遠く離れるほど、その防御レベルは高くなった。エーゲ海でミノアの力と影響が絶頂にあったころ、クレタ島にごく近い「ミノア化した」島々——つまりキティラ島、ティーラ島、ロードス島には要塞がなかった。しかしもっと遠方の島々、たとえばケオスのアヤ・イリニやエギナのコロンナには城壁が築かれた。ミケーネの巨大な防護壁は、場所がギリシャ本土にあるので防御が容易でなかったからだと説明されている。


芸術、科学、天文学におけるミノア文明の功績はギリシャ文明に受け継がれ、不朽の芸術や文学がその後も作られていった。ギリシャ人は演劇を生み出し、暦を考案し、優れた技術者になった。市民権や民主主義といった大切な理想や、哲学や科学といった学問もそれに続いた。

何より驚かされるのは、ミノア人がそうしたすべてを、キリストの誕生より二〇〇〇年早く、ブッダや孔子より一五〇〇年早く、ムハンマドより二五〇〇年早く実現していたことだ。「美」

が彼らの合言葉だった。彼らは平和に生きることが有益な生き方だと世界に示してみせた。海から海賊を一掃し、幸運と大胆さとすばらしい航海技術をもって想像を超えた冒険の旅に乗り出した。ミノア人は青銅をもたらしただけではない。青銅器時代に命を吹き込んだのだ。

私にとって、ミノア人の物語は――いま思い当たったが、それはアトランティス人の物語でもある――まさに驚異の物語だ。だが、決してファンタジーではない。海に沈んだ白昼夢とはちがう。これはたしかに、歴史の陰に失われた社会だ。しかしファンタジーのような力をもちながら失われた、奇跡の種族というのではない。確かなものが達成された実在の場所であり、そこには何世紀にもわたって才覚と機知を発揮してきた人々が暮らしていた。アトランティスとはひとつの場所ではなく、多くの場所からなる帝国――世界中に広がり、魔法のような新技術をもたらした帝国だったのだ。

この物語は、私たちにひとつのことを教えてくれる。この世界の歴史は、私たちが想像するよりもはるかに魅力的で、複雑で、まちがいなく美しいということだ。何にもまして大事なもの――読者のあなたはそれが何だと思われるだろうか？

ギャヴィン・メンジーズ
ロンドンにて
二〇一〇年、聖スウィジンズ・デー

第六部　注

(1) *Science*, 1998, vol. 280, p. 520

(2) Pubmed Central Table 1, *American Journal of Human Genetics*, 2003; November 73(5) 1178-1190 as Table 1

(3) Robert Drews, *The End of the Bronze Age*, Princeton University Press, 1995

(4) Plato, *Timaeus*, 25a, trans. Robin Waterfield, Oxford World Classics, 2008

(5) Plato, *Critias*, 116b, trans. Robin Waterfield, Oxford World Classics, 2008

(6) Plato, *Critias*, 116d, op. cit.

(7) Plato, *Timaeus*, 24e, op. cit.

(8) Plato, *Timaeaus*, 25a, trans. Rodney Castleden in Atlantis Destroyed

(9) Plato, *Critias*

エピローグ　プラトンとアトランティス──失われた楽園

「ではソクラテスよ、ソロンが……はるか昔に宣したように、ひどく奇妙ではあるが、それでいて完全に真実である物語に耳を傾けよ」

これは『クリティアス』の一節で、失われた楽園、自然の猛威に打ち砕かれた魔法のエデンの園にまつわる物語を聞かせようとするひとつの声だ。この美しい島は文明の揺籃の地だったが、住人たちの傲慢さ、思い上がりのゆえに、神々の手で壊されてしまった。

プラトンの「アトランティス」の物語

はるか昔ある島に、高貴で有力な民族が住んでいた。この美しい島は海の神ポセイドンの領地であり、ポセイドンは人間の娘クレイトと恋に落ちた。ポセイドンはクレイトのために島の真ん中に壮麗な宮殿を造った。この土地の民は島の豊かな天然資源のおかげで巨万の富を有し、また島は交易や商業の中枢でもあった。統治者は自分たちの民だけでなく、地中海からヨーロッパ、北アフリカまで支配していた。
島の民は何世代にもわたって、高貴で無私の生活を送っていた。銅や貴金属を加工する技術のおかげで繁栄した。だが少しずつ、強欲と貪欲のために堕落し、変わっていった。彼らは強力な海軍を使ってギリシャとエジプトを侵略しようと決めた。ゼウスは彼らの不道徳に気づいた。そして巨大な波を送り込んだ。アトランティスは波に呑まれ、泥の海の下に永遠に消えた。ギリシャは救われた。

これは紀元前三六〇年ごろ、プラトンが対話集『ティマイオス』と『クリティアス』で語った物語の簡単な要約だ。この二つの文章は、アトランティスに関する知られているかぎり唯一の記述で、二〇〇〇年以上にわたる論争を巻き起こしてきた。多くの人たちは、これは道徳を含んだ寓話であり、プラトンのすばらしい想像力が生み出したものだと信じている。かと思えば、プラトンは失われた文明、つまり実在した文明のことを「アトランティス」と呼んで書いたのではないかという声もある。

真実を見出す

考えてみれば途方もないことだが、ミノア人の物語とは古代ギリシャ人ですら忘れてしまったほど、想像を絶する昔のものだった。歴史は時の霧の向こうに消えてしまった。この物語はようやくプラトンによって語りなおされたが、私たちが古代「アトランティス」ついて何かしら知っているのは、ひとりの著者と、二つの文章（うちひとつは未完）があったからこそである。そしてなぜ、それが真実でありうると考えられるのか？

ここで私は、一九六九年にエドワード・ベーコンと共著で『アトランティス：伝説に隠された真実』を書いたA・G・ガラノプロスに謝意を表さなくてはならない。この二人は、当時の正統的な学術的見解――アトランティスはまったくの創作である――に初めて真剣に異を唱えたのだ。「ティーラの出来事」、つまり火山噴火の本当の規模についての真実を最初に世に問うたのがガラノプロスだった。そして当時クレタ島を襲った津波がどれほど巨大な破壊力をもっていたかを初めて推測もした。

そしてまたプラトンが、自分は歴史家ではないが、この記述は真実に基づいたものだと主張する回数について、きわめて適切に指摘したのもガラノプロスだった。プラトンの二つの対話のなかで、この話が真実だと言いつのっているのはクリティアスだけではない。ソクラテスはクリティアスの話をこうしめくくっている。

「そして、それが作り話の寓話ではなく、本物の歴史であるという事実こそが非常に重要だ」

プラトンは、これは「物語」ではなく歴史的事実だと一度ならず、四度にわたって主張している。ガラノプロスが指摘するように、プラトンは架空の世界をつくりだしているのではなく、細かな点をどう表現するかは本人次第だった。実際に、自分の説明に矛盾はないかと案じているようだ。たとえば、深い塹壕のことを書きながら、ほんとうに造れるものかどうかと疑問を呈している。もしこれがフィクションだったとしたら、なぜそんな心配をするのか？

こうした大きな突破口を開いたのは、当時いた一流の地震学者たちだったと考えるのが妥当に思える。アトランティスの物語のクライマックスはまた、世界が見たことのなかった地球物理学上最大級の事件についてのストーリーでもあるのだ。そして非の打ちどころない科学的論理にのっとり、ガラノプロスはアトランティス「神話」の背後にあるもうひとつの大きな謎の答えを導き出した。

プラトンの記述には面倒なところも二つ三つある。アトランティスが呑み込まれて海の下に沈んだのは、あるエジプト人司祭によってその知らせが伝えられる九〇〇〇年前のことだ、とプラトンは言っている。またクレタ島の大きさがひどく誇張され、実際のサイズの何倍にもなっている。王都のある平野の広さは三〇〇〇×二〇〇〇スタジアだというのだ。どちらの数字も全体像を混乱させた。学者たちはこのことを盾に、ミノアのクレタがアトランティスだという議論を勝ち誇ったように否定してきた。そしてあきらかな事実を指摘したのがガラノプロスだった。

「この謎解きは、謎を生み出したまちがいと同じくらい単純なものだ」と彼は言った。

それは単なる計算ミスだった。二つの数字、つまり大災害の日付の数字と平野の広さの数字が、ともに一〇倍もちがっていたのだ。プラトンか、おそらくはこの情報を伝えたエジプトの司祭が、単に数字を誤訳したと思われる。

ベーコンとガラノプロス教授が指摘したように、クレタ島、サントリーニ島／ティーラ島とアトランティスの類似性は避けて通るわけにいかない。ミノアのクレタの人口密度が高かったのは、プラトンのアトランティスと同じ。アトランティスはいくつもの居住区に分かれ、それぞれに指導者がいたが、すべて王都に従属していた。ミノアのクレタでは王が全体の指導者で、貴族たち（ここはそう呼んでおこう）が王の名のもとに、島の各地の中心都市を統治していたようだ。雄牛はミノア人の生活と芸術にとって重要な存在だが、アトランティスでも同じだったことが『クリティアス』には記されている。

「ポセイドンの聖域には、雄牛たちが放たれていた。一〇人の王子だけがそこに残され、彼らは神に向かって、あなたのお気に召す生贄を捕らえられますようにと祈ったあと、杖と縄を手に、だが鉄の武器は持たずに、雄牛を追いかけた」

プラトンが自らクレタ島を訪れたことは知られている。確かでないのは、プラトン自身が「アトランティス」とクレタ島を実際に結びつけたのかどうかだ。ここからはプラトンの書いたいくつかのくだりにコメントをつけながら、クレタ島とサントリーニ島、そしてその過去にあった出来事が判明したいま、その内容にどんな解釈ができるかを見ていこう。

プラトンによるミノア文明の記述

プラトンは、アトランティスの文明は高度に組織化された農法を採用していたと書いている。『クリティアス』から引用する。

……現在の世界が産している甘い香りのものを、根やハーブや木や花から作られるものでも、果実から採れる液状のガムでも、すべて生産し完全なものにした……

著者注：ここでプラトンは、青銅器時代クレタの香水産業に言及している。オリーブ油をベースにテレビン樹脂を固定剤として使い、果物や花の香りをつけたものだ（8章と10章を参照）。説明はこう続いている。

……栽培された果実［ブドウ］も、乾燥した食品［トウモロコシ］――「野菜」の名のもとに包括されるさまざまな種――そして樹木がつくりだす、液状の食物および固い食物、軟膏、楽しみや悦びのために育てられる保存の難しい果樹の実、過食に苦しむ者にとってうれしい治療法となる食後の果実すべて――これらはみな、［アトランティスの］聖なる島が陽光のもとで、驚異の美と限りない豊かさにおいて生み出したもの[1]……

著者注：「聖なる島」クレタも、プラトンが描写するものすべてをつくりだしている。しかも島が長方形であり、冬に雨が多いという記述は、どちらもクレタ島に当てはまる。プラトンの島は、クレタ島と同じ位置に山や平野がある。

プラトンは『クリティアス』で、アトランティスは快適な環境やレジャー、公共サービスが重視される場所だったと言っている。

……彼らの利用した泉は、一種類は冷泉、もう一種類は温泉で、水量は豊富にあり、どちらも自然の風味をもつために使用にはすばらしく適していて、それらを水気に強い建物と木の植え込みで囲んだ。さらに周囲には貯水場を造り、一部は露天のままにし、また一部は冬に熱い湯に入れるよう覆いを設けた。風呂は王専用のもの、一般市民用のもの、さらに女性用のものに分けられ……

著者注：ファイストスを始めとするクレタの宮殿には、（1章で説明したように）こうした設備がすべて整っていた。それに対して、当時の偉大な文明のエジプト、レバント、メソポタミアは、快適な環境はあっても島ではなかった。

プラトンはアトランティスを識字国家だと書いている。

……彼女の一〇人の王たちの関係は、ポセイドンの教えに司られていた。その教えは、島の中心にあるポセイドンの神殿の内部に設置されたオリハルコンの柱の上に、第一王子が記した（傍点は筆者）法と記録によって伝えられ……

著者注：ミノア人は線文字A、のちには線文字Bという文字と数の体系をもっていた。その当時、他に書き文字のある島はなかった。プラトンはまた、アトランティスは銅を基本にした金属加工の国家だったと言っている。オリハルコンとは銅の合金のことだ。『クリティアス』にはさらに二つのくだりがある。

……そして最も外部の円を取り巻く壁の全周を、あたかも漆喰を使うように真鍮で覆った。内側の円はくまなく錫で覆った。そしてアクロポリスそのものを取り囲む円は火のように輝くオリハルコンで覆い……[2]

その少しあとには、

……神殿の外装はすべて銀で覆い、尖塔だけを例外に、これを金で覆った。外装についていえば、屋根はすべて見かけは象牙のように造り、金と銀とオリハルコンをとりどりに入れ、

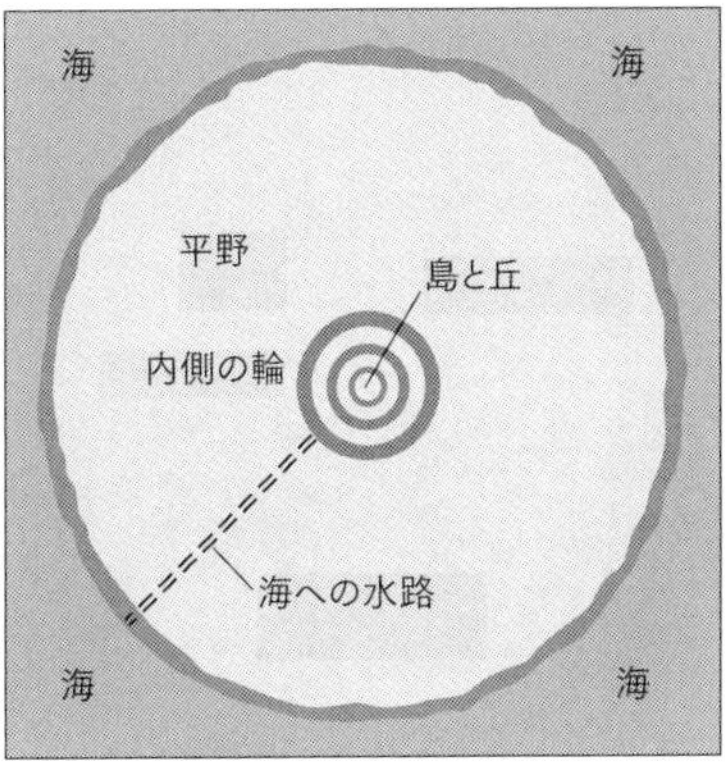

図1　プラトンの島

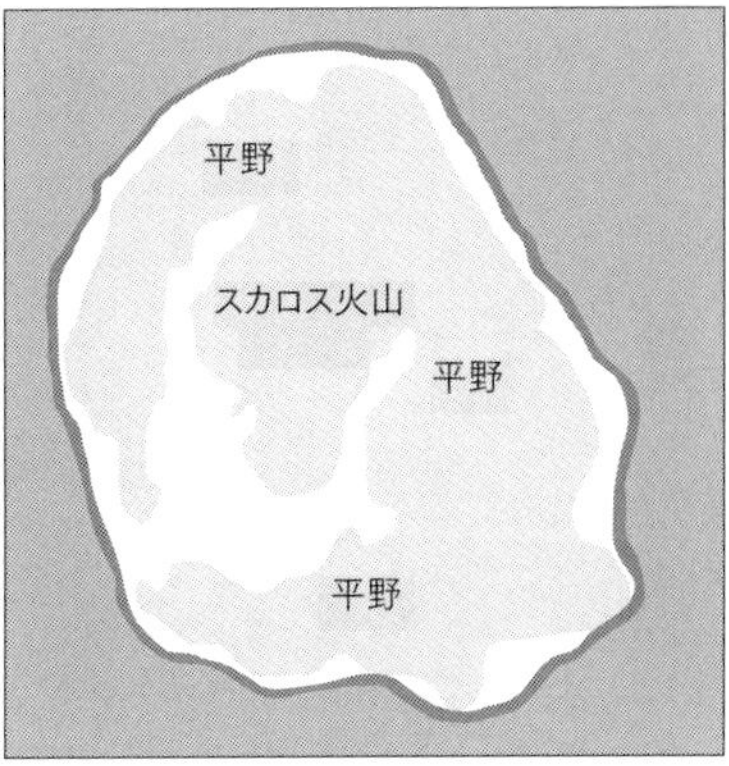

図 2　サントリーニ（ティーラ）島。紀元前 15000 年頃の最初の噴火前

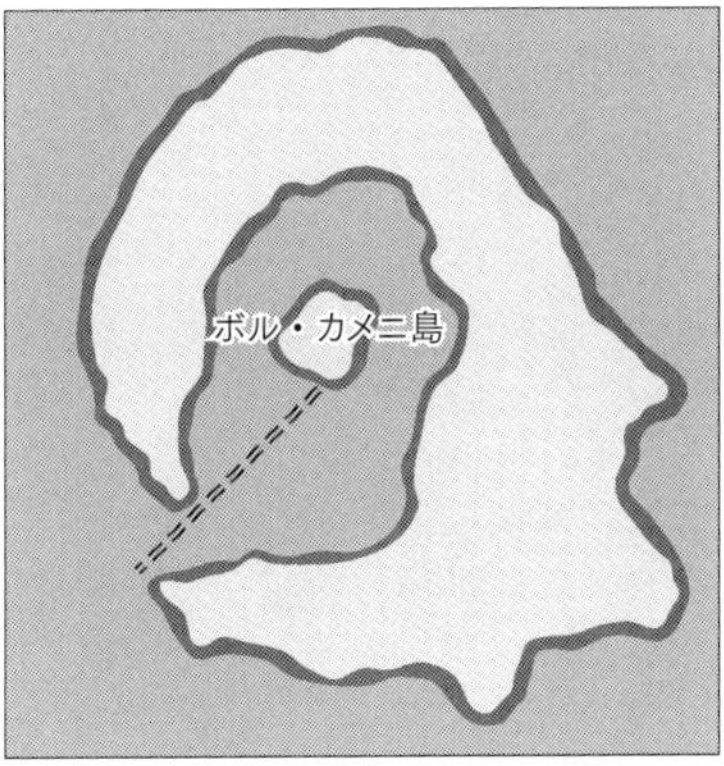

図 3　「ミノア人の」島。紀元前 1450 年の噴火以前で、水路がわかる

図 4　現在の島（紀元前 1450 年の噴火後）

残りの壁や柱や装飾は残らずオリハルコンで覆った……。

著者注：ミノア人は銅、錫、青銅、金、銀、象牙を取引し、加工していた。ミノアの建造物には、採光のために半透明の雪花石膏の屋根のついたものもあった――プラトンが「見かけは象牙のよう」と表現したように。

この記述に当てはまるのはクレタ島だけだし、プラトンが記述した時代に金属加工の技術をもっていた島の民はミノア人しかいない。

プラトンはアトランティス文明の金属加工と交易の能力についてさらにくわしく述べている。

「……なぜなら彼らの支配的地位ゆえに、外国から輸入される品が大量にあり、島自体にも日常生活に必要なものはほぼそろっていた――初めに金属からいえば、硬い種類のものも、いまは名前でしか知られていないが当時は実在した融解性のもの［オリハルコン］もあり、島のあちらこちらにその鉱山があった。またあらゆる木材も豊富に産出したので、森林は大工たちに働き口を与え、動物もたっぷりと、大人しい象も気の荒い象もともに生み出した……(3)」

著者注：ここでプラトンが説明しているのは、森林と鉱山のあるキプロスのことだ。キプロスはミノアの属領で、新石器時代には象がいた。

「海のほうを向いてはいるが、島全体の中央に、あらゆる平野のなかで最も美しく、きわめて肥沃だといわれる平野があった」

著者注：これは図2に示されたティーラ島の、最初の大噴火（図3）の前にあった平野のことだ。このころ（プラトンは紀元前九〇〇〇年と言っている）は中央に平野を抱いた卵型の、プラトンが説明しているのとほぼ同じ大きさの島だった。この平野は過去の火山噴火から出たリン酸塩や硝酸塩が豊富で、きわめて肥沃だった。

「一方で平野の近く、島の中心に向かっておよそ五〇スタジア［九〇〇〇メートル］のところに、どちらの側からもさほど高くない山があった。山にはその国の土地で生まれた原住民のひとりが住んでいて、名をエウエノルといった。エウエノルはレウキッペという妻をもち、二人にはクレイトという一人娘がいた」

著者注：この山は図2に示されたスカロス火山で、島のおおよそ中央の、東海岸から九〇〇〇メートルのところにあった。平野に比べてさほど高くはなく、二〇〇メートル足らずだ。

「乙女（クレイト）は父と母が死んだとき、すでに一人前の女性になっていた。ポセイドンは彼女に恋をして交わり、彼女が住む丘を取り巻く土地を割ると一帯の海と陸を交互に大きくしたり小さくしたりし、たがいを囲い込むようにさせた……それで人間の男がこの島にたどり着くことはできなくなり、船と航海はまだなかった……」

著者注：ポセイドンが「土地を割って」島の中央を封じ込め、それによって「丘」を取り囲んだというのは、実際には最初の大きな火山爆発のことで、その出来事が民間伝承として伝わったのだろうし、ティーラは図2にある形から図3の形の島になったのだろう。スカロス火山（図2）がボル・カメニ島（図3）に変わっている。「船と航海はまだなかった」。これは、この大爆発が紀元前六〇〇〇年以前であることを意味している——前六〇〇〇年には、クレタ人はもう船をもっていた（彼らがクレタ島に到達したのは前七〇〇〇年のことだ）。

「神であるポセイドン自身は、苦もなく島の中央のために特別な手はずを整え、地底から二つの泉を、ひとつは温かい水、もうひとつは冷たい水を湧き上がらせた……」

著者注：これはつまり、現在、中央にある二つの島ネア・カメニとパラエ・カメニを訪れる旅行客が浸かっている温泉と冷泉のことだ。つまりプラトンの記述は、中央の礁湖が海に没する以前のティーラ島の外観と、それ以後の外観の両方に一致する。プラトンはこの噴火をこう描写している。

「しかしのちの時代に「つまり、ポセイドンが島の中央のネア・カメニを水で取り囲んだあとに」、前触れとともに地震と大水が起こり、そして痛ましいある日、夜が彼らの上に降りかかった……」

著者注：夜とはティーラの火山噴火による暗闇のこと——その火山灰や細片が太陽を覆い隠し、作物の不作を引き起こしたのだ。

「戦士たちは体ごと地面に呑み込まれ、アトランティスの島も海に呑まれて消えた。そうしてまた、その場所の海もいまは、島が沈むときに生まれた泥の砂州にふさがれ、通ることができなくなっている……」

著者注：プラトンはここで、ティーラを図3の状態から図4の状態へと一変させた最後の悲劇的な噴火について述べている。この噴火で島の大半が吹き飛ばされてしまった。街の大部分はいまのアクロティリの地下に埋もれ、本島西部の集落がいくつも消滅しただろう。中央カルデラの浅い部分はまちがいなく泥の砂州になっただろう。海は火山のテフラで覆われ、泥のように見えただろう。

「掘られた水路は幅三プレソラ、深さ一〇〇フィート（三〇メートル）、長さ五〇スタジア（九〇〇〇メートル）あり、海から始まって最も外側の円を貫くことで、海から入ってくるところを港のようにし、より大きな船が通れるほど大きな口を開かせた(4)」

著者注：この水路のルートは、アスプロ島の南の海から北東にある中央の島まで続くものだ。今日では海からネア・カメニまで、深さ三〇メートル超、長さ六四〇〇メートル超の通り道が開けている。プラトンはおそらく、詩的な破格の表現を用いているのだろう。この水路は人間の手になるものではなく、最初の大規模な火山噴火（図2と、ティーラ中央部に海が入り込んでいる図3を比較）によって生まれた——ちょうど中央の島を取り囲んだ海の環が、プラトンが主張するように人工のものではなく、火山噴火の結果だったように。

「港には三段櫂船や海軍の倉庫がずらりと並び、すべてが準備万端整っていた」

著者注：フレスコ画に描かれたにぎやかな埠頭には、三段櫂船とその積荷、とくに船に載せるために追い立てられていく牛が見える。

「その地域は全体にわたって住居が建て込んでいた。そして運河やとくに大きな港はあらゆる場所からやってくる船や商人であふれ、その数の多さゆえに騒々しい人の声やあらゆる種類の騒音が夜といわず昼といわず鳴り響いていた」

著者注：クレタ島のフレスコ画には、さまざまな国籍の商人たち（服装や肌の色から判断して）が描かれている――リビア人、アフリカ人、ミノア人、そして白いガウンを着た船の乗客たちだ。

「この場所［造船所］や周辺の一帯や橋などをすべて、彼らは四方から石壁で囲み、海から入ってくるところの橋には塔と門を設置した」

著者注：塔と橋、そして造船所を囲む石壁は、細密なフレスコ画にはっきり描かれている。

「工事に使われた石は、中央の島の地下から、一帯の地下から、また外側と内側の地下から切り出された。ある種類は白、ある種類は黒、ある種類は赤で、切り出すと同時に二重のドックがくり抜かれ、屋根の部分も自然の岩から削り出された。こうした建造物は、一部ののは簡素だったが、異なる石を組み合わせることで色の変化をつけて目を楽しませ、自然な喜びの源となるものもあった」

著者注：プラトンが言っている白と黒と赤の石は、フレスコ画にも登場するし、現在もティーラの崖の表面に見られる。色のついた石はフレスコ画の建造物のなかに描かれていて、自然の岩をくり抜いて屋根を作った地下の二重のドックも同じだ。これはレッドビーチの崖に見られる。ちょうど現在のサントリーニ島で地下のドック（漁船用）が掘り出され、地下の住宅やレストランがいまも利用されているように。

神話、魔法、アメリカの発見

ギリシャ本土のミケーネを訪れたときに私は強い印象を受けたが、それはとりわけハインリヒ・シュリーマンがホメロスを一字一句まで追うことでトロイアとミケーネを発見したことがわかったからだった。ホメロスの記述はとんでもなく正確だった。このことは私自身の経験にも合致していた。最初は『１４２１』、つぎに『１４３４』で、先住民の人々の祖先にまつわる伝説がほぼ必ず事実に基づいていることがあきらかになったのだ。とくにアメリカ大陸では、北極から南アメリカまで何千キロもの太平洋岸に暮らす先住民の先祖は、海を渡ってやってきたと主張している。同じことがのちに北大西洋岸でもくり返された。

その原理を地中海の歴史に当てはめると、プラトンは真実を語っているのではないかと次第に思えてきた。そして、ギリシャやローマの歴史家が、巨大な交易帝国だったミノアの歴史を記録しているにちがいないとも思った。

一九五四年に海軍兵学校ダートマス校で、私たちはギリシャとローマの歴史を学んでいた。そして今度は、ヘロドトスやホメロス、プラトンが実際にミノア人のアメリカ大陸への航海を記録に残していたかどうかを調査することになった。調べてみてすぐわかったのは、私よりずっと学識のある著者たちが、ホメロスの『オデュッセイア』にはたしかに青銅器時代のヨーロッパ船団による世界周遊が描かれていると考えていたことだ。私はこうした歴史について、とくにアメリカ古代史の専門家ヘンリエッテ・メルツやフランスの歴史家数人の著作を研究してみた。すると問題は、そうした記述は事実であったとしても、具体性が足りないことだった――アメリカにも当てはまるし、地中海地方にも当てはまるという内容だったのだ。それで不本意ながらあきらめた。そんなときマーセラが、A・G・ガラノプロスとエドワード・ベーコンの『アトランティス――伝説に隠された真実』を見つけてきた。この画期的な著作が私の目を開かせてくれた。

ガラノプロス教授とエドワード・ベーコンの共著が刊行されて以来、ミノア人とそのすばらしい文明に関する新たな証拠が堰を切ったように続々と出てきている。ガラノプロスとベーコンは、ウルブルンの沈没船とその積荷の分析結果も、最も重要な戦争のなかの銅インゴットとその化学分析に関する知識ももっていなかった。それに紀元前三〇〇〇年紀にスペリオル湖の銅鉱から何百万キロもの高純度の銅がどこかへ消えてしまったことも知らない。ウルブルン船の船体をティーラのフレスコ画と比較する機会はなく、ミノア船の優れた航海能力を評価するべくもなかった。イベリア半島の河川、とくに青銅器時代の遺物や青銅器時代の港で行われた発掘調査の結果も、二人が手にすることはなかった。ミノアの帝国の全容、とりわけエジプトのテル・エル・ダバアの基地は、二人にとって未知の存在だった。ストーンヘンジについては、ミノアの人工遺物やもともと地中海に住んでいた人々の骨格が発見されたのはごく最近のことだ。北ドイツのミノアの陶器はつい先日に日の目を見た。ガラノプロスもベーコンも、世界中の銅山でミノアの遺物が新たに見つかっていることを知らなかった。ソレンソンとジョハネセンの両名誉教授が出版した、青銅器時代の大西洋を越えたきわめて多岐にわたる大陸間交易についての記念碑的著作の恩恵を受けることもなかった。私よりはるかに該博な知識をもつ多くの人たちが新たな証拠を提供してくれたおかげで、ガラノプロスとベーコンの考えを基に、プラトンのアトランティスにまつわる単純かつ包括的な説明を行うことができるのだ。

近年の膨大な研究の成果を踏まえると、私たちはプラントンのアメリカに関する記述を批判的に検証できる。

当時の大洋は航行可能だった。あなたがたギリシャ人が口と呼ぶもの、いわゆる「ヘラクレスの柱」［ジブラルタル海峡］の前に、リビアとアジアを合わせたより大きな島があった。そして当時の旅行者はそこから他の島々へ、その島々からまた、本物の海を包む込む大陸へ渡ることができた……(5)

ここにあるのは大西洋とアメリカ大陸についてのプラトンの記述だ。大西洋は島々を経由して（カナリア諸島とカーボベルデは往路、ヘブリディーズ諸島とオークニー諸島は復路）航行可能だと言っている。

プラトンはミノアの優雅な文明を説明し、その帝国は大西洋を越えてヨーロッパまで広がり、地中海を包み込んでいたと言う。アメリカは当時も航海可能だった大西洋の西にあって、「……本物の海を包み込んでいる」と書いている。

西大西洋の「海を包み込む」巨大な島とは、アメリカでしかありえない。アメリカから大西洋を越えてアテネを攻撃するために戻ってきた船団は、スペリオル湖の銅を積んで航海から帰ってくるミノアの船を指しているとしか考えられないのだ。

アトランティスの物語への関心が高まった結果、火山学者や考古学者、海洋学者、美術史家、地理学者、気象学者などあらゆる分野の教授や専門家たちが、ティーラについて膨大な量の調査や研究を行ってきた。どれもすべて魅力的な内容だ。そうした研究の精選した文献目録は私たちのウェブサイトに載せてある。

避けがたい結論

これまでに述べた類似性にごく単純に説明をつけるとしたら、プラトンが説明していたのはたしかにミノア文明であるということだ。しかしプラトンの物語には三つの現実が混ざり合っている。第一に、アトランティスの大都市は実際にはサントリーニ島である。第二に、大西洋に浮かぶリビアとエジプトと同じ大きさの島は実際にはアメリカである。第三に、アトランティスの製造拠点と穀倉地帯はクレタ島である。アトランティスはひとつの場所ではなく、いまは失われてしまったひとつの帝国だった。現在のサントリーニ島を訪れる旅行客は、あのフレスコ画のカラー写真を手に、ボートに乗ってレッド・ビーチを海から眺められる。そうしてほぼ四〇〇〇年前のプラトンのアトランティスの姿を目の当たりにすることができるのだ。

事実は小説よりも奇なり、である。

エピローグ 注

(1) Plato, *Critias* 115b
(2) Ibid. 116d
(3) Ibid.115e
(4) Ibid 115d
(5) Plato, *Timeus* 25A

・ルクソール近郊の神殿の下で発見されたトドの宝物に、アメンエムハト１世（前 1922 －前 1878 年）のカルトゥーシュが描かれたクレタ産の物品や銀のカップが見られる。
・マリにクレタ島の物品が現れる。マリの王がバビロンのハンムラビ王にクレタの品を贈る。「宮殿が建設されたあと、クレタ島はかつてないほど国際的な……地中海東部一帯における大きな存在となった」（Fitton）
・「原宮殿時代はミノア文化初の大きな開花を示していた」（Fitton）

前 1800 年

・クレタ島とケア島、デロス島、ティーラ島、ナクソス島、エギナ島、キティラ島、パロス島、アモルゴス島間の交易（Buck/Scholes）。エギナ島のミノア入植地（Buck）。中期ヘラディック文化のギリシャとエジプト（Buck）間でじかに交易が行われていた形跡はない――物品はクレタ島の船で運ばれた。

前 1783 年

・テル・エル・ダバアの建設。
・ミノアの装飾された宮殿。ミノア船が港を利用。

前 1785 年

・インド綿がアメリカのゴミ捨て場に見られる（Sorrenson）。

前 1700 年

・中期ミノアⅢ（前 1700 －前 1600 年）、ミノア人が大規模な地震被害の修復工事に取り組む。
・「第二宮殿時代［前 1700 －前 1400 年］のクレタ島は注目すべき文明の故郷だった。特徴的なのは宮殿の繁栄ぶりと、他の場所には見られない規模の都市化で……この時代にはミノア文明の遠い到達点と広く見られていた」（Fitton）。

前 1600 年

・ヴォロスの船。
・青銅器時代のドーバー・ボート。

前 1500 年

・前 l492 －前 1458 年ごろ、ハトシェプストのプント国（ソマリア）遠征。

前 1450 年

・ティーラの火山噴火。ミノア文明の終焉。

前 1400 年

・レクミレスの墓（テーベ）にアメリカのトウモロコシが見られる（Thompson）。
・インドの寺院にアメリカの植物が見られる（Gupta）。

463 ページからお読みください。

前 2450 年

・インドのロータル港が稼働——ハラッパーの交易商人（Rao）とミノア人が訪れる。
・銅製の武具、銅製の兜、銅製の武器を帯びたシュメール人兵士を表す石碑。

前 2400 −前 1800 年

・イエメンの銅製の遺物。

前 2340 年

・アッカドの皇帝サルゴン 1 世——青銅の旺盛な需要。
・ミノア人が錫を求めてブリテンへ（Waddell/Rawlinson）。
・サルゴンがクレタ島を攻撃？（計 3 回——サルゴンの自伝による）。

前 2280 − 1930 年ごろ

・ストーンヘンジ第 3 期の完了。

前 2200 年

・青銅の斧がブリテンに現れる（Needham）。

前 2100 年

・クレタ島でエジプトのスカラベが頻出。

前 2030 年

・ブリテンでフェリビーの船が建造される（木板船）。

前 2040 − 1640 年

・紅海−ナイル運河の建設。
・クレタ島産の織物が大量にエジプトへ（Buck）。エジプトには贈り物をたずさえてきたクレタ人たちの肖像画が（Buck）。
・レバントとエジプト、キクラデス諸島とエジプト／レバント間で直接交易が行われた形跡はなく、クレタ島の船で交易が行われた（Buck）。

前 2000 年

・（前 1950 年）クレタ島と西部の島々——ティーラ／メロス島、ケア島——との「宮殿」交易。アクロティリ（ティーラ島）、フィラコピ（メロス島）、アイアリーニ（ケア島）で発見されたクレタの原宮殿時代の陶器。クレタの宮殿が長距離交易の原動力となる。
・ファイユム（エジプト）の大量のミノア陶器、ビブロス、ウガリット、ベイルート、カトナ、ハゾルのカマレス陶器。クレタ島経由で輸出されたラウリオン銀。
・リオ・ミーニョ川（ポルトガル）河口で青銅器時代の遺物が発見される。
・アイルランドで平らな銅製の斧が使用される。

前 1900 年

年　表

前300000年

・アナトリア中部にインド・ヨーロッパ語族が定住。

前100000－前5000年

・その人々がロードス島を経由し、ギリシャとクレタ島に移住。

前4500年

・クレタ島で初めて銅が製錬される。

・アルメンドレスの巨石の天文台が開始（ポルトガル）。

前3200年

・クレタ島からミノア人が地中海南東部に到達。

・スペインに採鉱者の植民地が見られる（ミラーレン文化）。

前3000年

・ミラーレン文化の興隆。前2600年ごろに全盛期。

・ミノアの印章にマストと帆をもった船が現れる。

前2900年

・この年代のミノアの印章とエジプトのスカラベがクレタ島で見つかる。

・スペイン南西部でリオ・ティントの銅山が生産開始（Ortiz）。

前2800年

・ミノア人とシリア－パレスチナ沿岸部、ビブロス、ウガリット、マリとの交易の興隆。

前2650年

・サッカラのピラミッドが完成。

・マリで精巧な宝飾品の製造。

前2570年

・クフ王のピラミッドが完成。

・銅と錫の大きな需要。

前2500年

・グレート・オーム銅山（英国）が生産開始。

・銅製の斧が英国で発見される。

・ストーンヘンジ第2期（Sarsens）の開始。

・エイブベリーの射手。

・マルタが海の民の侵略を受ける。

・ビラ・ノバ・デ・サン・ペドロの巨石の天文台が観測開始。

・テージョ川（ポルトガル）河口に要塞の建設。

著者略歴
ギャヴィン・メンジーズ（Gavin Menzies）

1937年、英国ロンドン生まれ。幼少期を中国で過ごす。15歳で退学し、海軍に入隊。潜水艦に搭乗し、マゼランやクックの航路をたどる。退役後、みずから世界中を調査し、明王朝時代の中国艦隊の大航海を解き明かした『1421　中国が新大陸を発見した年』を発表、国際的なベストセラーとなる。さらに壮大な謎に挑んだ本書も世界的な話題を呼んだ。2020年死去。

訳者略歴
松本剛史（まつもと・つよし）

英米文学翻訳家。東京大学文学部卒。訳書に、メンジーズ『1421』（ヴィレッジブックス）、トーマス『愚者の町』（新潮社）、ブランチャード他『一分間マネジャーが教える危機を突破する謝罪術』（扶桑社）他、多数。

失われたアトランティス

2024年1月30日　第1版第1刷発行

著　者　ギャヴィン・メンジーズ
訳　者　松本剛史
カバー・デザイン　岩郷重力+ WONDER WORKZ。
カバー写真　SHUTTERSTOCK
本文組版　アーティザンカンパニー

発行者　小池英彦
発行所　株式会社 扶桑社
〒105-8070　東京都港区芝浦1-1-1 浜松町ビルディング
電話　03-6368-8870(編集)
　　　03-6368-8891(郵便室)
www.fusosha.co.jp
印刷・製本　中央精版印刷株式会社

ISBN978-4-594-09164-4